中級レベル

わかって使える日本語

名古屋YWCA 教材作成グループ　著

スリーエーネットワーク

© 2004 by THE NAGOYA YWCA SCHOOL OF JAPANESE LANGUAGE

All rights reserved. No part of this publication may be reproduced, stored in a retrieval system, or transmitted in any form or by any means, electronic, mechanical, photocopying, recording, or otherwise, without the prior written permission of the Publisher.

Published by 3A Corporation.
Trusty Kojimachi Bldg., 2F, 4, Kojimachi 3-Chome, Chiyoda-ku, Tokyo 102-0083, Japan

ISBN978-4-88319-302-8 C0081

First published 2004
Printed in Japan

まえがき

　初級段階で基礎的な活用や文型を学んだ学習者が、より高度な総合的技能の習得を目指す上で最も重要なことは、日本語の基本的な構造をしっかり把握し、かつそれを運用できる能力を養っておくことです。

　このテキストは、そのような考えに立ち、1995年に出版した『日本語初中級―理解から発話へ』を、中級段階で学習するための教材として、改訂、修正したものです。理解、運用がやさしいと思われる項目（「～てしまう」、「～てみる」等）を外し、複文を中心に目的表現、形式名詞等を加え、新たに読解文を追加しました。また、語彙の増強を図ると共に、より高度な運用レベルまで拡張した場面も取り入れました。いわゆる一般外国人、就学生、留学生等、学習目的を問わず先々高い運用力をつけたい人で、初級の文法項目を一通り学んだことのある人を対象としています。このテキストと並行して、長文読解や作文等の教材を使用することで、学習者はバランスの取れた日本語能力を養成することができます。

　「母語話者が無意識に表現を選択できるのは構文の基本概念がシンプルであるからだ」との観点に立ち、構文の「基本的意味機能」を文法として簡明に示し「実際の文脈の中でどう運用するか」に結びつけることで、学習者が納得して習得していける教材として、このテキストを開発してきました。開発にあたっては、項目を分析、検討し、母語話者である日本人の言語使用の実態調査の結果も反映させました。また、学習者からのフィードバックを参考に内容を更新してきました。

　文法分析では、益岡隆志先生に貴重なご助言をいただきました。この場を借りて改めてお礼を申し上げます。

　また出版にあたって労をとってくださったスリーエーネットワークの藤井晶子氏に深く感謝申し上げます。お使いくださった方々から、ご意見、ご感想をいただければ幸いです。今後の参考にさせていただきたいと思います。

2004年3月

名古屋YWCA教材作成グループ
代表　宮川光恵

本書の使い方

　このテキストは、27の文法項目から構成されています。概ね易から難への順になっていますが、必要な項目を選んで学習することもできます。項目によってはいくつかの部分に分けてあります。1回ではなく、何回かに分けて学習するなど工夫してください。

各課（項目）の構成と留意点

	内容	留意点・目的
ウォームアップ	シンプルな会話や文を示し、適格かつ適切な表現とは何か、なぜそうなのかを考えさせる問題形式。	学ぶべきポイントを示す。特に既習項目の場合、新たに習得すべき用法を示し、動機づけとする。
導入	当該項目の典型的な会話や文を提示。	どのような場面で、どのような形で使われるかを示す。
▭	▭の中で項目の形を示し、基本的な意味機能を日本語で説明。 運用上注意を要するポイントは［使い方の注意］で示した。説明で使用している語彙の訳（英・中・韓）を枠の下に載せた。	文法は決して難しいものではなく「基本の概念をシンプルに捉えること」が運用へつながることを伝える。
形の練習	文の形（活用を含む場合もある）を作る練習。 運用を考慮して作成した。	語レベルの変換練習や文型の復習が必要な場合、教師が適宜補う。
使い方の練習	当該項目が適切に使えるように、機能、場面、語彙を選出、抽出して会話と文章で練習。 話し言葉に特有の表現（共話・話の切り出しと切りあげ・文末表現・フィラー・倒置・縮約形など）を盛り込んだ。練習にあたり注意を要するものは、欄外に説明をつけた。	＿＿の部分はキューに従って代入し、（　）の中は学習者が考える。自分の言葉で言いたいことが言えるように文脈の中で練習させる。その後同一場面で自由な会話を作らせて発表させるとよい。

発展練習	その項目を使うより広い場面を取り上げた練習。 他の類義表現との違いを考えたりタスクワークをしたりする。	基本的な運用練習から、より広い使い方を学ぶ。
読んでみましょう	当該項目を使用した読解文と質問の形式。	まとまりのある文を読んで内容を把握する。またその項目がどのように使われているかを理解し、文作りへの手がかりを摑む。
◯	その課の学習項目の理解を深める説明とその例、およびより広範囲な機能と運用場面を紹介。	項目への理解を深め、より高度な技能を目指すのに役に立つ。
総合練習	1つの項目がいくつかに分かれている場合、それらを総合的に練習。	いくつかの用法の違いを確認し、その使い分けを学ぶ。
表記 （漢字・ふりがな）	初級段階で既習と思われる漢字を除き、日本語能力試験出題基準3級以上の漢字にルビを付した。原則として同じ頁に出る2度目以降の漢字にはルビを付けていない。 ただし、各課に繰り返し出る指示の言葉や文法説明中の文法用語には第1課以降ルビを付していない。 第16課以降は、第15課までの使用頻度の高い漢字にルビを付加していない。	
語彙	初級段階で既習と思われる語彙を除き、日本語能力試験出題基準3級以上の語彙を取り上げ、英・中・韓の訳語を付けた。 語彙にはルビを付し、原則として動詞、形容詞、副詞、複合辞に例文を付けた。	

	解答	練習問題の番号順に答えを提示。複数回答が予想される場合は、参考として解答例を示した。	

目　次

まえがき
本書の使い方 …………………………………………………… 4
登場人物 ………………………………………………………… 10
第1課　〜て・なくて・ないで／ずに ……………………… 13
　　　〜て・なくて ………………………………………… 13
　　　〜て・ないで／ずに ………………………………… 16
　　　N_1じゃなくて、N_2 ………………………………… 20
　　　（ではなくて）
第2課　名詞修飾 ……………………………………………… 21
第3課　「は」と「格助詞」 …………………………………… 26
　　　「格助詞」 ………………………………………………… 26
　　　助詞「は」 ……………………………………………… 28
　　　「は」と「格助詞」の使い方 ………………………… 31
　　　「は」と「格助詞」―使い方のヒント― …………… 33
第4課　ようになる …………………………………………… 37
第5課　〜んです ……………………………………………… 41
　　　〜んです ………………………………………………… 41
　　　〜んじゃないでしょうか …………………………… 45
第6課　〜てもらう・てくれる・てあげる ………………… 47
　　　〜てもらう・てくれる ……………………………… 47
　　　〜てあげる ……………………………………………… 52
第7課　自動詞・他動詞 ……………………………………… 54
第8課　〜ている ……………………………………………… 59
　　　〜ている・てある …………………………………… 59
　　　〜ている ………………………………………………… 62
第9課　とき …………………………………………………… 64
　　　〜るとき・たとき …………………………………… 64
　　　〜ているとき …………………………………………… 67

第10課　〜てくる・ていく	70
〜てくる・ていく　1	70
〜てくる・ていく　2	74
第11課　こ・そ・あ	77
こ・そ・あ　1	79
こ・そ・あ　2	83
第12課　普通形＋のは	86
第13課　たら	90
たら　1	90
たら　2	93
第14課　と	96
第15課　ば	101
第16課　なら	105
第17課　ので・のに	109
第18課　〜（さ）せる（使役）	113
〜（さ）せる（使役）　1	113
〜（さ）せる（使役）　2	117
〜（さ）せる（使役）　3	119
第19課　ように・ために	123
第20課　ようだ・みたいだ	127
第21課　〜（ら）れる（受身）	132
〜（ら）れる（受身）　1	132
〜（ら）れる（受身）　2	138
第22課　〜ても	142
〜ても　1	142
〜ても　2	145
第23課　ことになる・ことにする	148
第24課　うちに	151
うちに　1	151
うちに　2	154
第25課　ように言う	157
ように言う	157

ように頼む	…………………………………………	160
第26課　敬語	…………………………………………………	162
尊敬語―おVになる・特別な形―	………………………	163
尊敬語―～（ら）れる―	………………………………	168
ていねい語・謙譲語	……………………………………	170
第27課　わけだ	………………………………………………	174
わけだ	………………………………………………………	174
わけじゃない（では）	…………………………………	176
わけにはいかない	………………………………………	178
索引	……………………………………………………………	181

別冊

　語彙

　解答

登場人物
とうじょうじんぶつ

ファン
中国人　25歳（男性）
日本語学校の学生
NA社の社員

ルン
タイ人　20歳（女性）
日本語学校の学生
伊藤家にホームステイ

チャン
韓国人　23歳（男性）
日本語学校の学生
北海道に弟がいる

田中
日本人　26歳（男性）
NA社の社員
ファンの先輩

伊藤美加
日本人　大学生（女性）
ルンのホームステイ先の娘

スミス
オーストラリア人　30歳（男性）　日本語学校の学生
語学教師

川上
日本人　23歳（女性）
NA社の社員
ファンの同僚

山崎
日本人　大学生（男性）
美加の友人

リー
中国人　20歳（女性）
日本語学校の学生
進学予定

加藤
日本人　40代（女性）
国際交流会の会員

森田先生
日本人　40代（女性）
日本語学校の教師

アン
カナダ人　26歳（女性）
日本語学校の学生

マリア
ブラジル人　28歳（女性）
日本語学校の学生
上級クラス

その他の人物

佐藤	（男性）	NA社の社員
伊藤（母）	（女性）	ルンのホームステイ先のお母さん
健太		美加の弟
鈴木	（女性）	日本語学校の学生課の人
まゆみ	（女性）	リーの友人

省略記号

S	……… 文		N	……… 名詞
いAdj	……… い形容詞		V	……… 動詞
なAdj	……… な形容詞			

第1課　～て・なくて・ないで／ずに

> **ウォームアップ**

> どちらを使いますか。適当なほうを選んでください。
> 1. 時間が（足りなくて／足りないで）、できませんでした。
> 2. 辞書を（見なくて／見ないで）、書いてください。
> 3. 契約書の内容を（読まなくて／読まずに）、サインしてはいけない。

～て・なくて

I. 導入

アン：きのう、久しぶりにブラウンさんに会いました。
森田先生：ああ、そうですか。元気でしたか。
アン：ええ。でも、<u>時間がなくて</u>、ゆっくり話ができませんでした。

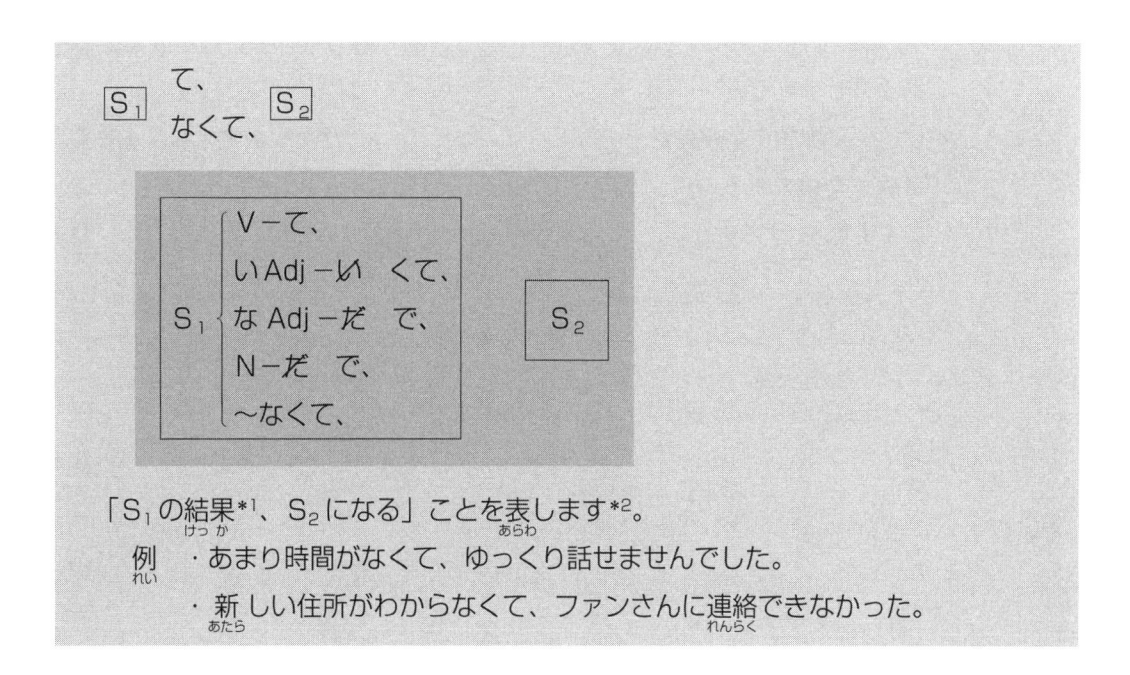

S_1 て、
S_1 なくて、S_2

$$S_1 \begin{cases} V-て、 \\ いAdj-\cancel{い}くて、 \\ なAdj-\cancel{だ}で、 \\ N-\cancel{だ}で、 \\ ～なくて、 \end{cases} S_2$$

「S_1の結果[*1]、S_2になる」ことを表します[*2]。
例　・あまり時間がなくて、ゆっくり話せませんでした。
　　・新しい住所がわからなくて、ファンさんに連絡できなかった。

- きょうは天気がよくて、気持ちがいいです。
- 手伝ってくださって、ありがとうございました。
- 図書館が休みで、本が借りられなかった。

[使い方の注意]
「～て・なくて」の後ろに、「～てください」「～たいです」など話し手*3の意志*4を表す表現*5は使えません。
　例　・忙しくて、手伝ってください。（×）
　　　・忙しくて、行けません。（○）

* 1　結果（けっか）　　　result　　　结果　　　결과
* 2　表す（あらわす）　　express, show　　表示，表达　　나타내다
* 3　話し手（はなして）　speaker　　　说话的人　　말하는 사람, 화자
* 4　意志（いし）　　　　volition　　　意志　　　의지
* 5　表現（ひょうげん）　expression　　表现，表达　　표현

II. 形の練習

例　（風邪が治らない → 風邪が治らなくて）、困っています。
1) （仕事が忙しい →　　　　　　　　）、大変です。
2) （環境がいい →　　　　　　　　　）、住みやすいです。
3) （急用ができる →　　　　　　　　）、すぐ帰らないといけません。
4) （あまり甘すぎない →　　　　　　）、おいしいです。
5) パソコンは操作が（複雑だ →　　　　　　）、なかなか覚えられません。
6) （試験に合格できる →　　　　　　）、（　　　　　　　　）。
7) （とても緊張する →　　　　　　　）、（　　　　　　　　）。

III. 使い方の練習

1． 1） 田中：旅行の写真ができましたよ。
　　　　ファン：あ、景色もきれいに撮れていますね。
　　　　田中：ええ。

　　　　　　　<u>いい天気で</u>、よかったですね。

　　　例　いい天気だ
　　　① 富士山がきれいに見える
　　　② 晴れる
　　　③ 雨が降る

　　2） スミス：遅くなって、すみません。
　　　　ファン：いいえ…。
　　　　スミス：家を出るとき、<u>友だちが来て</u>、すぐに出られなかったんです。

　　　例　友だちが来る
　　　① 荷物が届く
　　　② 電話がかかってくる
　　　③ 定期券が見つかる

2． 高橋：日本の生活には、もう慣れましたか。
　　マリー：ええ、何とか。
　　　　　初めは（　　　　　　　　　　　　）、大変でしたが…。

正しいのはどれですか。

よく聞こえなくて、｛ a. 説明がわかりませんでした。
　　　　　　　　　 b. もう少し大きい声で話してください。
　　　　　　　　　 c. もっと前の席に移りたい。

S₂に「～てください」「～たいです」がくるときは、「ので」「から」を使います。

1． よく聞こえないので、もう少し大きい声で話してください。
2． よく聞こえないから、もっと前の席に移りたい。　　　　　　　（a）

第1課 〜て・なくて・ないで／ずに

〜て・ないで／ずに

I. 導入

1. 〈宿題を見ながら〉

   森田先生：この表現、いいですね。辞書を<u>見て</u>書いたんですか。

   スミス：いいえ、<u>見ないで</u>書きました。

   森田先生：そうですか。よく勉強していますね。

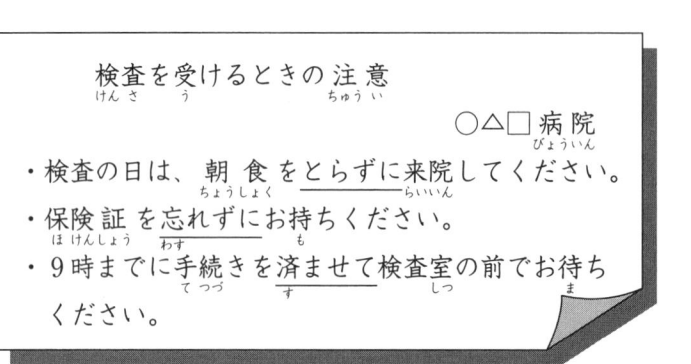

2.

   検査を受けるときの注意

   　　　　　　　　　　　　　　○△□病院

   ・検査の日は、朝食を<u>とらずに</u>来院してください。

   ・保険証を<u>忘れずに</u>お持ちください。

   ・9時までに手続きを<u>済ませて</u>検査室の前でお待ちください。

V_1ーて
V_1ーないで
（ずに）　　→　V_2

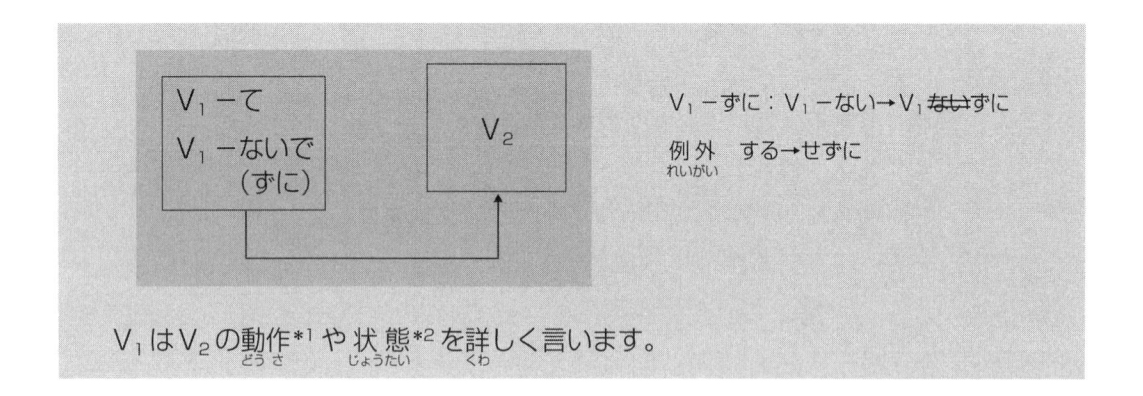

V_1ーずに：V_1ーない→V_1 ~~ない~~ずに

例外　する→せずに

V_1はV_2の動作*1や状態*2を詳しく言います。

[使い方の注意]
・話し言葉*3 では「ないで」「ずに」、書き言葉*4 では「ずに」を多く使います。
・否定*5 の言い方に注意

　　例　A：辞書を見て書きましたか。
　　　　B：いいえ、見ないで書きました。（○）
　　　　　　いいえ、見て書きませんでした。（×）

*1　動作（どうさ）　　　　action　　　动作　　　동작
*2　状態（じょうたい）　　state, condition　　状态，情况　　상태
*3　話し言葉（はなしことば）　spoken language　　会话用语　　구어체
*4　書き言葉（かきことば）　written language　　书面用语　　문장체
*5　否定（ひてい）　　　　denial, negation　　否定　　부정

II. 形の練習

1. 下の□の言葉を使って、いろいろな文を作ってください。
   1) ルンさんは（例　めがねをかけて　/　辞書を使わないで…）本を読んでいます。
   2) (　　　　　　　　　　　　　　　) 操作してみてください。

   | 辞書を使う　めがねをかける　手伝ってもらう |
   | マニュアルを見る　田中さんに聞く　声を出す |

2. (　) の中の動詞を「て」「ないで／ずに」に変えてください。
   1) 書類はよく (確認する →　　　　　　　　)、出してください。
   2) (遠慮する →　　　　　　　　) もっと召し上がってください。
   3) 紅茶には砂糖を (入れる →　　　　　　　　) 飲みますが、コーヒーには砂糖を (入れる →　　　　　　　　) 飲みます。
   4) 祖父はいつも帽子を (かぶる →　　　　　　　　) 外出します。
   5) ジムで運動した後、(着替える →　　　　　　　　) 帰りました。
   6) 夜、ライトを (つける →　　　　　　　　) 自転車に乗るのは危険です。
   7) この本、山下さんに (忘れる →　　　　　　　　) 渡してください。
   8) きのうはどこへも (出かける →　　　　　　　　)、1日中家でDVDを見ていた。

9）自動車メーカーは、ガソリンを（ 使う → 　　　　　　　　　　）電気で走る車を開発している。

III. 使い方の練習

1．1）〈授業後〉
　　　ルン：食事をして帰りませんか。
　　　ファン：いえ、ちょっと…。時間がないので、（　食べないで帰ります　）。

　　　例　食事をする
　　　①　宿題をする
　　　②　お茶を飲む
　　　③　本屋に寄る

2）スミス：旅行の予定はもう決まりましたか。
　　チャン：いいえ、まだです。
　　　　　　これから友だちと会って、決めるつもりです。

　　　例　友だちと会う
　　　①　ガイドブックを見る
　　　②　インターネットで調べる
　　　③　友だちの都合を聞く

2．　リー：きのうは遅くまで大変でしたね。
　　　スミス：ええ、とても疲れたので、（　　　　　　　　　　）寝てしまいました。

3．　□の言葉を使って答えてください。
　　　例　ルン：マリーさんは、（　じゃがいも　）をどうやって食べますか。
　　　　　マリー：（　いためてからチーズをかけて、　）食べます。

　　　煮る　　ゆでる　　いためる　　焼く
　　　（マヨネーズを）つける
　　　（しょうゆを）かける

IV. 読んでみましょう

「つける」を適当な形にして（　）の中に入れてください。

　先生の呼び方は、国によって様々だ。例えば、森田まさ子という教師を呼ぶとき、日本では「先生」の前に名字を（　　　　　）、「森田先生」と呼ぶ。ほかの先生がいないところでは、名前を（　　　　　）、「先生」と呼ぶことも多い。名前を忘れたり、思い出せないときも、「先生」は、失礼にならない、便利な呼び方だ。

　あなたの国では、先生のことを何と言って呼びますか。

第1課 〜て・なくて・ないで／ずに

N₁ じゃなくて、N₂
　（ではなくて）

I. 導入

1. 佐藤：会議は10時からですね。
   山下：いいえ、<u>10時からじゃなくて、9時半からです</u>。

2. ペットボトルやアルミ缶は、<u>ごみではなくて、資源です</u>。
   リサイクルして、大切に使いましょう。

> N₁ じゃなくて、N₂
> 　（ではなくて）

N₁を否定して「N₂だ」と言いたいとき、使います。

II. 使い方の練習

　　ファン：新幹線の切符、買ってきましょうか。
　　田中：ええ、お願いします。
　　ファン：片道、2枚ですね。
　　田中：いえ、（　片道じゃなくて、往復です　）。

| 例 | 片道 | 往復 | ① | 自由席 | 指定席 |
| ② | 広島まで | 岡山まで | ③ | 19日の8時 | 9時 |

III. 読んでみましょう

（　）の中に適当な言葉を入れて、文を作ってください。

　もう一度生まれることができたら男がいいか、女がいいか。40年前は、男性も女性も「男に生まれたい」という答えが多かった。しかし、最近は70％ぐらいの女性は（　　）ではなくて、（　　）に生まれたいと思っている。

　自分の子どもは、男の子と女の子とどちらがほしいか。この答えは男性も女性も半分以上が女の子を選んでいる。昔は（　　）の子ではなくて、（　　）の子のほうが多かったが、今は反対だ。

第2課　名詞修飾

ウォームアップ

適当なほうを選んでください。
1. ルン：さっきわたし（a．は　b．が）ここに置いた本、知りませんか。
   伊藤：表紙（a．は　b．が）赤い本ですか。
   　　　その新聞の下にありますよ。
2. 入口を（a．入るところ　b．入ったところ）に受付があります。

I.　導入

アン：マリアさんを知ってます*か。
リー：ええ。
　　　上級クラスの
　　　髪が（髪の）長い
　　　いつも大きいかばんを持っている　｝人でしょう？
　　　声が大きくて、元気な
　　　先週、パーティーでスピーチをした

＊　知ってます＝知って<u>い</u>ます

第2課　名詞修飾

> 名詞を修飾する*¹ 部分*² → N（名詞）
>
> S－普通形
> 例外 ｛なAdj－だ な／N－だ の｝
>
> 修飾する部分は、いつも名詞の前に来ます。
>
> [使い方の注意]
> ・修飾する部分の中では、「は」を使いません。
>   例　さっきわたし は→が ここに置いた本、知りませんか。
> ・修飾する部分の中では、「が」が「の」に変わることがあります。
>   例　アンさんは髪の長い人です。

───────────────────────────
＊1　修飾する（しゅうしょく）　modify　修飾　수식하다
＊2　部分（ぶぶん）　part　(一)部分　부분
───────────────────────────

II. 形の練習

1．例　朝早く音が聞こえます。
　　　　　　└─ 隣の人は掃除機をかけます。
　　（　朝早く隣の人が掃除機をかける音が聞こえます。　）

　1）駅の人には、日本語が通じません。
　　　　　　└─ わたしは話します。
　　（　　　　　　　　　　　　　　　　　　　　　　　）

　2）できれば仕事がしたいと思っています。
　　　　　　└─ 日本語が生かせます。
　　（　　　　　　　　　　　　　　　　　　　　　　　）

　3）パン屋の近くを通ると、いいにおいがします。
　　　　　　　　　　　　└─ パンを焼きます。
　　（　　　　　　　　　　　　　　　　　　　　　　　）

4）約束をしました。
　　　┗━┓あした友だちを空港まで送ります。
　（　　　　　　　　　　　　　　　　　　　　　　　　　　）

5）チャンさんは、あの人をよく知っています。
　　　　　　　　　　　┗━┓背が高いです。
　（　　　　　　　　　　　　　　　　　　　　　　　　　　）

6）今度、田中さんを紹介します。
　　　　　　┗━┓会社の先輩です。
　（　　　　　　　　　　　　　　　　　　　　　　　　　　）

7）ルンさんはイタリア料理の店が好きで、よく行きます。
　　　　　　　　　　┗━┓ファンさんに教えてもらいます。
　（　　　　　　　　　　　　　　　　　　　　　　　　　　）

8）田中さんは途中で奈良に寄りました。
　　　　　　　┗━┓仕事で京都へ行きます。
　（　　　　　　　　　　　　　　　　　　　　　　　　　　）

9）田中さんは帰りに奈良のお寺を見るそうです。
　　　　　　┗━┓仕事で京都へ行きます。
　（　　　　　　　　　　　　　　　　　　　　　　　　　　）

2．「内容（S－普通形）というN」の形を使って、お知らせや電話などの内容を表す文を作ってください。（なAdjも、Nも普通形（～だ）を使います。）

　例　ニュースは久々の明るい話題だ。
　　　　┗━┓「サラリーマンの田中耕一さんがノーベル賞をもらいました」
　　（　サラリーマンの田中耕一さんがノーベル賞をもらったというニュースは、
　　　久々の明るい話題だ。　）

1）AB貿易からファクスが入りました。
　　　　　　　　┗━┓「けさ商品を送りました」
　（　　　　　　　　　　　　　　　　　　　　　　　　　　）

2）ファンさんから連絡がありました。
　　　　　　　　┗━┓「あした3時から会議です」

3）リーさんたちにメールを送りました。
　　　　　　　　　「来週の金曜日に会いましょう」
（　　　　　　　　　　　　　　　　　　　　　　　　　　　　）

III. 使い方の練習

1. 1)　　　　チャン：すみません。
　　　　　　　　　　この辺に、ポスト、ありませんか。
　　通りがかりの人：ええっと、あの角を曲がったところにありますよ。

　　例　ポスト　　　　あの角を曲がります
　　①　トイレ　　　　そこの階段を下ります
　　②　公衆電話　　　あの信号を渡って少し行きます
　　③　薬局　　　　　まっすぐ行って横断歩道を渡ります

2)　ルン：美加さんに教えてもらった店に行ってみましょうか。
　　リー：そうしましょう。

　　例　美加さんに教えてもらいました
　　①　スミスさんから聞きました
　　②　先週、テレビで紹介していました
　　③　この雑誌に出ています

2. 次の文の名詞に「修飾する部分」をつけて、長い文を作ってください。
　　例　弟は辞書をさがしています。
　　　（　弟は外来語がたくさん出ている辞書をさがしています。　）
1）写真ができましたよ。
（　　　　　　　　　　　　　　　　　　　　　　　　　　　　）
2）わたしは文の意味がわかりませんでした。
（　　　　　　　　　　　　　　　　　　　　　　　　　　　　）
3）こちらはアンさんです。
（　　　　　　　　　　　　　　　　　　　　　　　　　　　　）
4）きのう友だちからメールが来ました。
（　　　　　　　　　　　　　　　　　　　　　　　　　　　　）

5) チャンさんは手紙を読んで、びっくりしました。
   (   )
6) 友だちにおみやげをあげました。
   (   )

IV. 読んでみましょう

□の名詞を修飾する部分に＿＿をつけてください。

1. 一人暮らしがさびしい女性に、サボテンを育てている人が多い。サボテンを選ぶ一番の理由は、世話が楽なことだ。ペットと違って、留守のときも平気だ。それでも中には、枯らしてしまう人がいる。また、かわいいからといって、水をやりすぎてだめにしてしまう人も多いそうだ。

2. 最近1年間にスポーツをした人はしなかった人よりずっと多い。最も多くの人が行ったスポーツはウオーキングで31.8%。次は、体操19.4%、ボウリング18.5%と続く。
   スポーツを行う理由の中で「楽しみや気晴らし」が一番多く、「健康・体力作り」の人がその次に多い。

第3課 「は」と「格助詞」

> **ウォームアップ**

次の文の違いを考えてください。
　a．魚が食べました。
　b．魚を食べました。
　c．魚は食べました。

「格助詞」

I. 導入

川上：田中さん…呼んでいますよ。
ファン：えっ。
川上：田中さんがファンさんを呼んでいますよ。
ファン：あ、ありがとう。

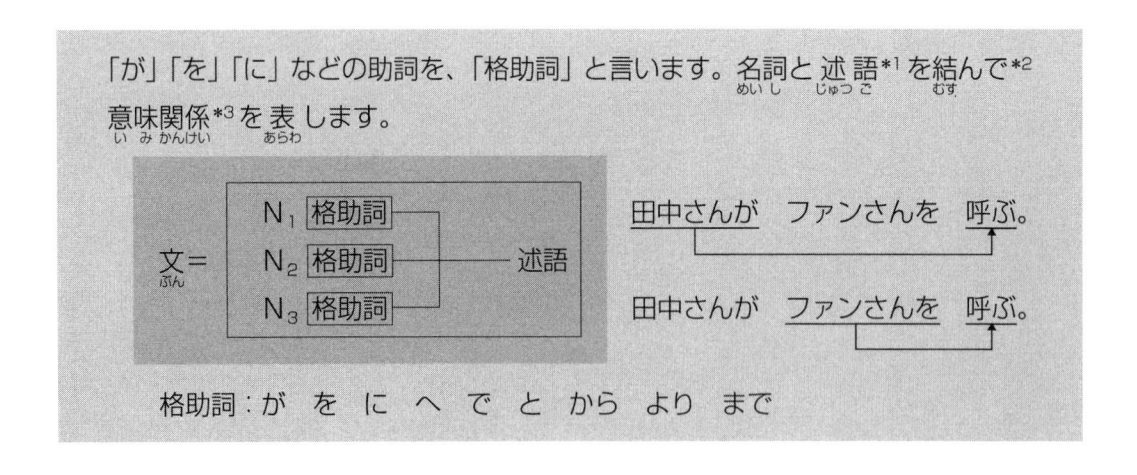

「が」「を」「に」などの助詞を、「格助詞」と言います。名詞と述語[*1]を結んで[*2]意味関係[*3]を表します。

$$文 = \begin{array}{|c|c|} \hline N_1 & 格助詞 \\ \hline N_2 & 格助詞 \\ \hline N_3 & 格助詞 \\ \hline \end{array} \text{——述語}$$

田中さんが　ファンさんを　呼ぶ。

田中さんが　ファンさんを　呼ぶ。

格助詞：が　を　に　へ　で　と　から　より　まで

---
*1　述語は普通、文の終わりにあります。
　　例　お客さんがたくさん来ました。（動詞文）　森さんのほうが背が高いです。（形容詞文）
　　　　火曜日がテストです。（名詞文）

第3課 「は」と「格助詞」

---
*1 述語（じゅつご）　predicate　谓语　술어
*2 結ぶ（むすぶ）　connect　连接，结合　연결하다, 맺다
*3 関係（かんけい）　relation, relationship　关系　관계

II. 形の練習

□の中から格助詞を選んで（　）の中に入れてください。

| が　を　に　へ　で　と　から　より　まで |

1) 受付の前　（　）　┐
   公衆電話　（　）　┘─ ある　　　　受付の前（　）公衆電話（　）ある。

2) アンさん　（　）　┐
   東京　　　（　）　┘─ 行く　　　　アンさん（　）東京（　）行く。

3) チャンさん（　）　┐
   ロビー　　（　）　├─ 読む　　　　チャンさん（　）ロビー（　）
   新聞　　　（　）　┘　　　　　　　新聞（　）読んでいる。

4) スミスさん（　）　┐
   リーさん　（　）　├─ あげる　　　スミスさん（　）リーさん（　）
   おみやげ　（　）　┘　　　　　　　おみやげ（　）あげた。

5) 次の駅　　（　）　┐
   電車　　　（　）　┘─ 降りる　　　次の駅（　）電車（　）降りる。

6) 金曜日　　（　）　┐
   田中さん　（　）　┘─ 話し合う　　金曜日（　）田中さん（　）
   　　　　　　　　　　　　　　　　話し合います。

7) 壁　　　　（　）　┐
   お知らせ　（　）　┘─ はる　　　　壁（　）お知らせ（　）はる。

8) 食後のコーヒー（　）― おいしい　　食後のコーヒー（　）おいしかった。

9) 仕事　　　（　）― 大変だ　　　　仕事（　）大変だ。

10) 1時　　　（　）　┐
    3時　　　（　）　┘─ 会議だ　　　1時（　）3時（　）会議だ。

第3課 「は」と「格助詞」

助詞「は」

I. 導入

1. 「2年ぶりに国へ帰って、家族に会いました。
   父は、仕事を休んで空港まで迎えに来てくれました。
   母とは、久しぶりにいっしょに料理を作りました。
   弟には日本の写真を見せて、いろいろな話をしました。」

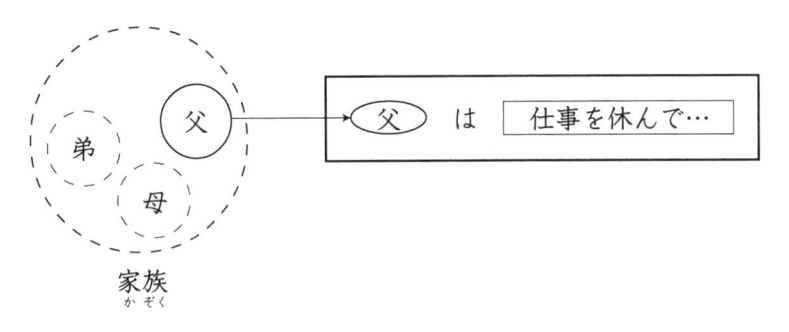

   父 は 仕事を休んで…

   家族

2. 田中：ご紹介します。
   　　　こちらは同僚のファンさんです。
   ファン：はじめまして。どうぞよろしくお願いします。

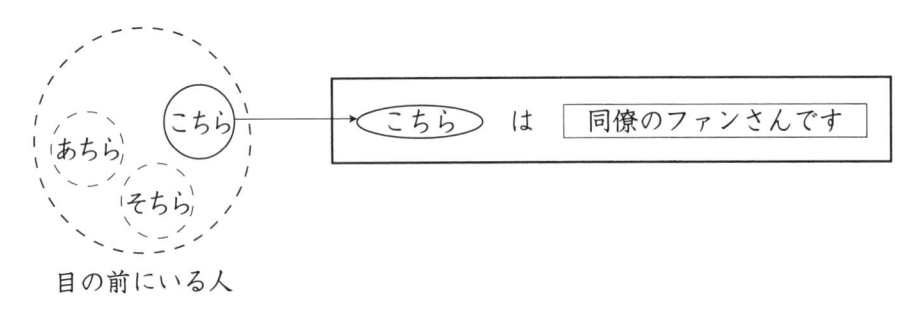

   こちら は 同僚のファンさんです

   目の前にいる人

3. 山岳写真家、白川一夫さんの「写真展」が30日から○○デパートで始まった。
   この日は、朝から多くの山岳ファンが集まった。・・・

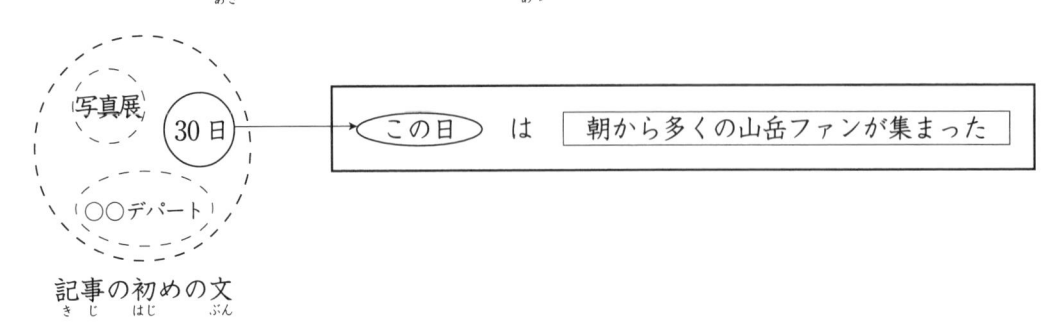

   この日 は 朝から多くの山岳ファンが集まった

   記事の初めの文

第3課 「は」と「格助詞」

「は」と「格助詞」は働き*¹が違います。

「は」は、もの（こと）を1つ取り出して*²、それについて話し手*³が説明する*⁴ときに使います。

```
    もの(こと)  は   説　明
```

　　例　父は、仕事を休んで空港まで迎えに来てくれました。

取り出したもの（こと）は、話し手と聞き手*⁵の間で、何のことかわかるものです。（前に一度言ったことやそれに関係あること、目の前にあるものなど。）

2つのものを取り出した場合、「比べる*⁶」意味になることがあります。
　　例　午前中は時間があるが、午後は忙しくなりそうだ。

[使い方の注意]
　・「～は」は、普通、文の初めに来ます。
　・「が」「を」は「は」といっしょに使うことができません。
　　～がは　　～をは　　～（に）は　　～（へ）は　　～では　　～からは…

---

*1	働き（はたらき）	function	机能，作用	작용, 기능, 역할
*2	取り出す（とりだす）	pick up	取出	꺼내다, 골라내다, 추려내다
*3	話し手（はなして）	speaker	说话的人	말하는 사람, 화자
*4	説明する（せつめい）	comment, remark	叙述，说明	설명하다
*5	聞き手（ききて）	hearer	听者，听众	듣는사람, 청자
*6	比べる（くらべる）	compare	比较，对比	비교하다, 대조하다

II. 形の練習

___の名詞について、「は」を使って言ってください。

1) <u>ファンさんが</u> <u>6時に</u> <u>会社の前で</u> <u>田中さんと</u> 会います。
   例 6時には、ファンさんが会社の前で田中さんと会います。

2) <u>28日の午後1時半から</u> <u>北山ホテルで</u> <u>T大学の説明会が</u> あります。

III. 使い方の練習

（　）の中に適当な助詞を入れてください。

1) ファン：先月新しいマンションに引っ越しました。
   　　　　マンション（　　　）北山公園の近くです。
   　　　　間取り（　　　）2LDKで、ベランダがついています。

2) 田中：先週、高校の同窓会があって、久しぶりにみんなに会いました。
   　　　石川君（　　　）ときどき電話で話していますが、由美さん（　　　）
   　　　5年ぶりに会いました。

3) ファン：そろそろ旅行の準備をしないといけませんね。
   田中：ええ。ホテル（　　　）わたしが予約しますから、
   　　　切符（　　　）ファンさんが取ってくれませんか。

4) 川上：来週のスケジュールを教えてください。
   田中：月曜日（　　　）1日中会議です。
   　　　火曜日から木曜日（　　　）大阪へ出張します。
   　　　金曜日（　　　）展示会の準備をします。

5) 司会：では、順番に自己紹介をお願いします。
   田川：田川と申します。北海道の出身です。
   　　　北海道（　　　）梅雨がないので快適です。
   　　　これ（　　　）6月の北海道の写真です。

第3課 「は」と「格助詞」

「は」と「格助詞」の使い方

I. 導入

1. 11月3日、文化ホールで、映画『山の駅』の試写会を行います。
   時間は、午後1時からと6時からの2回です。
   詳しいことは、03-1234-5678にお問い合わせください。

2. 〈文化紹介で〉
   チャン：わたしの国は韓国です。
   　　　　韓国の有名な食べ物はキムチですが、キムチは作る人によって味が違います。これは、わたしの家のキムチです。どうぞ食べてみてください。

「は」のある文：話し手と聞き手の間で何のことかわかるものについて、話し手が説明するときに使います。（一度言ったことやそれに関係あること、目の前にある物など）

「は」のない文：できごと*1 やことがら*2 をそのまま伝えるときに使います。
（格助詞だけ）（ニュース・お知らせの初めの文、何かを見つけたとき、目の前の状況*3 など）

［使い方の例］
1. 「11月3日、文化ホールで映画『山の駅』の試写会を行います。時間は…」
2. 「あ、財布が落ちている」
3. 「星がたくさん出ていますね」「こんなきれいな星は見たことがありません」
4. 「これは、わたしの家のキムチです」

---

*1	できごと	event, happening	事情，事件	일어난 일, 사건, 사고
*2	ことがら	matter	事情，事态	사정, 내용, 일, 사항
*3	状況（じょうきょう）	situation	情况	상황, 정황

II. 使い方の練習

1. 1) アン：あっ、バス（　　　）来た。

    鈴木：あのバス（　　　）動物園行きですから、乗れませんよ。

   2) リー：今度、奈良（　　　）行くんです。

    鈴木：そうですか。

    　　　奈良（　　　）何回か行ったことがありますが、とてもいい所ですよ。

   3) ファン：お先に失礼します。

    加藤：あ、ファンさん、忘れ物ですよ。

    ファン：あ、そのかさ（　　　）リーさんのです。

   4) 〈ニュース〉

    昨夜、地下街のレストラン（　　　）火事（　　　）ありました。従業員と店の客（　　　）全員無事でした。原因（　　　）まだわかっていません。

   5) 〈新聞記事〉

    山岳写真家、白川一夫さんの「写真展」（　　　）30日から○○デパート7階（　　　）始まった。

    この日（　　　）、朝から多くの山岳ファン（　　　）集まった。一般の入場料（　　　）800円、大学・高校生600円、中学生以下（　　　）無料。期間（　　　）6月11日まで。金曜日（　　　）夜8時まで。6月2日（　　　）会場（　　　）白川さんのサイン会（　　　）ある。

2. リー：あしたの午後、山本さんの家（　　　）パーティー（　　　）あるんですが、いっしょに行きませんか。

    スミス：いいですね。時間（　　　）？

    リー：（　　　　　　　）。

    スミス：持っていく物（　　　）？

    リー：（　　　　　　　）。

    スミス：じゃあ、どこで待ち合わせましょうか。

3. 次の言葉を使って、導入1のようなお知らせの文を作ってください。

    クリスマスコンサート　　12月17日　　日曜日　　6:30 p.m.

    文化ホール　　入場料　　1,500円

「は」と「格助詞」―使い方のヒント―

◆ ヒント１―疑問の言葉の前か後か◆

I. 導入

1. 部長：だれがあしたの会議に出席しますか。
   ファン：田中さんと川上さんが出席します。

2. アン：山本さんと話している人はどなたですか。
   リー：ああ、あの人は木下さんですよ。

---

1. 疑問の言葉の後ろは格助詞が来ます。その答えも格助詞です。
   部長：だれが出席しますか。
   ファン：田中さんが出席します。
2. 疑問の言葉の前は「は」が多いです。
   アン：あの人はどなたですか。

II. 使い方の練習

（　）の中に適当な助詞を入れてください。

1) ルン：きれいな写真ですね。だれ（　　）撮ったんですか。
   ファン：スミスさん（　　）撮ったんです。

2) 田中：打ち合わせ、金曜日（　　）どうですか。
   ファン：ええ、いいですよ。

3) ファン：森さん（　　）会社をやめるそうですね。
   田中：そうですか。ファンさん、だれ（　　）聞いたんですか。
   ファン：野村さん（　　）聞いたんです。

第3課 「は」と「格助詞」

◆ ヒント２―名詞修飾節の中◆

I. 導入

1. 宮崎駿が作ったアニメを全部見ました。
2. 美加さんは、ゴッホがかいた橋を訪れました。

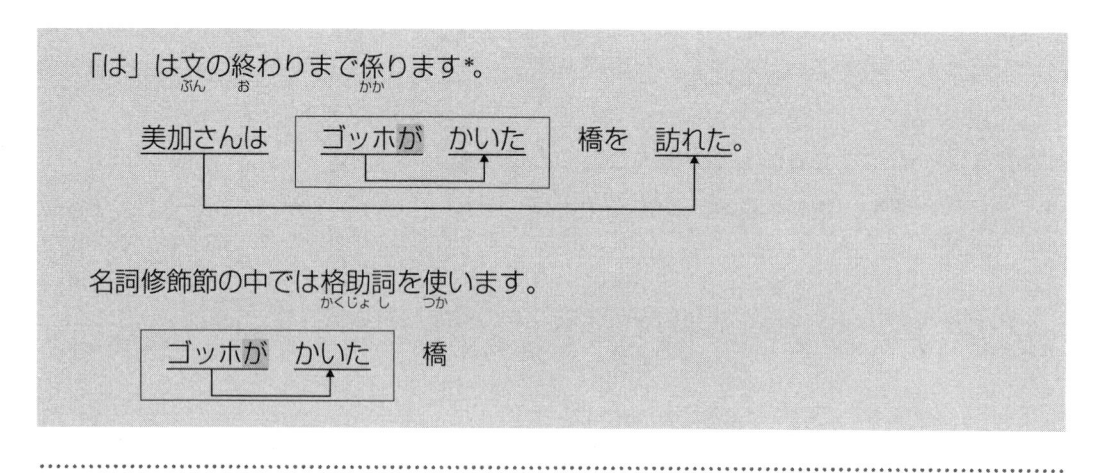

「は」は文の終わりまで係ります*。

　　美加さんは　[ゴッホが　かいた]　橋を　訪れた。

名詞修飾節の中では格助詞を使います。

　　[ゴッホが　かいた]　橋

---

* 係る（かかる）　　be related, be connected　　有关系　　관계하다, 걸리다

II. 使い方の練習

（　）の中に適当な助詞を入れてください。

1）チャン：アンさん、リーさん（　　　）作ったギョーザ、もう食べてみましたか。
　　アン：ええ、おいしかったですよ。
　　　　　でも、リーさん（　　）忙しくて、まだ食べていないそうです。

2）ファン：今度、山田さん（　　）沖縄に転勤するのを知っていますか。
　　川上：ええ。わたしも先週聞いて、びっくりしました。

3）わたし（　　）、日本へ着いた日に初めて雪を見ました。

4）わたしたち（　　）「頭（　　）痛い」という表現をよく使う。「問題がたくさんあって、頭（　　）痛い」というのは、体調（　　）悪いことを言うのではない。
　　しかし、わずかな湿気や気圧の変化で頭痛（　　）すると言う人がいる。そんな人（　　）、頭（　　）痛くなると、次の日、雨になることがわかるそうだ。

III. 発展練習

違いを考えてください。

1) A. よしこさんが作った料理を食べなかった。
   B. よしこさんは、作った料理を食べなかった。

   料理を食べなかったのはだれですか。

2) 「と」などの従属節*の中でも格助詞を使います。
   A. チャンさんが結婚するとがっかりしますよ。
   B. チャンさんは、結婚するとがっかりしますよ。

   がっかりするのはだれですか。

---

* 従属節（じゅうぞくせつ）　subordinate clause　从句　종속절

◆ ヒント３―「～は～が…」の文 ◆

I. 導入

1．チョウさんはロシア語ができます。

2．わたしは写真を撮るのが好きだ。

3．あのスーパーは、野菜が新鮮で安い。

「～は～が…」の文は
　取り出したものについて、その能力*1、感情*2、性質*3などを説明するときによく使います。

[使い方の注意]
　・述語には、形容詞、可能動詞をよく使います。

---

*1　能力（のうりょく）　ability　能力　능력
*2　感情（かんじょう）　feeling　感情　감정
*3　性質（せいしつ）　character, nature　性质　성질

II. 使い方の練習

1. （　）の中に適当な助詞を入れてください。

   1) 加藤：来月の国際交流会でルンさんに話してもらいましょうか。
      リー：ああ、いいですね。
      　　　　　ルンさん（　　　）人前で話すの（　　　）得意だから。

   2) 〈パソコンショップで〉
      ファン：これ、新しく出たプリンターですね。
      店員：はい。この機種（　　　）、印刷の色（　　　）きれいで今一番人気がありますよ。

2. 例のように文を作ってください。

   例1　北海道は（　自然が豊かだ　　）。
   例2　ルンさんは（　文章を書くのが　）速い。

   1) ルンさんは、目（　　　　　　　　　）。
   2) わたしは（　　　　　　　　　　　　）苦手だ。
   3) わたしは（　　　　　　　　　）なかなか覚えられない。
   4) わたしは（　　　　　　　　　　　　　　）。
   5) わたしの国は（　　　　　　　　　　　　）。
   6) （　　　　　）は（　　　　　　　　　　）。

III. 読んでみましょう

（　）の中に適当な助詞を入れてください。

『モンゴルと日本』

　モンゴルと日本（　　　）、時差（　　　）わずか1時間。日本から飛行機で4時間だ。ここに、モンゴルで撮った写真（　　　）1枚ある。10数名の人（　　　）冬のコートを着て写っている写真だ。どれ（　　　）日本人でどれ（　　　）モンゴル人か、ほとんど区別（　　　）つかないほど似ている。
　日本人は外見的によく似ているモンゴル人に親しみを感じるが、両国の間（　　　）今まであまり交流がなかった。
　しかし、最近日本の相撲界でモンゴル出身の力士（　　　）活躍したり、お互いの国を訪れる人が増えて、交流も盛んになっている。

第4課　ようになる

ウォームアップ

次の言い方は正しいですか。間違っていますか。
  a．この辺はにぎやかになった。
  b．リーさんは最近、明るくなった。
  c．来月わたしは21歳になる。
  d．日本語がむずかしくなくなった。
  e．漢字がよくわかるになった。

I．導入

加藤：何か運動をしていますか。
ルン：ええ、水泳を始めたんです。
加藤：ああ、いいですね。
ルン：プールに<u>行くようになって</u>から、前より<u>泳げるようになった</u>し、<u>風邪をひかなくなりました</u>。

「状態の変化」を表します。

V－辞書形　ようになる
V－な<s>い</s>　くなる

N　　　　　に
いAdj－<s>い</s>　く　　　　なる
なAdj－<s>だ</s>　に
～な<s>い</s>　く

例・前より泳げるようになりました。（能力が変化した結果）
　　・プールに行くようになりました。（状況が変化した結果）

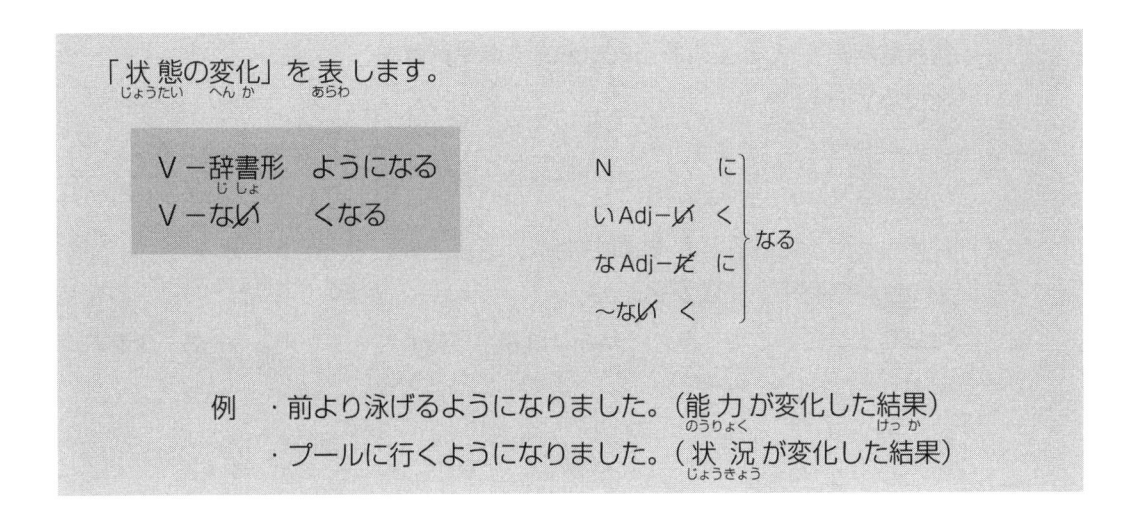

第4課　ようになる

[使い方の注意]
・「能力の変化」を表すとき、可能動詞をよく使います。
・変化動詞（増える、慣れる、変わるなど）といっしょには使えません。
　例　・日本語を習う人が増えるようになりました。（×）
　　　・日本語を習う人が増えました。（○）

II. 形の練習

1．半年前に比べてこのごろは、<u>文法がだいぶわかるようになりました</u>。

　　例　文法がだいぶわかります
　　1）言葉の数が増えて、勉強がおもしろいです
　　2）漢字を書くのが楽です
　　3）ニュースが少し聞けます
　　4）電話がだいたい通じます
　　5）日常会話はほとんど困りません
　　6）試験で大きなミスをしません
　　7）助詞を間違えません

2．1）この通りにファッションの店が増えて、
　　　人が（集まります→　　　　　　　　　）。
　　2）携帯電話が普及して、若い人が家庭用の電話機を
　　　（使いません→　　　　　　　　　）。
　　3）ごみの分別を（します→　　　　　　　　　）てから、環境問題に関心を
　　　（持ちます→　　　　　　　　　）。
　　4）レトルトやインスタント食品が増えて、
　　　料理に時間を（かけません→　　　　　　　　　）。
　　5）地震の多い日本では、過去に大きな地震が何回も起きました。将来、地震の予
　　　知が（できます→　　　　　　　　　）でしょうか。

III. 使い方の練習

1. 加藤：新しいマンションに移ってどうですか。
   スミス：駅まで歩いて10分なので、とても便利になりました。

例	駅まで歩いて10分です	とても便利です
①	公園に近いです	よく散歩します
②	職場まで30分です	早く起きなくてもいいです
③	駅前にデパートがあります	買い物に不自由しません

2. ☐の言葉を使って、グラフを説明する文を作ってください。
   例　1970年ごろから、ほとんどの家庭で電気洗濯機を使うようになりました。

   ```
   ～年代から    ほとんどの家庭    約80％の～
   持つ    使う    見る    乗る    買う…
   ```

   家庭用電気製品等の普及

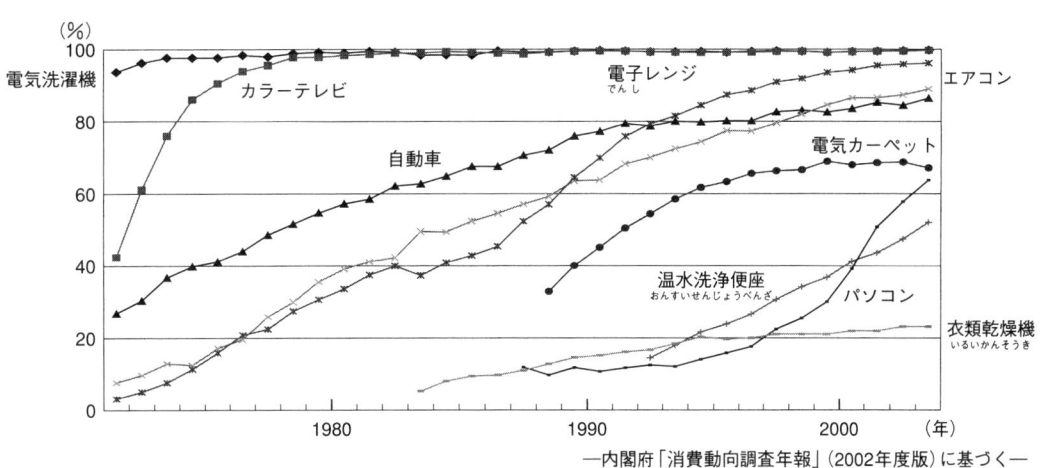

   ―内閣府「消費動向調査年報」(2002年度版)に基づく―

IV. 読んでみましょう

『見つめ合う』

　人とチンパンジーは、外見的にかなり違うが、DNAは1.2％しか違わない。チンパンジーの中には、道具も使うし、文字や数字を理解する「天才」もいる。人との違いはいったいどこにあるのだろうか。

　チンパンジーの母と子が見つめ合う回数を調べた研究がある。生後1か月までは、1時間に10回未満、2〜3か月では、平均28回だった。いっしょにいる間中、見つめ合う人の母と子に比べると、かなり少ない。「人の赤ちゃんは、見つめ合うことで、自分や相手を意識するようになり、他人の心も理解するようになるのではないだろうか」と研究者は言う。

—朝日新聞2002.6.15に基づき、一部改変—

　見つめ合うことは大切ですか。どうしてですか。

第5課　～んです

復習

（　）の中に適当な言葉を入れて、会話を作ってください。
1. 鈴木：チャンさん、顔色が悪いですね。どうしたんですか。
   チャン：（　　　　　　　　　　　　）んです。
2. 〈会社で〉
   ファン：あのう、入管へ行かないといけないので、きょう2時ごろ
   　　　　（　　　　　　　）んですが…。
   課長：あ、そう…。いいですよ。
3. 〈旅行社で〉
   田中：すみません、このツアーに（　　　　　　　　）んですが…。
   係の人：はい。何日の出発になさいますか。
4. リー：この名刺、きれいですね。
   アン：あ、それ、パソコンで作ったんです。
   リー：えっ、自分で（　　　　）んですか。
5. ルン：これ、京都へ行ったとき（　　　　　）んですが、どうぞ使ってください。
   加藤：わあ、きれい。どうもありがとうございます。

～んです

ウォームアップ

どちらを使いますか。
1. ルン：チャンさん、大きなかばんですね。
   チャン：ええ、旅行に ｛ a．行きます。
   　　　　　　　　　　　b．行くんです。｝
2. 〈道で〉
   通りがかりの人：あのう、｛ a．ハンカチが落ちましたよ。
   　　　　　　　　　　　　b．ハンカチが落ちたんですよ。｝

第5課 〜んです

I. 導入

1. a. 課長：ファンさん、きょうの午後、研修会が<u>あります</u>から、2時までに会議室に来てください。
      ファン：はい、わかりました。

   b. 田中：川上さん、きょうの午後、ちょっと手伝ってくれませんか。
      川上：あ、すみません。午後は予定が<u>あるんです</u>。

2. a. ルン：あ、あそこ、<u>新しい店がオープンしましたね</u>。
      伊藤：ほんと。ちょっと入ってみましょうか。

   b. 加藤：あそこ、すごい人ですね。
      森：ええ、新しい店が<u>オープンしたんですよ</u>。

3. a. ファン：ああ、<u>疲れた</u>。
      川上：そうですね。ちょっと休憩しましょうか。

   b. 美加：ルンさん、どうかしたの？
      ルン：ちょっと<u>疲れたの</u>。

情報 んです　　例 予定がある んです

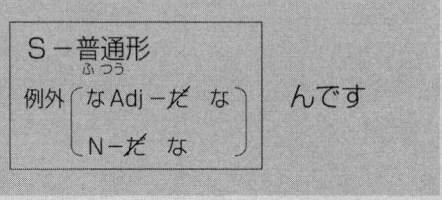

```
┌─────────────────┐
│ S－普通形        │
│ 例外 ┌なAdj－だ な┐│ んです
│     └N－だ   な ┘│
└─────────────────┘
```

「〜んです」は「情報」をまとめて*¹、示す*² 働きがあります。
状況を知りたい、相手に状況を知らせたいとき、使います
　例　A：どうしたんですか。（状況を理解して納得したい*³ とき）
　　　B：疲れた<u>ん</u>です。　（相手に状況を理解して納得してもらいたいとき）

親しい人*⁴の会話では「〜んです」が「〜の」になります。
　例　A：どうした<u>の</u>？
　　　B：疲れた<u>の</u>。

第5課　〜んです

[使い方の注意]

「〜んです」は次のようなとき、使いません。

・事実*5 を報告する*6 とき
・目の前のできごとを言うとき
・何かを感じたときや何かをしようと思ってすぐそれを言うとき

* 1　まとめる　　　　　　　　summarize, reconfirm　　总结，概括，汇总　　정리하다
* 2　示す（しめす）　　　　　show　　出示，表示　　나타내다
* 3　納得する（なっとく）　　be convinced, understand　　领会，同意　　납득하다, 이해하다
* 4　親しい人（したしいひと）person close to the speaker　　亲密的人　　친한 사람
* 5　事実（じじつ）　　　　　fact　　事实　　사실
* 6　報告する（ほうこく）　　report　　报告　　보고하다

II. 使い方の練習

1. aとbのどちらを使いますか。

   1）チャン：大きな音が聞こえますね。

   　　野村：ええ、隣が { a．工事中です。
   　　　　　　　　　　　 b．工事中なんです。

   2）森田先生：レポートはもうできましたか。

   　　ファン：はい、{ a．できました。
   　　　　　　　　　 b．できたんです。

   3）ファン：あれっ、切符が { a．ない。
   　　　　　　　　　　　　　　 b．ないんだ。

   　　田中：かばんの中じゃない？

   4）〈ニュース〉

   　　台風15号の影響で新幹線が名古屋、静岡間で { a．止まっています。
   　　　　　　　　　　　　　　　　　　　　　　　 b．止まっているんです。

2. （　）の中に適当な言葉を入れて、自然な会話を作ってください。

   1）加藤：こんにちは。寒く（　　　　　　　　）。
   　　山本：そうですね。

43

第5課 ～んです

2) 高橋：マリアさんって、日本語が上手ですね。
   スミス：ええ。マリアさんは子どものとき（　　　　　　　　　　　　）。
3) ルン：技術課のファンさんに（　　　　　　　　　　　　）…。
   受付：技術課のファンですね。しばらくお待ちください。
4) 〈アルバイトの面接で〉
   係の人：お名前は？
   ルン：（　　　　　　　　　　　）。
   係の人：いつ日本へいらっしゃいましたか。
   ルン：（　　　　　　　　　　　　）。
5) 鈴木：チャンさん、もう帰るんですか。
   チャン：ええ。これから（　　　　　　　　　　　）。
6) ファン：ゆうべ出張の帰りに、新幹線が止まってしまって…。
   加藤：それは大変でしたね。
   ファン：6時間も中に（　　　　　　　　　　）。
   加藤：えっ、6時間も（　　　　　　　　　　）か。
7) 〈ニュース〉
   けさ4時ごろ、北区の交差点で事故が（　　　　　　　　　　）。乗用車を
   運転していた大学生による信号無視が原因（　　　　　　　　　　）。

前に言った内容をまとめるとき、「～んです」を使うことが多いです。
書き言葉では「～んです」の代わりに＊「～のです」になります。

＜チャンさんの作文＞
　先日、友だちと飲みに行ったとき、友だちの疲れた様子を見て、「どうしたの？」と聞きました。すると、友だちは、「きょうは、えらかった」と答えました。わたしは友だちが自分のことをほめていると思って、びっくりしましたが、実はそうではありませんでした。
　名古屋では、「えらい」というのは「疲れた」とか「大変だ」という意味なのです。

＊　代わりに（かわりに）　　instead of　　代替　　대신에

～んじゃないでしょうか

I. 導入

ルン：友だちが入院しているんですが、お見舞いはどんな物がいいでしょうか。
加藤：やっぱり花がいいんじゃないでしょうか。

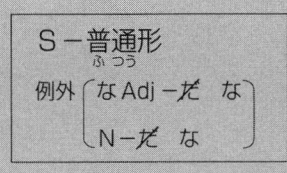

```
S－普通形
例外 [なAdj －だ な]
    [N －だ な]
```
んじゃないでしょうか
んじゃない

話し手の意見や推量*1を述べる*2とき、よく使います。
柔らかい*3言い方になります。

[使い方の注意]
・「～んじゃない」のイントネーション*4は ↗ です。
・「～んじゃないかと思います」「～んじゃありませんか」などの言い方もあります。

---

* 1 推量（すいりょう）　　inference, conjecture　　推量　　추량, 추측
* 2 述べる（のべる）　　　say, state　　　　　　　　叙述　　말하다, 연설하다
* 3 柔らかい（やわらかい）　soft　　　　　　　　　　 柔软，通俗　부드럽다
* 4 イントネーション　　　intonation　　　　　　　声调，语调　억양

II. 形の練習

例　お見舞いは花がいいです。→　お見舞いは花がいいんじゃないでしょうか。

1) 時間がかかって大変です。→
2) この説明はわかりにくいです。→
3) 早めに連絡したほうがいいです。→
4) もっと調査する必要があります。→
5) この方法ではうまくいきません。→

第5課　〜んです

III. 使い方の練習

1．1）　課長：ファンさん、今度のプロジェクトについて何か意見はありませんか。
　　　　ファン：ええっと、ちょっと費用がかかりすぎるんじゃないでしょうか。

　　　　　例　ちょっと費用がかかりすぎます
　　　　　①　技術課だけでは無理です
　　　　　②　ほかの課にも希望を聞いたほうがいいです
　　　　　③　アンケートの必要はありません

　　2）　加藤：カタカナ言葉についてどう思いますか。
　　　　スミス：（　使いすぎな　）んじゃないでしょうか。

　　　　　例　カタカナ言葉
　　　　　①　若い人のファッション
　　　　　②　日本のテレビ番組

2．1）　スミス：駅前の旅行社は、何時までですか。
　　　　鈴木：7時ごろまで（　　　　　　　　　　）。

　　2）　加藤：ファンさんの妹さんが日本に来ているそうですね。
　　　　木下：あ、妹さんは先週、国に（　　　　　　　　　　）。

　　3）　森田先生：よく降りますね。
　　　　鈴木：ええ。でも夕方には（　　　　　　　　　　）。

　　4）　ルン：きょう、まゆみさんも来る？
　　　　リー：うん。（　　　　　　　　　　）？

第6課　〜てもらう・てくれる・てあげる

復習（もらう・くれる・あげる）

（　）の中に適当な言葉を入れて、文を作ってください。

1. わたし（わたしの仲間）→ 先生　（わたしが）先生（　）りんごを（　　　）ました。
   → 友だち　（わたしが）友だち（　）りんごを（　　　　）。
   → 弟・犬　（わたしが）弟（　）りんごを（　　　　）。

2. わたし（わたしの仲間）← 先生　（わたしが）先生（　）本を（　　　）ました。
   先生（　）わたし（　）本を（　　　　）。
   ← 友だち　（わたしが）友だち（　）本を（　　　　）。
   友だち（　）わたし（　）本を（　　　　）。
   ← 弟　（わたしが）弟（　）本を（　　　　）。
   弟（　）わたし（　）本を（　　　　）。

〜てもらう・てくれる

ウォームアップ

必要なところに「〜てもらう・てくれる」を使ってください。

リー：いいアパートが見つかってよかったですね。
アン：ええ、チャンさんが教えたんです。

I. 導入

1. 加藤：この間、チャンさんが入学式の日の写真を見せてくれましたよ。
   ルン：あ、わたしも見せてもらいました。
   　　　とてもまじめな顔でしたね。

2.　ルン：すみません、この書類を書いたんですが、
　　　　　　　チェックしてくださいませんか。
　森田先生：はい、いいですよ。

〈次の週〉
　受付の人：ルンさん、先週渡した書類はできましたか。
　　　ルン：はい。先生にチェックしていただきました。

ほかの人の動作から恩恵*1 を受ける*2 人（話し手）がうれしく思ったり、感謝したい*3 と思ったときに使います。

> 人が　　　　　　　　〜　V－てくれる／V－てくださる
> （わたしが）　人に　〜　V－てもらう／V－ていただく

チャンさんが写真を見せた　⇒　ルン
　　　　　　　　　　　　　　（恩恵を受ける人）

ルン：チャンさんが写真を見せてくれました。
ルン：（わたしは）チャンさんに写真を見せてもらいました。

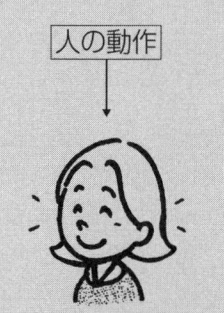

先生が書類をチェックした　⇒　ルン
　　　　　　　　　　　　　　（恩恵を受ける人）

ルン：先生が書類をチェックしてくださいました。
ルン：（わたしは）先生に書類をチェックしていただきました。

人の動作

わたし（恩恵を受ける人）

[使い方の注意]
　「〜てもらう」には、話し手の意志*4 を表す「〜たい」「〜（よ）うと思う」「〜つもりだ」などをつけることができます。

---

*1	恩恵（おんけい）	favor, benefit	恩恵，好处	은혜
*2	受ける（うける）	receive	受到	받다, 입다
*3	感謝する（かんしゃ）	thank	感谢	감사하다
*4	意志（いし）	volition	意志，意向	의지

II. 形の練習

例　先生がアンさんを家まで送った。
　　　アン：先生が（　家まで送ってくださいました　）。
　　　アン：先生に（　家まで送っていただきました　）。

1) 先生がリーさんに奨学金の推薦状を書いた。
　　　リー：先生が（　　　　　　　　　　　　　　）。
　　　リー：先生に（　　　　　　　　　　　　　　）。

2) チャンさんとスミスさんがアンさんの引っ越しを手伝う。
　　　アン：（　　　　　　　　　　）て、助かりました。
　　　アン：（　　　　　　　　　　）つもりです。

3) スピーチ大会でスミスさんがチャンさんの写真を撮る。
　　　チャン：（　　　　　　　　　　）て、いい記念になりました。
　　　チャン：（　　　　　　　　　　）たいと思います。

4) 佐藤さんがチャンさんの弟にCDを貸した。
　　　チャン：佐藤さんが（　　　　　　　　　　　）。
　　　チャン：弟が佐藤さんに（　　　　　　　　　）。

5) 加藤さんがファンさんの妹を招待した。
　　　ファン：加藤さんが（　　　　　　　　　　　）。
　　　ファン：妹が（　　　　　　　　　　　　　　）。

III. 使い方の練習

1. 1) 森田先生：郵便局の行き方、わかりましたか。
　　　アン：ええ。受付の人に地図を（　　　　　　　　　　）。

2) 鈴木：推薦状、どうなりましたか。
　　　リー：校長先生（　　　　　　　　　　）。

3) 〈持ち寄りパーティーの準備〉
　　　アン：飲み物はだれが持ってきてくれるの？
　　　チャン：スミスさん（　　　　　　　　　　）。
　　　アン：じゃ、ギョーザは？
　　　チャン：リーさん（　　　　　　　　　　）。

4）　　　　リー：正男さん、料理する？
　　まゆみ（正男の妻）：たまには作ってもらいたいんだけど、忙しいと言って、
　　　　　　　　　　　ぜんぜん（　　　　　　　　　　　　　　）。

> 「人がＶ－ない」ことを不満に思う*とき、「～てくれない」を使います。

＊　不満に思う（ふまんにおもう）　　be discontent　感到不満　불만스럽게 생각하다(여기다)

2．どこに「～てもらう・てくれる」を使いますか。文を直してください。

1）ハイキングのとき、集合時間に遅れてしまいましたが、みんなはわたしを20分も待っていました。

2）佐藤：この間、韓国のお客さんを水族館へ案内したんですよ。
　　野村：チャンさんもいっしょに行ったんですか。
　　佐藤：ええ、いっしょに行って、助かりました。

3）この間、焼き物の工場へ見学に行って、いろいろな食器や置物を見せた。係の人がゆっくり説明したので、とてもよくわかった。

IV.　発展練習

次の表現を使って頼み方を練習してください。

頼み方の表現

　例　・説明していただきたいんですが･･･。

　　　・説明していただけませんか。

　　　・説明してもらえませんか。

　　　・説明してくれませんか。

　　　・説明してくれない？

例1　ルン：あのう、先生…。

森田先生：はい。

ルン：この文がよくわからないんですが、

　　　もう一度、<u>説明していただけませんか</u>。

森田先生：ええ。授業の後でいいですか。

ルン：はい、お願いします。

例2　ルン：ちょっと、それ、<u>取ってくれない</u>？

美加：うん。

「何かを借りたいとき」「美容院、歯医者の予約を変えたいとき」の会話文を作ってみましょう。

V. 読んでみましょう

〈リーさんのスピーチ〉

　定期券をなくしたときのことを話したいと思います。
　日本へ来て1か月ぐらいたったころ、定期券を落としてしまいました。どこで落としたかぜんぜんわからなかったので、新しい定期券を買おうと思っていました。ところが、次の日、家の近くを歩いていたとき、電柱にはってある紙を見て、びっくりしました。

　はり紙には、

　　「リーさん、あなたの定期券を拾いました。
　　　地下鉄の駅に届けましたから、取りに行ってください。」

と書いてありました。絶対に出てこないとあきらめていたので、本当にうれしかったです。

　うれしかったことはどんなことですか。

第6課　〜てもらう・てくれる・てあげる

〜てあげる

I. 導入

リー：あの人の荷物、重そうね。
　　　持ってあげようか。
ファン：そうだね。

〈女の人に近づいて〉
リー：あのう、荷物、持ちましょうか。
女の人：どうも、ありがとうございます。

（わたしが）　〜　V－てあげる
　　　　　　　〜　V－てやる

「ほかの人に利益*1を与える*2」と思ったとき使います。

[使い方の注意]
　利益を受ける人に直接*3言うと、失礼になることがあります。
　例　・荷物、持ってあげましょうか。（×）
　　　・荷物、持ちましょうか。（○）

---

*1　利益（りえき）　　　benefit　　利益，好处　　이익
*2　与える（あたえる）　give　　　给，提供　　　주다, 제공하다
*3　直接（ちょくせつ）　directly　直接　　　　　직접

II. 使い方の練習

1) 通りがかりの人：あのう、駅へ行く道を（　　　　　　　　）か。

　　リー：わかりにくいですから、いっしょに行きましょう。

　　通りがかりの人：いいですか。ありがとうございます。

　〈少し後で〉

　　リー：遅くなって、ごめんなさい。
　　　　道に迷っていた人を駅まで（　　　　　　）んです。

　　加藤：そうですか。

2) 男の人：すみません。
　　　　シャッターを押して
　　　　（　　　　　　）か。

　　チャン：あ、いいですよ。

　〈少し後で〉

　　ルン：チャンさん、遅かったね。

　　チャン：ごめん、今そこで、写真を（　　　　　　）んだ。

III. 読んでみましょう

_____ は、だれが「利益を与える」か「利益を受ける」か、考えてください。

　昔から人と犬は、互いに助け合ってきた。人は犬に食べ物を与え、おおかみなどの危険から守ってやった。犬は羊を追ったり、猟の手伝いをしてくれた。
　しかし、現代では犬をペットとして飼うようになり、家族の一員と思う人が多い。それは、犬がわたしたちを慰めたり、優しい気持ちにしてくれるからだろう。最近、犬にえさを「やる」ではなく、「あげる」という人が増えたのは、人と犬の関係が昔とは変わったからかもしれない。

親しい人との日常会話では、直接「～てあげる」と言っても失礼になりません。

ルン：わあ、そのCD、買ったの？

美加：うん、すごくほしかったの。

ルン：へえ…、いいね。

美加：あとで貸してあげようか。

第7課　自動詞・他動詞

ウォームアップ

どれを使いますか。
　ルン：美加さん、電気つけて。
　美加：うん。あれっ、｛ a．つかない。
　　　　　　　　　　　　b．つけない。
　　　　　　　　　　　　c．つけられない。｝

I．導入

　リー：テレビをつけてもいい？
　山本：どうぞ。
　リー：あれっ、つかない。
　山本：あっ、それ、ビデオのリモコン。

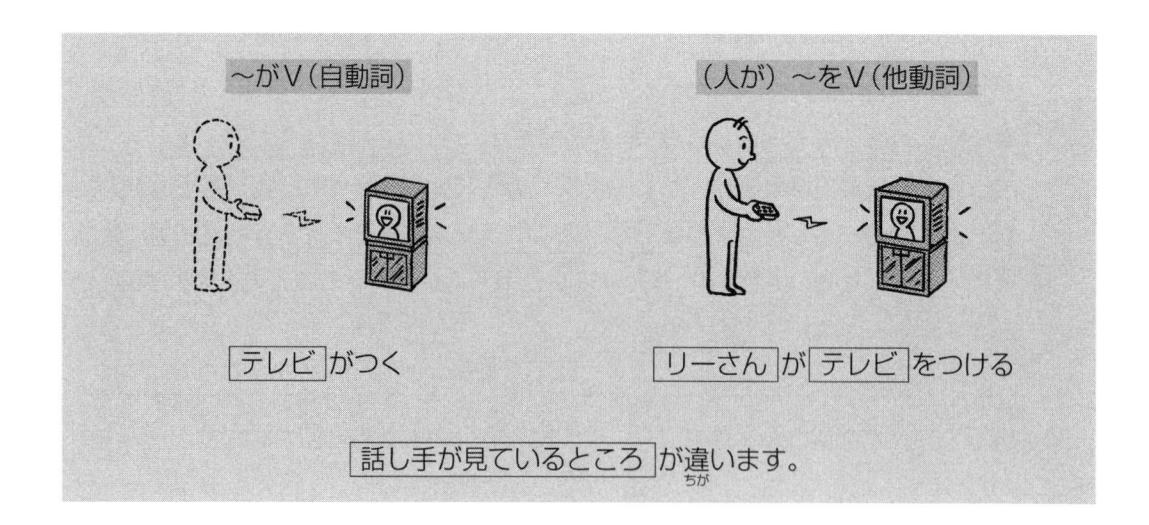

　　　　〜がV（自動詞）　　　　　（人が）〜をV（他動詞）

　　　　テレビ がつく　　　　　　リーさん が テレビ をつける

　　　　　　　　話し手が見ているところ が違います。

第7課　自動詞・他動詞

自動詞	他動詞
―――――	（リーさんが）雑誌 を 読む
テレビ が ある	
テレビ が つく	（リーさんが）テレビ を つける
テレビ が 消える	（リーさんが）テレビ を 消す

形がペア*になる自動詞と他動詞（例 「消える」「消す」）があります。

* ペア　pair　一对，一组　페어, 한 쌍(짝)

II. 形の練習

例　弟が（ 起きる ）　　　弟を（ 起こす ）
1) ビールが（ 冷える ）　　ビールを（　　　　）
2) ―――――　　　　　　スイッチを（ 押す ）
3) ヘアスタイルが（　　　）ヘアスタイルを（ 変える ）
4) ―――――　　　　　　荷物を（ 置く ）
5) パンが（ 焼ける ）　　　パンを（　　　　）
6) 予定が（ 決まる ）　　　予定を（　　　　）
7) お金が（　　　　）　　　お金を（ ためる ）
8) 時計が（ 壊れる ）　　　時計を（　　　　）
9) ネクタイが（ 汚れる ）　ネクタイを（　　　　）
10) 野菜が（ 煮える ）　　　野菜を（　　　　）
11) 財布が（ なくなる ）　　財布を（　　　　）
12) ガラスが（　　　　）　　ガラスを（ 割る ）
13) 車が（ 動く ）　　　　　車を（　　　　）
14) 部屋が（　　　　）　　　部屋を（ 片付ける ）
15) 仕事が（ 続く ）　　　　仕事を（　　　　）
16) いい天気が（ 続く ）　　―――――
17) 消しゴムが（　　　　）　消しゴムを（ 落とす ）
18) かぎが（ 見つかる ）　　かぎを（　　　　）
19) お茶が（ 入る ）　　　　お茶を（　　　　）

第7課　自動詞・他動詞

20) かぎが（　　　　　　　　　）　かぎを（　かける　　　　）
21) チャイムが（　　　　　　　）　チャイムを（　鳴らす　　）
22) 待ち合わせが（　3時になる　）　待ち合わせを（　　　　）
23) ごはんが（　　　　　　　　）　ごはんを（　作る　　　　）

III. 使い方の練習

1. 1) ルン：あれっ、カップが割れている。
    美加：ほんと。だれが（　割った　）んだろう。

    例　カップが割れる
    ① テーブルが汚れる
    ② お金が落ちる
    ③ 自転車が壊れる

  2) 森田先生：あっ、エアコンがついていますね。
    アン：ええ、さっき（　つけた　）んです。

    例　エアコンがつく
    ① 窓が開く
    ② ビデオテープが入る
    ③ かぎがかかる

  3) 加藤：マリアさん、就職は決まりましたか。
    マリア：いいえ、早く（　決めたい　）んですけど、なかなか（　決まらない　）んです。

    例　就職　　　　　決まる
    ① レポートの資料　集まる
    ② 部屋　　　　　　片付く
    ③ 風邪　　　　　　治る

2. 【　】から適当な動詞を選んで（　）に入れてください。
　　1)【見つかる・見つける】
　　　　鈴木：チャンさん、かぎは（　　　　　　）ましたか。
　　　　チャン：はい、リーさんが（　　　　　　）てくれました。
　　2)【変わる・変える】
　　　　美加：チャンネルを1に（　　　　　　）て。
　　　　ルン：あれ、おかしいなあ。（　　　　　　）ない。
　　3)【なる・する】
　　　　田中：課長、次の打ち合わせをいつに（　　　　　　）ましょうか。
　　　　課長：木曜日はだめだから、金曜日に（　　　　　　）ようか。
　　　　田中：はい。
　　　　　　　　　　　　　　　　⋮
　　　　田中：ファンさん、次の打ち合わせは、金曜日に（　　　　　　）ましたよ。
　　　　ファン：はい、わかりました。

IV. 発展練習

aとbの違いを考えてください。
　1)〈スミスさんが森田先生に借りた本を返すとき〉
　　　スミス：先生、これ、ありがとうございました。
　　　　あのう、少し ｛a．汚しちゃって…。
　　　　　　　　　　　b．汚れちゃって…。｝
　　　森田先生：ああ、…はい。

　2)〈ミーティングで〉
　　　森田先生：｛a．お茶を入れましたから、
　　　　　　　　b．お茶が入りましたから、｝ 休憩にしましょう。

V. 読んでみましょう

＿＿＿に助詞を入れ、（　）の言葉を完成させてください。

『日本の電車は親切？』

日本へ来て驚いたこと、また不思議に思ったことの１つは駅や電車のサービスがいいことだった。ホームではアナウンスの大きな声が繰り返し聞こえる。電車が出発する前にはベルが（鳴　　　）。わたしの国では、駅の人はアナウンスもしないし、音楽も（鳴　　　）。出発の時間になると電車はホームからスーッと（出　　　）。

また、特急や新幹線に乗ると「１号車から５号車までは自由席…」「停車駅と到着の時刻は…」「公衆電話とトイレは…」「携帯電話は…」とアナウンスが（続　　　）。そしてまもなく切符のチェックが（始　　　）。車掌は丁寧におじぎをしてからチェック＿＿＿（始　　　）。それが（終　　　）とエプロンをした人が回ってきて、サンドイッチやお弁当、飲み物、おみやげ＿＿＿（売　　　）。電車＿＿＿（止　　　）前にもまたアナウンスがある。「お降りの方はお忘れ物のないよう…」「乗り換えは…」など。どれもわたしの国にはないサービスで、この習慣に慣れるのには時間＿＿＿かかりそうだ。

＊　完成させる（かんせいさせる）　　complete　　完成　　완성시키다

第8課　～ている

～ている・てある

ウォームアップ

aとbの違いを考えてみましょう。
美加：あ、すいかが a．冷えている。食べてもいい？
母：だめ…。お客さんが来るから b．冷やしてあるの。

I. 導入

1. 〈喫茶店で〉
   ルン：あれっ、コップが汚れている。
   リー：あ、ほんと。取り替えてもらったほうがいいよ。

2. 母：あしたは早いんでしょう？　起きられる？
   美加：うん。目覚まし時計がセットしてあるから、だいじょうぶ。

「物の状態」を表します。

　　　物が　V（自動詞）－ている
　　　物が　V（他動詞）－てある

「V－てある」には「人がした結果が残っている」というニュアンス*があります。

コップが汚れる　→　コップが汚れている
（人が）目覚まし時計をセットする　→　目覚まし時計がセットしてある

---

*　ニュアンス　　nuance　　语感，微妙差别　　뉘앙스, 미묘한 차이

第8課　〜ている

II. 形の練習

例　テレビが（つく → ついています）。
　　教室の電気が（つける → つけてあります）。

1）ハンガーにコートが（かける → 　　　　　　　）。
2）おじからメールが（来る → 　　　　　　　）。
3）きのう作ったカレーが（残る → 　　　　　　　）。
4）教室の時計が5分（進む → 　　　　　　　）。
5）このジャムは賞味期限が（切れる → 　　　　　　　）。
6）報告書はもう（できる → 　　　　　　　）。
7）テーブルの上に灰皿が（置く → 　　　　　　　）。
8）冷蔵庫にウーロン茶が（冷やす → 　　　　　　　）。
9）アパートのドアに名前が（　　　　　　　）。

III. 使い方の練習

1. 1）チャン：リーさんの手帳、シールがいっぱい（はる → 　　　　　　　）ね。
　　　リー：うん。

2）美加：あっ、時計が（止まる → 　　　　　　　）。
　　ルン：電池が（切れる → 　　　　　　　）んじゃない？

3）ファン：田中さんは旅行の日程が変更になったことを知っているでしょうか。
　　川上：ええ。もう（言う → 　　　　　　　）。

4）ルン：あっ、ピザが（残る → 　　　　　　　）。食べてもいい？
　　リー：それ、アンさんが後から来るから（残す → 　　　　　　　）の。

5）〈病院で〉
　　受付：山木さん。
　　山本：あのう、わたし、山木じゃなくて、山本ですが…。
　　受付：あ、この診察券、漢字が（間違う → 　　　　　　　）ね。

第8課 ～ている

6) 　　　　ファン：すみません、西山公園へ行きたいんですが…。
　　通りがかりの人：あ、そこのバスターミナルから、15分おきにバスが
　　　　　　　　　　（出る → 　　　　　　　　　）よ。

7) リー：あ、こんな所にごみが（捨てる → 　　　　　　　　　）。
　　ルン：だれが（　　　　　　　　）んだろう。

8) リー：あ、このかばん、忘れ物じゃない？　だれのだろう。
　　チャン：中に免許証が（　　　　　　　　）。

9) ルン：このファクス、使い方がわからない…。
　　美加：あ、ここに使い方が（　　　　　　　　）よ。

2. 1) きょうはよく（晴れる → 　　　　　　　　　）。
　　2) きのうはずっと（曇る → 　　　　　　　　　）。
　　3) 遠くで雷が（鳴る → 　　　　　　　　　）。
　　4) ゆうべ強い風が（吹く → 　　　　　　　　　）。
　　5) 山に雪が（積もる → 　　　　　　　　　）。

　　　天気の表現にも「～ている」をよく使います。

第8課　〜ている

〜ている

I. 導入

1. ファン：ルンさんもいっしょに食事に行きませんか。
   ルン：あ、今、国から両親が来ているんです。
   ファン：じゃ、また今度。

2. 佐藤：チャンさん、眠そうだね。
   チャン：うん。いつも3時ごろまで起きているから。
   佐藤：そんなに遅くまで、何をしてるの？
   チャン：パソコンでゲームをやっているんだ。

「人の状態」を表します。

人が　V（自・他動詞）ーている

II. 使い方の練習

1. 1) チャン：野村さん、顔色が悪いですよ。
   　　　　　（疲れる→　　　　　　）んじゃありませんか。
   野村：ええ、このごろ仕事が忙しくて…。

   2) ルン：去年のクリスマスパーティーのこと、（覚える→　　　　　　）？
   リー：うん。チャンさんの歌、うまかったね。

   3) チャン：あしたの朝、何時ごろ電話すればいいですか。
   スミス：何時でもいいですよ。
   　　　　6時には、いつも（起きる→　　　　　　）から。

   4) 〈ロビーで〉
   アン：あ、マイケルさんのガールフレンド、また（来る→　　　　　　）。
   リー：あの人、ガールフレンドじゃなくて、妹さんだよ。
   アン：えっ、知らなかった。
   　　　わたし、ずっとガールフレンドだと（思う→　　　　　　）。

5) ファン：あ、あの店の前、人が大勢いますね。
   田中：ああ、あそこのラーメンは安くておいしいから、この時間はいつも
   （並ぶ →　　　　　　　）んだよ。
   ファン：そうですか。
6) スミス：あ、あの人、ファンさんに（似る →　　　　　　　）ね。
   リー：え、どの人ですか。
   スミス：あの茶色のジャケットを（　　　　　　）人です。
7) アン：スミスさん、電子辞書を（　　　　　　）か。
   スミス：はい。
   アン：ちょっと貸してください。
8) 野村：この映画、すごい人気なんだって*。もう、見た？
   佐藤：ううん、まだ（　　　　　　）。
9) 〈会社で〉
   川上：あのう、田中さんいますか。
   ファン：いいえ。来週まで北海道へ（　　　　　　）。
   川上：へえ、北海道ですか。いいですね。
10) 森田先生：スミスさんは、帰りましたか。
    リー：いいえ、まだ図書室で（　　　　　　）。
    森田先生：あ、そうですか。

* すごい人気なんだって＝すごい人気なんだそうだ

2. 1) バスが来ないので、田中さんは（いらいらする →　　　　　　　）。
   2) きのうスピーチのとき、リーさんはとても
      （緊張する →　　　　　　　）。
   3) 弟は試合に負けて（がっかりする →　　　　　　　）。
   4) 検査の結果がよくて、父は（ほっとする →　　　　　　　）。
   5) あの子は遊び相手がいなくて（しょんぼりする →　　　　　　　）。

> 「ほかの人の気持ち」について言うとき、「～ている」を使って、その様子を表します。

第9課　とき

> **ウォームアップ**

> a、b、cの違いを考えてみましょう。どこで買いましたか。
> a．日本へ来るとき、辞書を買った。
> b．日本へ来るとき、飛行機の中で時計を買った。
> c．日本へ来たとき、携帯電話を買った。

～るとき・たとき

I．導入

1．〈バスの中で〉
　ルン：あれ、料金はいつ払うんですか。
　加藤：降りるとき、払うんですよ。

2．ルン：そのペンケース、いいね。
　リー：うん、この間、駅前のデパートに行ったとき、買ったの。
　ルン：そう、わたしも今度行ったとき、さがしてみよう。

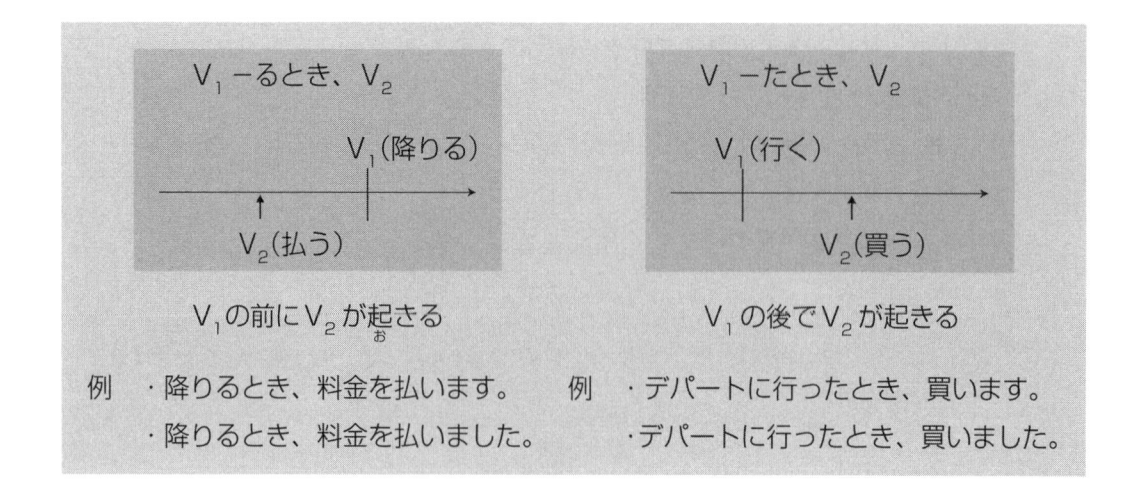

V_1ーるとき、V_2	V_1ーたとき、V_2
V_1（降りる）／V_2（払う）	V_1（行く）／V_2（買う）
V_1の前にV_2が起きる	V_1の後でV_2が起きる
例・降りるとき、料金を払います。 　・降りるとき、料金を払いました。	例・デパートに行ったとき、買います。 　・デパートに行ったとき、買いました。

[使い方の注意]
- V₁は、変化（瞬間）動詞*¹が多いです。
- 文が過去か非過去*²かは、文末で表します。

*1　変化（瞬間）動詞　　non-durative verb　　表現瞬間动作的动词　　변화(순간) 동사
　　（へんか（しゅんかん）どうし）
*2　非過去（ひかこ）　　non-past　　非过去　　비과거 (과거, 완료를 제외한 모든 시제)

II. 形の練習

例　新しいクラスに（入ります → 入る）とき、クラス分けのテストを受けます。
　　新しいクラスに（入ります → 入った）とき、日本語で自己紹介をします。

1) 新幹線に（乗ります →　　　　　）とき、ホームでお弁当とお茶を買いました。
2) （寝坊します →　　　　　　）ときだけ、タクシーを使います。
3) 日本へ（来ます →　　　　　）とき、みんなが空港まで見送りに来てくれました。
4) 暴風警報が（出ます →　　　　　　）ときは、休校になります。
5) 今度食事に（行きます →　　　　　　）とき、わたしも誘ってください。
6) まゆみさんの結婚式に（出席します →　　　　　　）とき、会場で久しぶりにアンさんに会いました。
7) 同僚や上司が先に（帰ります →　　　　　　）とき、「お疲れ様でした」と声をかけます。
8) 風邪を（ひきます →　　　　　）とき、（　　　　　　　　　）。
9) （　　　　　　　　）とき、財布を忘れたのに気がついた。
10) アルバイト先でいやなことがあったとき、（　　　　　　　　　）。

III. 使い方の練習

1) スミス：チャンさん、国へ帰るときは、知らせてください。
   チャン：はい、わかりました。

   例　国へ帰ります
   ①　今度加藤さんの家へ行きます
   ②　みんなで集まります
   ③　都合が悪くなります

2) スミス：「行ってきます」は、どんなときに使いますか。
   加藤：外出するときに使います。

   例　行ってきます　　　　　　外出します
   ①　ただいま　　　　　　　　外出から帰ってきます
   ②　申し訳ありませんでした　人に迷惑をかけます
   ③　お先に失礼します　　　　ほかの人より先に帰ります

3) 〈会社で〉
   ファン：いつもジョギングするんですか。
   川上：いいえ、早く起きたときだけです。

   例　ジョギングします　　　　　　早く起きます
   ①　車で来ます　　　　　　　　　帰りに買い物に行きます
   ②　スポーツバッグを持ってきます　仕事の後、ジムに寄ります
   ③　ドリンク剤を飲みます　　　　疲れます

第9課　とき

～ているとき

I. 導入

1. 〈車の中で〉

    田中：わあ、この辺、懐かしいなあ。
    　　　大学のとき、よく来たんですよ。

    川上：あ、そうですか。
    　　　わたしも、前の家に住んでいるとき、毎日通っていました。

2. ルン：それ、何ですか。

    アン：ああ、これ？　化粧品のサンプルです。
    　　　朝、学校へ来るとき、駅前でもらったんです。

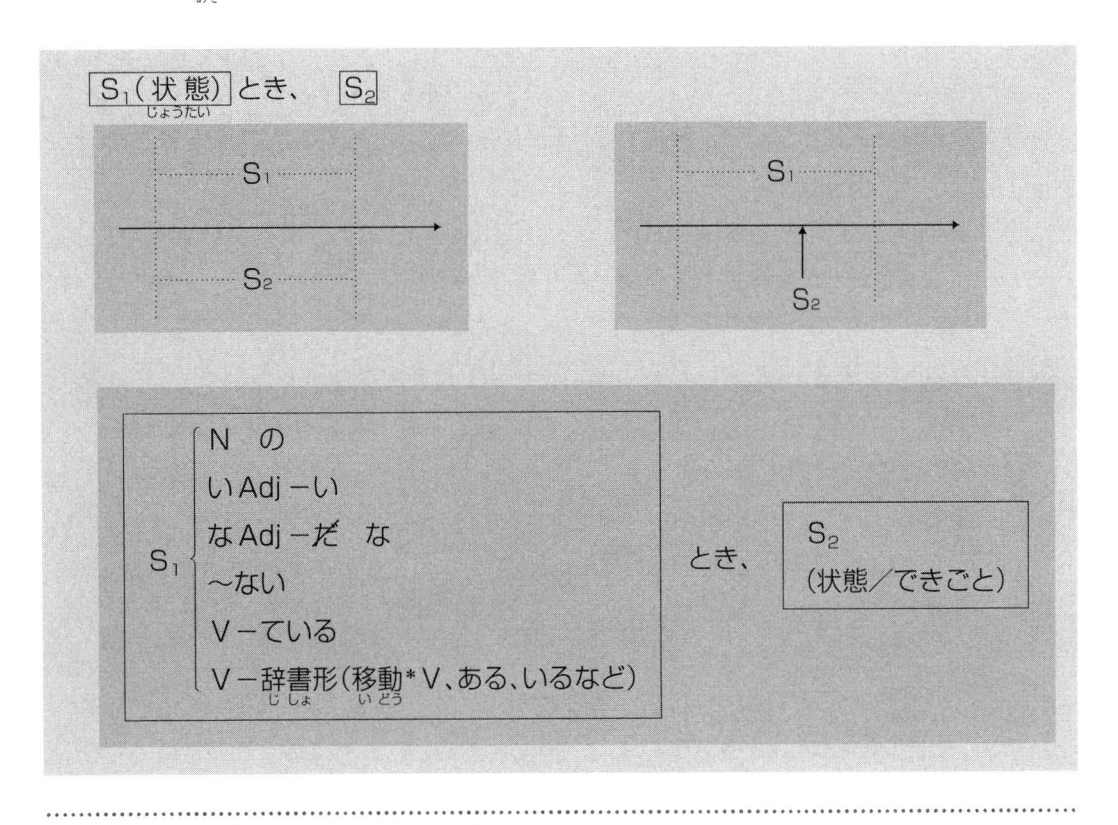

S_1（状態）とき、　S_2

S_1
- N　の
- いAdj－い
- なAdj－だ　な
- ～ない
- V－ている
- V－辞書形（移動＊V、ある、いるなど）

とき、　S_2（状態／できごと）

* 移動（いどう）　　movement, transfer　　移动　　이동

第9課 とき

[使い方の注意]
・移動動詞には「行く、来る、帰る、戻る」などがあります。「移動の途中」を表すときは、「V－ているとき」ではなく、「V－るとき」を使います。
例 ・学校へ来ているとき、駅前で化粧品のサンプルをもらいました。（×）
　　・学校へ来るとき、駅前で化粧品のサンプルをもらいました。（○）

II. 形の練習

例 バスを（待つ → 待っているとき）、川上さんを見かけました。
1）夕飯を（作る →　　　　　　　　）、ルンさんから電話がかかってきた。
2）夜遅くテレビを（見る →　　　　　　　　）、よく暴走族が通る音がする。
3）進路のことで（悩む →　　　　　　　　）、友だちがいいアドバイスをしてくれました。
4）（高校 →　　　　　　　　）、サッカー部に入っていました。
5）時間が（ある →　　　　　　　　）、この本を読んでみてください。
6）深夜放送を聞きながら（勉強する →　　　　　　　　）、ときどき好きな曲をリクエストします。
7）係の人の説明を（聞く →　　　　　　　　）、うとうとしていました。
8）リンダさんが試験に落ちて（がっかりする →　　　　　　　　）、みんなで慰めた。
9）ここへ（来る →　　　　　　　　）、急に雨が降り出した。
10）学校へ（行く →　　　　　　　　）、銀行に寄ってお金を下ろしました。
11）何となく（さびしい →　　　　　　　　）、（　　　　　　　　）。
12）昼寝を（する →　　　　　　　　）、（　　　　　　　　）。
13）ルンさんは、きのう加藤さんと（話す →　　　　　　　　）、敬語を使っていました。

　一般的＊なことや習慣について言うときは、「V－ているとき」ではなく、「V－るとき」を使うことが多いです。
　目上の人と話すとき、敬語を使います。

　＊　一般的（いっぱんてき）　　general　　一般的，普遍的　　일반적

III. 総合練習

「とき1・2」を使って会話を作ってください。

1) ファン：ゆうべの地震、こわかったですね。
   ルン：ええ、（　　　　　　　　　　　　　）ときでした。
   　　　初めてだったので、本当にびっくりしました。

2) 加藤：日本語の勉強をやめたくなることがありますか。
   チャン：ええ、（　　　　　　　　　　　　　）とき、やる気がなくなります。
   　　　　でも、（　　　　　　　　　　　　　　）ときは、やる気が出ます。

第10課　～てくる・ていく

復習

（　）の中の動詞に「～てくる」か「～ていく」をつけてください。

例　美加：今度、家でクリスマスパーティーをするんですけど、来ませんか。
　　アン：ええ。あのう、友だちを（ 連れる → 連れていっ ）てもいいですか。

1. 海外旅行へ行くとき、電子辞書を（ 持つ →　　　　　　　）と便利です。
2. 向こうから（ 走る →　　　　　　　）人は、ルンさんじゃありませんか。
3. 新しいくつを（ はく →　　　　　　　）ので、足が痛い。
4. 　田中：ファンさんはここまで地下鉄で来ましたか。
　　ファン：いいえ、近くですから（ 歩く →　　　　　　　）ました。
5. 加藤：雨になりそうですね。
　　　　会場までタクシーに（ 乗る →　　　　　　　）ましょうか。
　　鈴木：ええ、そうしましょう。荷物もあるし…。

～てくる・ていく　1

ウォームアップ

aとbとどちらがいいですか。
　〈会社で〉
　田中：あっ、切手がない…。
　　　｛a．ちょっと郵便局で買います。
　　　　b．ちょっと郵便局で買ってきます。

第10課　〜てくる・ていく

I. 導入

1. 〈9時前に会社で〉

    田中：ああ、おなかがすいた。
    川上：朝ごはん、食べてこなかったの？
    田中：うん。寝過ごしちゃったから、そこのコンビニでおにぎりを買ってきたんだ。

2. 森田先生：チャンさんがいませんね。
    　　リー：さっき、ロビーにいましたけど…。
    　　　　　呼んできましょうか。

3. 〈学校で〉

    スミス：本屋に寄っていきませんか。
    　ルン：あっ、わたし、ここで宿題をやっていきますから…。
    スミス：そうですか。じゃ、またあした。

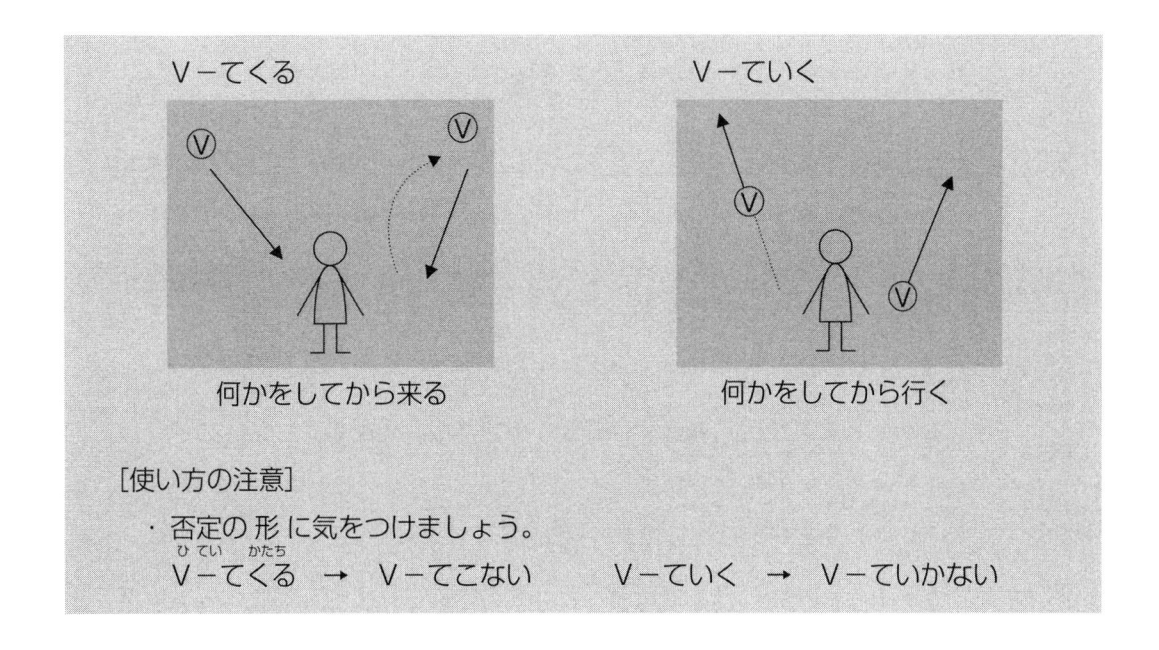

```
    V－てくる                    V－ていく

    何かをしてから来る           何かをしてから行く
```

[使い方の注意]
・否定の形に気をつけましょう。
　V－てくる　→　V－てこない　　　V－ていく　→　V－ていかない

71

第10課　〜てくる・ていく

II. 使い方の練習

1．1）森田先生：チャンさん、予習をしてきましたか。
　　　　チャン：あっ、すみません…。
　　　　　　　　してきませんでした。
　　　森田先生：（あしたは、必ずしてきてください）。

　　　例　予習　　　　　する
　　　①　言葉の意味　　調べる
　　　②　テキスト　　　持つ
　　　③　レポート　　　書く

　2）健太：ちょっとコンビニへ行ってくる。
　　　　母：あっ、じゃ、ついでにこれをコピーしてきて。

　　　例　コンビニ　　　　これをコピーする
　　　①　本屋　　　　　　「週刊経済」を買う
　　　②　郵便局　　　　　手紙を出す
　　　③　ビデオショップ　このビデオを返す

2．1）伊藤：荷物、重いね…。
　　　　　　このコインロッカーに
　　　　　　（入れる →　　　　　　）ましょうか。
　　　　ルン：ええ。そうしましょう。

　2）〈会議で〉
　　　田中：ファンさん、新しい商品のサンプルを見せてください。
　　　ファン：あ、（忘れる →　　　　　　）。
　　　　　　すみません、ちょっと（取る →　　　　　　）。

　3）客：そろそろ失礼します。
　　　伊藤：もう帰るんですか。
　　　　　　もっと（ゆっくりする →　　　　　　）てください。

4）　母：ただいま。
　　美加：お帰りなさい。
　　母：駅前でドーナツを（　　　　　　　　）んだけど、どう？

III.　発展練習

Vの方向*¹が話し手に向かう*²とき、「V－てくる」をよく使います。
1）課長は、3時までに（戻る →　　　　　　　）と思います。
2）1か月に1回ぐらい、母から電話が（かかる →　　　　　　　）。
3）兄はゆうべは12時ごろ家へ（帰る →　　　　　　　）。
4）M社から（送る →　　　　　　　）カタログを見せてください。
5）お金を入れましたが、ジュースが（出る →　　　　　　　）。

*1　方向（ほうこう）　direction　方向　방향
*2　向かう（むかう）　head toward　朝向，対着　향하다

第10課 〜てくる・ていく

〜てくる・ていく 2

ウォームアップ

どちらがいいですか。
インタビュアー：調査によると、ここ数年手紙を書く人が（ 減った / 減ってきた ）
そうですが、どう思いますか。
通りがかりの人：これからも（ 減る / 減っていく ）んじゃないでしょうか。

I. 導入

1. 加藤：このごろ、日本語の上手な外国人が多いですね。
   鈴木：ええ、ずいぶん、<u>増えてきました</u>ね。
   加藤：これからもっと<u>増えていく</u>かもしれませんね。

2. ファン：リーさん、ボランティアをしているそうですね。
   リー：ええ、1か月に2回ぐらいですが、病院へ行っています。
   ファン：ああ、そうですか。
   リー：これからもできるだけ<u>続けていきたい</u>と思っています。

V－てくる・V－ていく

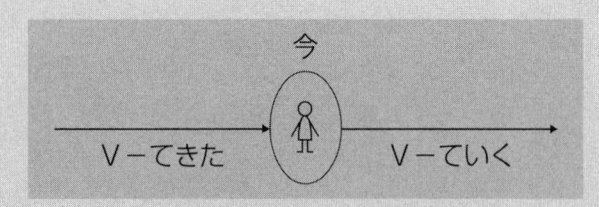

```
           今
   ─────→ 👤 ─────→
   V－てきた    V－ていく
```

「変化が続く」ことを表します。
　例　・日本語の上手な外国人が増えてきました。
　　　・これからもっと増えていくかもしれません。
　　　（このときのVは、「増える、なる、込む」など、変化を表す動詞です）

「何かを長く続ける／何かが長く続く」ことを表すときにも使います。
　例　これからもボランティアを続けていきたいと思います。

II. 使い方の練習

1. （　）の中に適当な言葉を入れてください。
   1) 最近Eメールを使う人が増えて、手紙を書く人がますます減って（　　　　）。
   2) この3年間、NGOのメンバーとして、活動をして（　　　　）ましたが、今後もがんばって（　　　　）うと思います。
   3) どの地域でもごみ問題は深刻だ。これからは無駄な包装を断るなど、消費者の意識を変えて（　　　　）ことが大切だ。

2. （　）の中の言葉を適当な形に変えてください。
   1) 伊藤：ルンさん、最近、聞く（力がつく →　　　　　　）ね。
      ルン：いいえ、まだまだです。
   2) ルン：こんにちは。
      隣の人：こんにちは。このごろ寒く（なる →　　　　　　）ね。
   3) 〈喫茶店で〉
      アン：だいぶ（込む →　　　　　　）ね。そろそろ出ようか。
      チャン：そうだね。
   4) 〈山道で〉
      ファン：だんだん（晴れる →　　　　　　）ね。
      田中：頂上が（見える →　　　　　　）よ。
      ファン：ほんと。きれいですね。

3. 1)

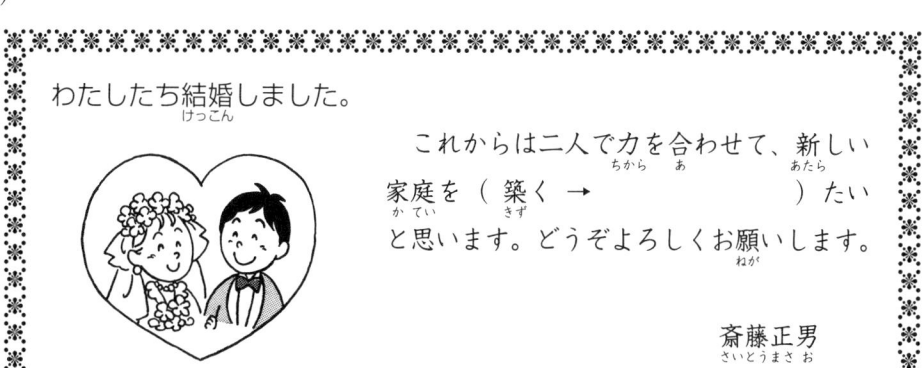

   わたしたち結婚しました。

   これからは二人で力を合わせて、新しい家庭を（築く →　　　　　　）たいと思います。どうぞよろしくお願いします。

   斎藤正男
   まゆみ

2) 日本へ来て1年になります。最近、日本の習慣や日本人の考え方が少しずつ
（わかる →　　　　　　　　　　）。日本食の味にも
（慣れる →　　　　　　　　　）て、おいしく感じるようになりました。

3) 野生動物が住める自然環境が減って、動物の数も非常に
（少なくなる →　　　　　　　　　）。動物を人工的に増やすことは可能だが、
自然環境を（守る →　　　　　　　　　）ことも真剣に考えなければならない。

III. 読んでみましょう

（　）の適当なほうを選んでください。

下の図は女子マラソン世界最高記録の変化を表したものだ。1926年から1963年までの約40年間では数分短くなっただけだが、その後の約40年間で時間はどんどん短くなって（きて／いって）、2003年の最高記録はイギリスの選手の2時間15分25秒だ。1時間25分も速くなった。ここ数十年、女性の体力も上がって（きて／いって）、トレーニングの方法も研究が進んで（きた／いった）。今後、記録はいったいどこまで短くなって（くる／いく）だろうか。

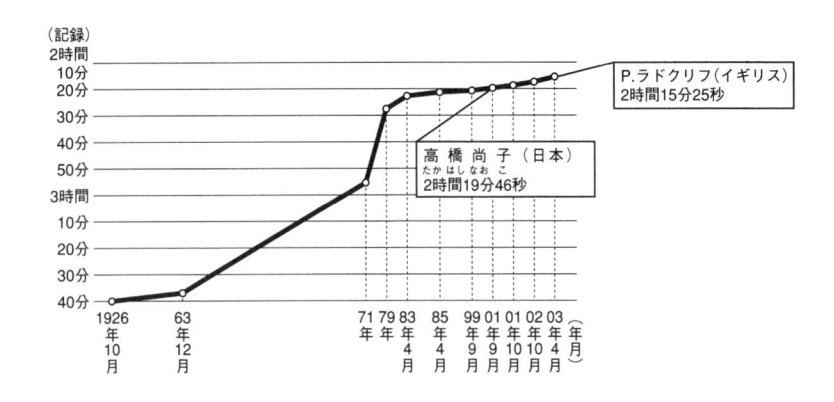

第11課　こ・そ・あ

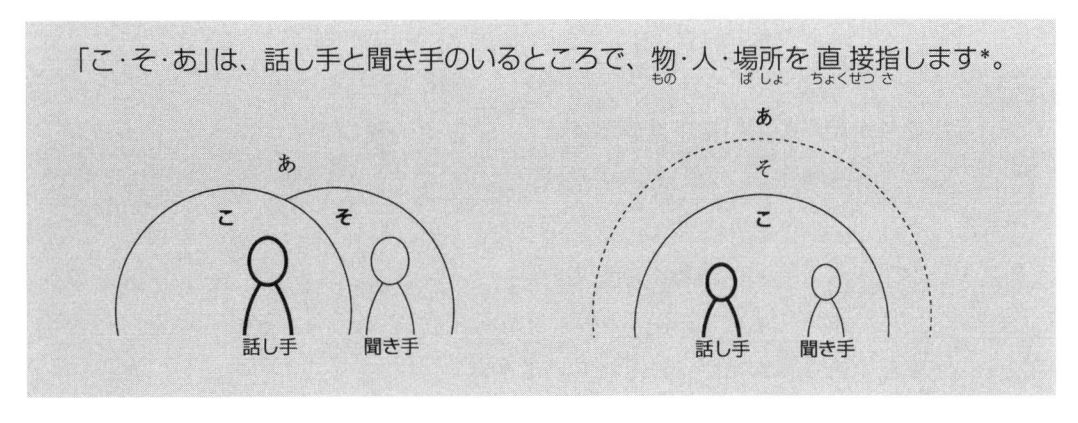

復習
ふくしゅう

「こ・そ・あ」は、話し手と聞き手のいるところで、物・人・場所を直接指します*。

* 指す（さす）　indicate, show　指，指示　가리키다, 지목하다

1. （　）の中に「こ・そ・あ」のつく言葉を入れてください。

   1)　田中：すみません。
   　　　　　（　　）取ってください。
   　　ファン：はい、（　　）ですか。
   　　田中：あ、ありがとう。

   2)　加藤：（　　）は、眺めがいいですね。
   　　リー：ほんと。ずいぶん遠くまで見えますね。
   　　加藤：あ、（　　）に新しいビルができましたよ。

第11課 こ・そ・あ

3）〈デパートで〉
アン：すみません、後ろの棚のかばん、見せてもらえませんか。
店員：はい、どちらでしょう。
アン：（　　　）赤いのです。
店員：（　　　）ですか。
アン：いいえ。（　　　）じゃなくて、（　　　）隣の大きいほうです。
店員：はい、（　　　）ですね。

4）通りかがりの人：地下鉄の駅は（　　　）から遠いですか。
　　チャン：いいえ、すぐ（　　　）です。

2．1）木下：もしもし、伊藤さんですか。
　　　　　　木下ですけど…。
　　伊藤：あっ、木下さん、しばらくですね。
　　　　　皆さん、お元気ですか。
　　木下：ええ、（　　　）は、みんな元気です。
　　　　　（　　　）は、いかがですか。

2）リー：もしもし、リーですが、（　　　）にチャンさん、行っていますか。
　　佐藤：いいえ、（　　　）には、まだ来ていません。3時ごろになると言っていました。

3）〈病院で〉
医者：どこが痛いですか。
　　　（　　　）ですか。
患者：いえ、もう少し下です。
医者：（　　　）ですか。
患者：ええ、（　　　）です。

4）〈試着室で〉
店員：丈は（　　　）ぐらいでよろしいですか。
美加：もう少し、短くしてください。
店員：はい、では（　　　）ぐらいですか。
美加：ええ、（　　　）でいいです。

こ・そ・あ 1

ウォームアップ

次のa、b、cのどれがいいですか。
　高橋：西山通りにパン屋がオープンしましたね。
　ルン：えっ、{ a．これ、どこですか。
　　　　　　　 b．それ、どこですか。
　　　　　　　 c．あれ、どこですか。

I.　導入

1.　ルン：きのう、リーさんとレストランへ食事に行ったんです。
　　ファン：そう。
　　ルン：そこで、リーさんの先輩に会って…。
　　ファン：へえ。その人も中国の人ですか。
　　ルン：ええ。その人、ファンさんのことを知っているって*言っていましたよ。

2.　1923年9月1日に「関東大震災」が起こりました。そのとき、約10万人の人が亡くなり、大きな被害となりました。1年に1回、災害から身を守ることを考えようと、その日を「防災の日」に決めました。

3.　このグラフは、日本の年齢別人口を表している。これを見ると、2000年には、65歳以上の人口が14歳以下の人口より多くなっていることがわかる。

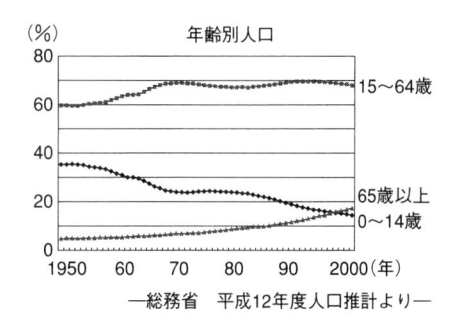

＊　知っているって言っていました＝知っていると言っていました。

第11課 こ・そ・あ

> 会話や文章などで前に出たことを繰り返す*とき、「そ」を使います。
> 図やグラフなどを指すときは、「こ」を使います。

* 繰り返す（くりかえす）　repeat　反复　반복하다, 되풀이하다

II. 使い方の練習

1. （　）の中に「そ」のつく言葉を入れてください。

    例1　きのう西山ホールへ映画を見に行ったんですが、西山ホールでめがねを落としてしまいました。（そこ）

    例2　角を曲がると小さな公園があります。カメラ屋は、小さな公園の向かいです。（そ）

    1）わたしの高校時代の先輩に、村田さんという人がいます。村田さんは、今、海外でボランティア活動をしています。（　　）

    2）3年前まゆみさんは友だちと信州のスキー場へ行きました。スキー場で正男（　　）さんと出会いました。スキー場で出会ったことが2人が結婚したきっかけでした。（　　）

    3）スミスさんは日曜日の朝、デジカメを持って公園へ行く。公園には池があって、（　　）スミスさんは池の周りを歩きながら季節の変化を写して、自分だけのアルバ（　　）ムを作っている。

    4）1969年に人類が初めて月に立った。人類が初めて月に立ったのをテレビで見た人は、世界で6億人だった。（　　）

    5）このテニスコートは、クラブの会員と会員の家族が利用できます。（　　）

    6）この間、専門学校に見学に行ったとき、道がわからなくて困っていました。困っているとき、通りがかりの人が親切に道を教えてくれました。（　　）

    後でわかったことですが、通りがかりの人は、専門学校の学生でした。（　　）（　　）

2．1）スミス：修正液、持っていますか。
　　　　リー：えっ、（　　　）、何ですか。

2）ルン：ただいま。急に雨が降ってきて、ぬれてしまいました。
　　伊藤：（　　　）は大変。早く着替えたほうがいいですよ。

3）　　　　ファン：すみません。バス停はどこですか。
　　通りがかりの人：ええっと、ほら、橋の向こうに、高いビルが見えますね。
　　　　　　　　　　（　　　）を右に曲がったところにパン屋があるんですが、
　　　　　　　　　　バス停は（　　　）前ですよ。
　　ファン：ありがとうございます。

4）火事などのときは、（　　　）マークのある
　　ドアから外に出られます。

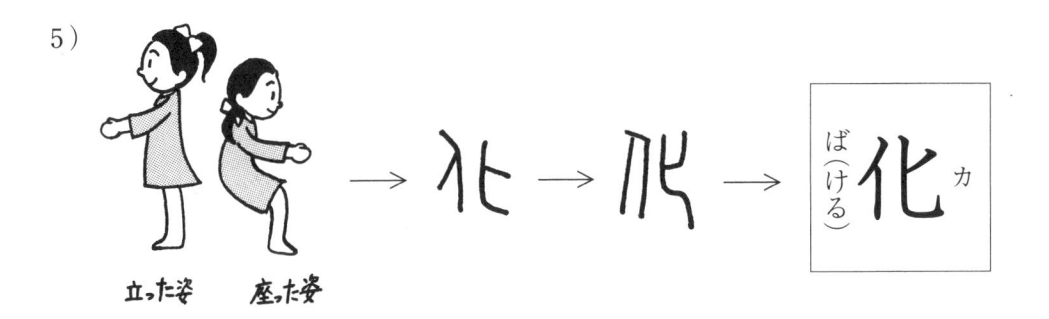

5）
立った姿　座った姿

　（　　　）絵は、イ（立った姿）とヒ（座った姿）で化（姿が変わること）を表しています。
　　花という漢字は艹（草）と化（姿が変わること）からできていて、美しい花を表しています。花の部分が、つぼみから花に、花から実へと（　　　）姿が変わるからです。

第11課 こ・そ・あ

III. 読んでみましょう

1. 　　　　　　　　　『南の島国ツバル』
　地球の平均気温はこの10年に約0.3度上がった。2100年までに気温は6度上がり、海面は80センチ上がるという報告もある。1)その影響で、南の島の国「ツバル」は海に沈んでしまうかもしれない。ツバルの前首相はニュージーランドの首相に、もし2)そうなった場合ニュージーランドへ国民が移れるように頼んだそうだ。

1)「その」は、次のどれを指しますか。
　　a．地球の平均気温が10年間に0.3度上がったこと
　　b．気温が6度上がり、海面が80センチ上がること
　　c．ツバルが海に沈んでしまうこと

2)「そう」は、次のどれを指しますか。
　　a．ツバルが海に沈んでしまうこと
　　b．ニュージーランドへ国民が移れること
　　c．地球の平均気温が0.3度上がること

2. 　　　　　　　　　『高校生へ―ある教師からの手紙』
　君たちは自立したいとよく言うが、それには準備が必要だ。お金も大切だが、それだけではない。自分で考え、感じ、行動する、3つのくせをつけること。簡単そうに見えるが、実はむずかしい。それには、訓練と努力が必要だ。
　　　　　　　　　―塩谷哲士「高校生のためのサバイバル講座」第1号に基づく―

　____の「それ」は、何を指しますか。

「そ」のかわりに「こ」を使うことがあります。読み手の注意を引きたいときなどです。

〈パンフレット〉
　「花山温泉」
　花山地域に温泉が見つかったのは、100年前のことです。そのころは、近くに住んでいる人たちだけが利用していましたが、ここのお湯はいろいろな病気にとてもよく効くという話がほかの村にも伝わって、今では多くの人がこの温泉を訪れるようになりました。…

こ・そ・あ 2

I. 導入

ファン：待ち合わせの場所、どこにしましょうか。
ルン：「コスモス」はどうですか。
ファン：えっ、<u>それ</u>、どこにあるんですか。
ルン：中田ビルの1階です。
ファン：ああ、わかった…。<u>あそこ</u>ですね。

> 会話や文章などで前に出たことを繰り返すとき、「そ」を使います。
>
> 会話では「そ」の代わりに「あ」を使うことがあります。
> 　話し手と聞き手が、前に言ったことの内容を共有して*いるときです。

* 共有する（きょうゆう）　share　共有　공유하다

II. 使い方の練習

（　）の中に「こ・そ・あ」のつく言葉を入れてください。

1）アン：この近くに「モア」というケーキ屋があるって聞いたんですが…。
　　加藤：ああ、「モア」ですか。
　　　　　西山公園の近くにめがね屋があるんですが、（　　　）2階ですよ。

〈次の日〉
　　アン：きのう、「モア」へ行ってきました。
　　加藤：すぐわかりましたか。
　　アン：はい。（　　　）のケーキ、ほんとにおいしいですね。

第11課　こ・そ・あ

2）〈学校で〉
　ルン：すみません、卒業後のことで聞きたいことがあるんですが…。
　受付：じゃ、学生相談室に行ってください。
　ルン：はい。
　受付：（　　　）に石田さんという人がいますから、
　　　　（　　　）に聞いてください。
　ルン：石田さんですか…。ああ、（　　　）人ですね。ありがとうございました。

3）〈デパートで〉
　加藤：うちの子は『キティーちゃんグッズ』が好きで、集めているんですよ。
　ルン：えっ、キティー…？（　　　）、何のことですか。
　加藤：かわいい猫のキャラクターで、子どもに人気があるんです。
　ルン：ああ、（　　　）ですか。

4）リー：月曜日の9時からのドラマ、見てる？
　ルン：月曜日の9時…。ああ、（　　　）ね。
　リー：（　　　）主人公、かっこいいね。

5）ファン：先週の金曜日は、先に帰ってしまって、失礼しました。
　田中：あ、（　　　）後、残った5人でカラオケへ行ったんですよ。
　ファン：えっ、（　　　）は残念。
　田中：今度の金曜日にまた行くんですが、ファンさんもいっしょにどうですか。
　ファン：あ、（　　　）日は、ちょっと…。すみません。

III. 総合練習

「こ・そ・あ1、2」を使って会話を作ってください。

〈ホテルで〉

チャン：今から花山美術館へ行きたいんですが、行き方を教えてください。

ホテルの人：花山美術館ですか。

（　　　）前の通りをまっすぐ行くと、交差点があります。

（　　　）を右に曲がると、すぐわかりますよ。

チャン：ああ、（　　　）建物ですか。

きのう、バスの中から見ました。

話し手と聞き手が、前に言った言葉の内容を共有しているとき以外にも、「あ」を使うことがあります。思い出した*1ことを指すとき（独り言*2、日記など）です。

〈日記〉

9月20日。きょう、5年ぶりにワンさんに会った。2人ともよくしゃべり、よく笑い、時間のたつのも忘れた。彼はあのころとちっとも変わっていなかった。

---

*1　思い出す（おもいだす）　　recall　　想起　　생각해내다, 상기하다
*2　独り言（ひとりごと）　　talking to oneself　　自言自语　　혼잣말, 독백

第12課　普通形＋のは

ウォームアップ

aとbの違いを考えてください。
　加藤：いつ日本へいらっしゃいましたか。
　ジョン：｛a．去年の10月に来ました。
　　　　　 b．去年の10月です。

I. 導入

1. 〈パーティーで〉

　ジョン：はじめまして。ジョンと申します。
　加藤：はじめまして。加藤です。
　　　　<u>日本へいらっしゃったのは</u>、いつですか。
　ジョン：去年の10月です。
　加藤：そうですか。初めてですか。
　ジョン：ええ。

2. 海外旅行先でよく行くのはどこだろうか。
　調査によると、<u>2001年に最も多くの日本人が行ったのは</u>、アメリカで、34.7％。次が中国で14.7％、3番目が韓国で14.6％だった。

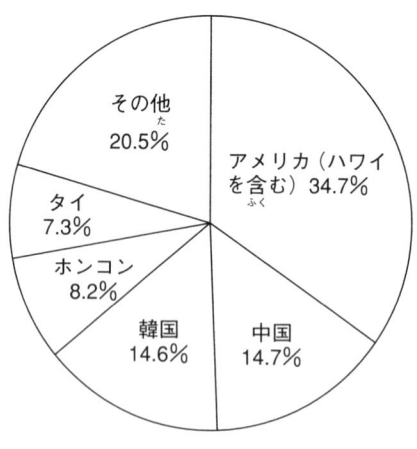

その他 20.5％
アメリカ（ハワイを含む）34.7％
タイ 7.3％
ホンコン 8.2％
韓国 14.6％
中国 14.7％

総理府　平成15年版「観光白書」より

一番聞きたいこと、言いたいこと N を強調して*伝えるとき、次の形を使います。

> S－普通形　　　　　　のは、　N　です。
> 例外 [なAdj －だ　な]

例　いつ日本へいらっしゃいましたか。
　　⇒日本へいらっしゃったのは、いつですか。
　　（　日本へ来たのは、　）去年の10月です。

[使い方の注意]
「S－普通形＋の」の中で「は」は使いません。
　例　・日本人は一番よく行くのは、アメリカです。（×）
　　　・日本人が一番よく行くのは、アメリカです。（○）

*　強調する（きょうちょう）　emphasize　强调　강조하다

II. 形の練習

1. 例　スミスさんは太極拳を習っています。
    a．山崎：（スミスさんが習っているの）は、何ですか。
    　　ルン：（太極拳です　　　　　　）。
    b．山崎：（太極拳を習っているの　　）は、だれですか。
    　　ルン：（スミスさんです　　　　）。

1) 田中さんは来週からイタリアへ出張します。
    a．山崎：（　　　　　　　　　　　　　　）は、だれですか。
    　　ルン：（　　　　　　　　　　　　　　）。
    b．山崎：（　　　　　　　　　　　　　　）は、どこですか。
    　　ルン：（　　　　　　　　　　　　　　）。
    c．山崎：（　　　　　　　　　　　　　　）は、いつからですか。
    　　ルン：（　　　　　　　　　　　　　　）。

第12課　普通形＋のは

2）チャンさんは、先週、図書館の前で写真を撮りました。
　　a．山崎：（　　　　　　　　　　　　　　　　　　　）。
　　　　ルン：（　　　　　　　　　　　　　　）。
　　b．山崎：（　　　　　　　　　　　　　　　　　　　）。
　　　　ルン：（　　　　　　　　　　　　　　）。
3）まゆみさんはイタリア料理が得意です。
　　a．山崎：（　　　　　　　　　　　　　　　　　　　）。
　　　　ルン：（　　　　　　　　　　　　　　）。
　　b．山崎：（　　　　　　　　　　　　　　　　　　　）。
　　　　ルン：（　　　　　　　　　　　　　　）。

2．1）このスーパーは、この辺で一番品数が多いです。
　　　（　　　　　　　　　　　　）は、このスーパーです。
　　2）去年の11月に北海道へ行ったとき、初めて雪を見ました。
　　　（　　　　　　　　　　　　）は、去年の11月に北海道へ行ったときです。
　　3）アニメを勉強したかったから、日本へ来ました。
　　　（　　　　　　　　　　　　　　）は、アニメを勉強したかったからです。

III.　使い方の練習

1．1）ファン：面接が終わるのは、何時でしょうか。
　　　田中：ええっと、（　4時ごろです　）よ。

　　　　例　面接が終わります　　　　　　何時
　　　　①　会議に出席します　　　　　　だれ
　　　　②　川上さんが休暇を取ります　　何日から
　　　　③　M社のトーマスさんに会います　空港のどこ

　　2）山崎：日本に来ようと思ったのは、どうしてですか。
　　　　ジョン：（　日本の大学に入りたかったからです　）。

　　　　例　日本へ来ようと思いました
　　　　①　この学科に入りました
　　　　②　日本のアニメに関心を持ちました

2. ルン：まゆみさん、結婚、おめでとう。

　　まゆみ：ありがとう。

　　ルン：初めて正男さんと会ったのは、（　　　　　　　　　）か。

　　まゆみ：（　　　　　　　　　　　）。

IV. 読んでみましょう

『干支』

　昔、高い山に神様が住んでいた。ある年の終わりに、神様は、次のような手紙を書いて、国中の動物たちに送った。

　「元旦に、わたしの家に集まりなさい。来た順に12番までの動物を1年ずつ、動物の王にします」

　手紙を読んで、動物たちが大騒ぎしているとき、それまでのんきに寝ていた猫が目を覚まし、ねずみに騒ぎの理由を尋ねた。いたずら者のねずみは、神様の家に集まる日を2日だとうそをついた。

　動物たちは、31日の夜は早めに寝てしまったが、足の遅い牛だけは張り切って夜中に出発した。それを見たねずみは、牛の背中に飛び乗り、元旦の日の出と同時に神様の家に着いた。そのとき、ねずみは牛の背中から飛び降り、神様の前に走っていった。それで、最初の年は、ねずみが王になり、2年目からは、牛、とら、うさぎ、…と12番目のいのししまで、着いた順に王に決まった。

　ところで、猫は、元旦になっても何も知らずに、のんきに昼寝をしていた。2日の朝になって、ねずみにだまされたことに気がついた。腹を立てた猫は、それ以来ずっと、ねずみを追いかけ続けているそうだ。

文の内容について、質問と答えを作りましょう。

　例1　質問：神様が動物たちに手紙を送ったのはいつですか。

　　　　答え：ある年の終わりです。

　例2　質問：神様が動物たちに手紙を送ったのはどうしてですか。

　　　　答え：神様の家に動物たちを集めたかったからです。

第13課　たら

たら 1

ウォームアップ

「もし」が使えるのは、どちらの文ですか。
　a．3時になったら、来てください。
　b．暇だったら、遊びに来てください。

I. 導入

1. 事務の人：ルンさん、授業が終わったら、事務所に来てください。
　　ルン：はい、わかりました。

2. ルン：電車の中に辞書を置き忘れたんですが…。
　　駅員：出てきたら、お知らせしますので、ここに連絡先を書いてください。

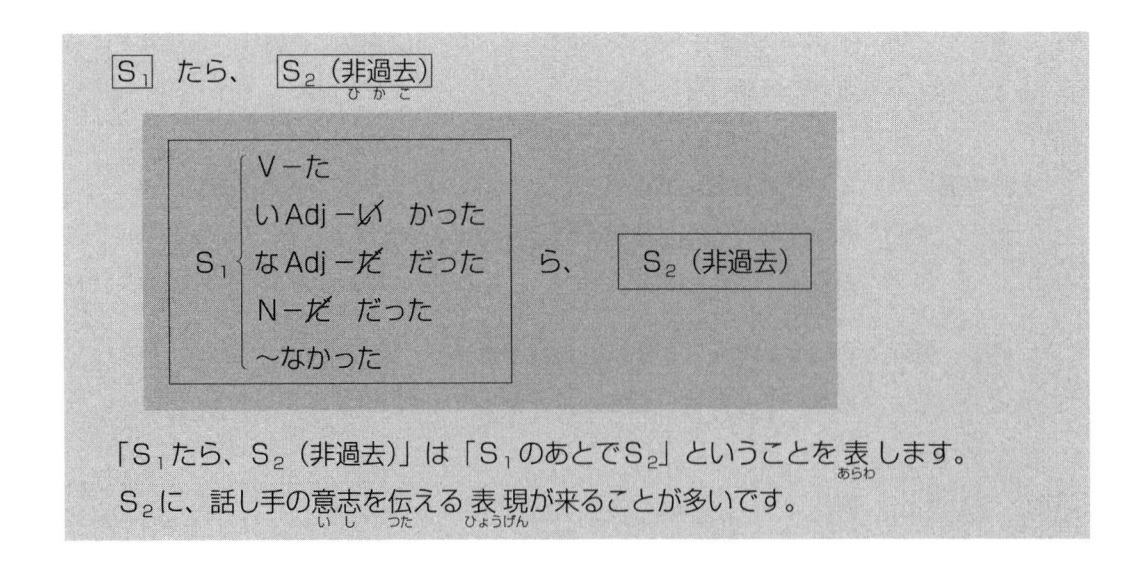

S_1 たら、S_2（非過去）

S_1
- V－た
- いAdj－い かった
- なAdj－だ だった
- N－だ だった
- ～なかった

ら、　S_2（非過去）

「S_1たら、S_2（非過去）」は「S_1のあとでS_2」ということを表します。
S_2に、話し手の意志を伝える表現が来ることが多いです。

> S₁には「必ず起きること」も「起きるかどうかわからないこと」（仮定*）も来ます。
>
> 例　・授業が終わったら、事務所に来てください。
> 　　・辞書が出てきたら、お知らせします。

* 仮定（かてい）　　postulate　　　假定，假设　　　가정, 가설

II. 形の練習

1. 例　来年（卒業する → 卒業したら）、（国へ帰って、就職するつもりです）。

   1) その雑誌、（読み終わる →　　　　　　　）、棚に戻しておいてください。
   2) （退職する →　　　　　　　）、いなかでのんびり暮らすのがわたしの夢です。
   3) 雨が（降る →　　　　　　　）、試合は中止です。
   4) （遅れそうだ →　　　　　　　）、タクシーで行ったほうがいいですよ。
   5) ポイントが（たまる →　　　　　　　）、この中の好きな商品と交換できます。
   6) 川上さん、遅いですね。6時半まで待って（来ない →　　　　　　　）、
      先に行きましょう。
   7) その仕事が（済む →　　　　　　　）、（　　　　　　　）てもいいですよ。
   8) お湯が（沸く →　　　　　　　）、（　　　　　　　）。
   9) 肉をいためて色が（変わる →　　　　　　　）、（　　　　　　　）ください。
   10) （都合がいい →　　　　　　　）、（　　　　　　　）。
   11) ファン：飛行機が（満席だ →　　　　　　　）、どうしましょう。
       田中：そうですね、じゃ、そのときは1週間延ばしましょうか。
   12) もしこのまま科学技術が（進む →　　　　　　　）、だれでも簡単に宇宙旅行
       ができるようになるでしょう。
   13) もし1億円の宝くじに（当たる →　　　　　　　）、
       （　　　　　　　　　　　　）。

第13課　たら

2．例　もし国にいたら、今ごろ父の仕事を手伝っているでしょう。
　　1）もし日本に来ていなかったら、（　　　　　　　　　　）ているでしょう。
　　2）1日36時間あったら、（　　　　　　　　　　　　　　）。

> 「たら」は、実際*に起きなかったこと／起きないことにも使えます。

＊　実際に（じっさいに）　　actually　　实际(上),事实　　실제로

III．使い方の練習

1）課長：航空券、取れた？
　ファン：いえ、まだですが…。

　　　　　取れたら、すぐお知らせします。

　　例　航空券　　　　　　　取れる
　　①　会議室　　　　　　　空く
　　②　全員　　　　　　　　そろう
　　③　M社の井上さんから連絡　ある

2）スミス：あしたの待ち合わせ、6時に駅の5番出口でいいですか。
　ファン：はい、だいじょうぶだと思いますけど、遅くなりそうだったら、
　　　　　携帯にかけます。

　　例　遅くなりそうだ
　　①　何かある
　　②　会議が長引きそうだ
　　③　会えない

たら 2

I. 導入

1. 健太：きょう、500円の図書券、もらっちゃった。
   母：えっ、どうして？
   健太：本屋さんでアンケートに答えたら、くれたんだ。

2. ルン：ファンさん、この写真どうぞ。
   ファン：ありがとう。
      あ、これ、去年のクリスマスのですね。
   ルン：ええ。きのう机の中を片付けていたら、出てきたんですよ。

3. ファン：この間、ライブハウスに行ったら、ブラウンさんが来ていました。
   森田先生：ああ、上級クラスにいたブラウンさんですか。元気でしたか。
   ファン：ええ、とても元気そうでした。

S₁ たら、 S₂（過去）

次のことを表します。
「S₁のあと／S₁（状態）のとき、S₂が起きた」
「S₁のあと、S₂の状態がわかった」

話し手の予想しなかった*¹ことを伝えるとき、よく使います。
（話し手の驚き*²や意外な*³気持ちが入ります。）

［使い方の注意］
・S₂に、話し手の意志を表す言い方は来ません。
・「S₁（状態）のとき」、S₁に「V－ていたら」をよく使います。
  例 机の中を片付けていたら、写真が出てきた。
・「S₂の状態がわかった」とき、S₂に「V－ていた」をよく使います。
  例 ライブハウスに行ったら、ブラウンさんが来ていました。

第13課　たら

```
＊1　予想する（よそう）　　expect　　　予想，预料　　　예상하다
＊2　驚き（おどろき）　　　surprise　　惊恐，吃惊　　　놀람, 놀라움
＊3　意外な（いがい）　　　unexpected　意外，想不到　　의외, 뜻밖, 예상외
```

II. 使い方の練習

1. 正しいほうを選んでください。

   1) サッカー場で試合を見ていたら、
      - a．突然、雨が降り出した。
      - b．アイスクリームを食べていた。

   2) お風呂に入っていたら、
      - a．玄関のチャイムが鳴った。
      - b．歌を歌った。

   3) 道に迷って困っていたら、
      - a．高校生が駅まで案内してくれた。
      - b．高校生に駅まで案内してもらった。

   4) コンビニに行ったら、
      - a．偶然アンさんに会った。
      - b．卵を買った。

   5) かばんを開けたら、
      - a．教科書がなかった。
      - b．教科書を持ってこなかった。

   6) 実際に会ってみたら、
      - a．水野教授は話しやすい人だった。
      - b．水野教授と話してみました。

   7) 家に帰ったら、
      - a．友だちに電話をかけた。
      - b．友だちから絵はがきが来ていた。

   8) 朝、起きたら、
      - a．歯をみがいた。
      - b．雪が降っていた。

2. 例1　押し入れの中を片付けていたら、（　古いアルバムが出てきました　）。
   例2　会場に着いたら、（　もうたくさんの人が並んでいました　）。

   1) ゴルフは、やってみたら思ったより（　　　　　　　　　　　　）。
   2) ざるそばは食べてみたら、（　　　　　　　　　　　　　　　）。
   3) （　　　　　　）は（　　　　　　）たら、意外に（　　　　　　　　）。
   4) 家へ帰ったら、（　　　　　　　　　　　　　　　　　　）ていた。
   5) 朝、教室に入ったら、（　　　　　　　　　　　　　　　　　）。
   6) 地下街を歩いていたら、（　　　　　　　　　　　　　　　　）。

7）机の引き出しを整理していたら、(　　　　　　　　　　　　　　　)。
8）日本語がわからなくて困っていたら、(　　　　　　　　　)てくれました。
9）友だちに(　　　　　　)たら、(　　　　　　　　　　　　)。
10）(　　　　　　　　　　)たら、(　　　　　　　　　　　)ていた。

「S₁たら、S₂（過去）」を2文で言うとき、「そうしたら」を使います。

きのう久しぶりにまゆみさんと会って、2人でタイ料理を食べに行った。
そうしたら、そこにルンさんと美加さんが来ていた。

第14課　と

> **ウォームアップ**
>
> aとbと、どちらがいいですか。
> 1．5時になると、　　　 ａ．帰りましょう。
> 　　　　　　　　　　　 ｂ．川上さんはすぐ帰ります。
> 2．旅行のパンフレットを見ると、　ａ．行ってみたいです。
> 　　　　　　　　　　　　　　　　 ｂ．行ってみたくなります。

I．導入

1．事務の人：チャンさんはいますか。
　　ファン：もう帰りました。
　　事務の人：えっ、帰っちゃったんですか。
　　ファン：ええ、チャンさんは、<u>授業が終わると</u>、すぐ帰りますから。

2．ルン：もしもし、ルンです。今、駅に着いたんですけど…。
　　加藤：じゃ、<u>5番出口を出ると</u>、右にケーキ屋さんがあるから、その前で待っていてください。
　　　　　すぐ迎えに行きます。

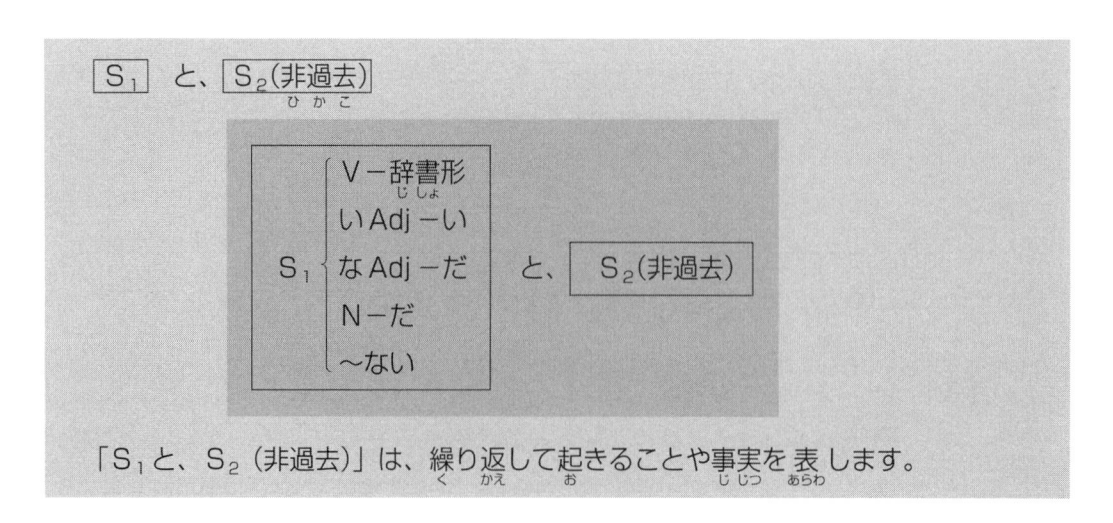

S₁ と、S₂（非過去）

$$S_1 \begin{cases} V-辞書形 \\ いAdj-い \\ なAdj-だ \\ N-だ \\ \sim ない \end{cases} と、\boxed{S_2（非過去）}$$

「S₁と、S₂（非過去）」は、繰り返して起きることや事実を表します。

[使い方の注意]
　S₂には、話し手の意志を表す言い方は来ません。
　　例　5時になると、帰りましょう。（×）

II. 形の練習

例　この入口の電気は、人が（ 近づきます → 近づくと ）、明るくなります。
1）コンサート会場へは（ 地下鉄です →　　　　　　　 ）、10分で行けます。
2）リーさんは周りが（ やかましいです →　　　　　　　 ）、集中できないと言いますが、わたしは（ 静かです →　　　　　　　 ）、落ち着きません。
3）マリーさんは（ わかりません →　　　　　　　 ）、すぐ英語で聞きます。
4）ホームページに（ アクセスします →　　　　　　　　 ）、詳しい内容がわかります。
5）外国で暮らす楽しさも大変さも、外国で（ 暮らしてみません →　　　　　 ）、わかりません。
6）チャンさんは、休憩時間になると、いつも（　　　　　　　　　　　　）。
7）わたしは腹が立つと、（　　　　　　　　　　　　　　　　　　　　）。
8）電話で母の声を（ 聞きます →　　　　　 ）、（　　　　　　　 ）たくなります。
9）（　　　　　　　　　　 ）ないと、9時の電車に乗り遅れます。
10）（　　　　　　　　　　 ）ないと、（　　　　　　　　　　　　 ）ません。

III. 使い方の練習

1．aとbと、どちらがいいですか。

1）書類の書き方が { a．わからないと、 / b．わからないときは、} 聞いてください。

2）部屋の番号を { a．押すと、 / b．押して、} ドアが開きます。

3）駅の案内所で { a．聞くと、 / b．聞いて、} ホテルを紹介してくれます。

4）この道をまっすぐ { a．行って、 / b．行くと、} 右に曲がってください。

5）その橋を { a．渡ると、 / b．渡って、} 1つ目の角を右に { a．曲がると、 / b．曲がって、} 美術館があります。

第14課　と

2. ファン：あのう、パソコンの画面が出ないんですが…。
　　田中：あ、そのキーを押さないと、出ませんよ。

　　　例　パソコンの画面が出る　　そのキーを押す
　　　①　電話がかかる　　　　　　0を押す
　　　②　コピー機が動く　　　　　紙のサイズを選ぶ
　　　③　ドアが開く　　　　　　　カードを入れる

3. ☐の中の言葉を使って、練習してください。

　　　　スミス：すみません、市民ホールへ行きたいんですが…。
　通りがかりの人：市民ホールですか。
　　　　　ええっと…（広い通りに出）て、（右に200メートルぐらい
　　　　　行くと、）ありますよ。
　　　　スミス：そうですか。ありがとうございました。

　　　例　市民ホール　　　　　①　渡辺クリニック
　　　②　コンビニ　　　　　　③　郵便局

突き当たり　1つ目の角　交差点　広い通り　渡る　…

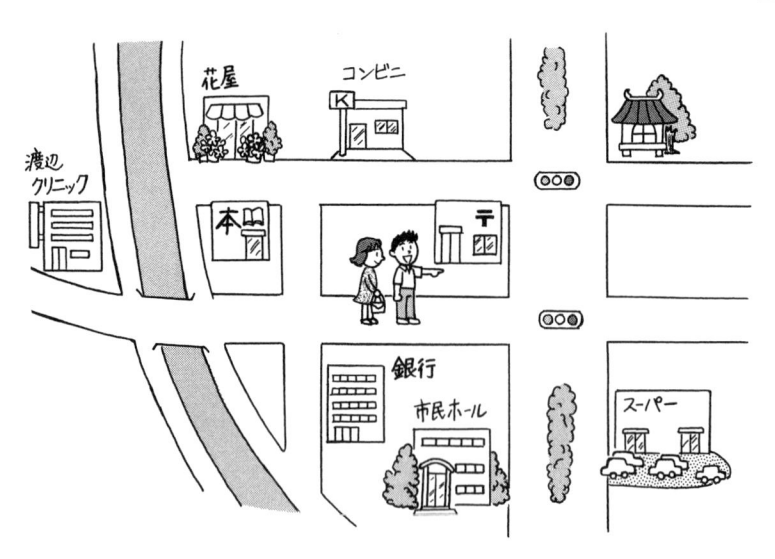

4．旅行社の人：旅行の日程を説明します。
　　　　　　　２日目は、自由行動になります。
　　ファン：どんなことができますか。
　　旅行社の人：例えば…、ホテルから少し歩くと、露天風呂があります。

　　　例　ホテルから少し歩きます　　露天風呂があります
　　　①　自転車を借ります　　半日で湖が１周できます
　　　②　3,000円ぐらい払います　　カヌーに乗れます
　　　③　展望台に登ります　　湖が一望できます

5．（　　）の中の動詞を「～て」か「～と」に変えてください。

　　ミツバチの習性を知っていますか。
　　ミツバチは新しい花を（見つけます→　　　　　　）、体中にその花粉を
　　（つけます→　　　　　　）自分の巣に帰ります。そして、ダンスを
　　（します→　　　　　　）、新しい花の場所をほかのミツバチに知らせようとします。ほかのミツバチは、ダンスを（見ます→　　　　　　）花の方向がわかり、すぐに新しい花のところへ飛んでいくことができます。

過去に繰り返して起きたことを言うときには、「S₁と、S₂（過去）」になります。

子どものころ、休みになると父がよく海へ連れていってくれました。

第14課　と

IV.　読んでみましょう

『うらしま太郎』

　昔、ある所にうらしま太郎という男がいました。ある日、太郎が海に行くと子どもたちが1匹のかめをいじめていました。太郎はかわいそうなかめを助けてやりました。

　それからしばらくたったある日、太郎が魚をとっているとかめが近づいてきて、「わたしはこの間、助けてもらったかめです。お礼をしたいのでわたしの背中に乗ってください」と言いました。かめは太郎を乗せると、海の中をどんどん泳いでいきました。

　しばらくして「着きました」と言うので、目を開けると、そこは美しいお城でした。太郎は毎日ご馳走を食べ、そのお城のお姫さまと楽しく暮らしました。

　3年ほどたったある日、太郎は「家族が恋しくなったので家に帰りたい」と言いました。お姫さまは悲しそうに、小さな箱を渡しながら、「この箱は決して開けてはいけません」と言いました。太郎は約束をしてかめの背中に乗って帰っていきました。

　村に着くと、村はすっかり変わっていました。太郎の家のあった所は野原となり、山も川もなくなっていました。家族はもちろん、知っている人はだれもいませんでした。太郎はさびしくなって、お姫さまからもらった箱を開けてしまいました。すると、中から煙が出てきて、太郎は髪の真っ白なおじいさんになってしまいました。

　あなたの国にも、『うらしま太郎』に似ている話がありますか。

物語*1には「S₁と、S₂（過去）」の文をよく使います。
次々に*2起きるできごとを観察している*3ように伝えます。

*1　物語（ものがたり）　　story, tale　　　故事　　이야기, 전설, 소설
*2　次々に（つぎつぎ）　　one after another, in succession　　一个接一个　　잇달아, 차례차례
*3　観察する（かんさつ）　　observe, see　　　观察　　관찰하다

第15課　ば

ウォームアップ

aとbと、どちらがいいですか。
〈パソコンを使いながら〉
ファン：おかしいなあ。ここ、消えないんですけど…。
田中：この下のキーを ｛a．押せば、／b．押したら、｝ 消えますよ。

I．導入

1．ファン：あ、カーナビをつけたんですか。
　　田中：ええ、便利ですよ。
　　　　　電話番号を入れれば、どこへでも行けますから。

2．美加：来週の講演会、行く？
　　山崎：うん…。時間があれば、行くけど…。

S₁ ば、S₂（非過去）

S₂が成立する*ために必要なことをS₁で表します。
（S₁が成立しないとき、S₂も成立しません。）

例　・電話番号を入れれば、行けます。
　　・時間があれば、行きます。（時間がなければ、行きません。）

第15課　ば

```
形の作り方

動詞　Iグループ　書く　　書（かきくけこ）ば
　　　IIグループ　食べる　食べれば
　　　IIIグループ　する　　すれば
　　　　　　　　　来る　　来れば

い形容詞　　　　　暑い　　暑ければ
　　　例外　　　　いい　　よければ
　　　　　　　　　～ない　～なければ
```

＊　成立する（せいりつ）　occur, be achieved　成立　성립하다

II.　形の練習

1．例　2,000円（払う → 払えば）、だれでも料理教室に参加できる。
　　1）駅の窓口に（行く →　　　　　　）、路線図がもらえるはずです。
　　2）この運動を毎日（続ける →　　　　　　）、3か月で効果が出る。
　　3）（晴れている →　　　　　　）、ここから富士山が見えるはずです。
　　4）今すぐ（出る →　　　　　　）、まだ間に合います。
　　5）このテーブルは、（折りたたむ →　　　　　　）場所を取りません。
　　6）品質がよくて値段が（安い →　　　　　　）、よく売れるはずだ。
　　7）今資格を（取っておく →　　　　　　）、後で必ず役に立ちます。
　　8）電気製品は、保証書が（ある →　　　　　　）、
　　　　（　　　　　　）てもらえる。
　　9）田中さんに（頼む →　　　　　　）、（　　　　　　　　　）。
　　10）みんなが（手伝ってくれる →　　　　　　）、きょう中にできますが、
　　　　（手伝ってくれない →　　　　　　）ちょっと無理だと思います。

2．例　時間が（ある → あれば）、行けますが、
　　　　（時間がなければ、行けないと思います。）
　　1）早めに（申し込む →　　　　　　）、いい席が取れますが、
　　　　（　　　　　　　　　　　　　　　　　　　　　　　）。

2）成績が（ いい →　　　　　　　　）、奨学金がもらえます。
（　　　　　　　　　　　　　　　　　　　　　　　　）。

3）田中さんが車で（ 来てくれる →　　　　　　　）、荷物が運べるけど…、
（　　　　　　　　　　　　　　　　　　　　　　　　）。

III. 使い方の練習

1．1）加藤：皆さん、卒業後、どうしますか。
　　　学生：大学院に合格すれば、日本にいます。

　　例　大学院に合格する
　　① いい仕事が見つかる
　　② 専門学校に受かる
　　③ 仕事の契約が延長できる

2）リー：この前、話していたバスツアーのことですけど、スミスさんも行きますか。
　　スミス：参加費が5,000円でしたね。
　　リー：ええ。
　　スミス：もう少し安ければ、行きたいんですが…。

　　例　参加費が5,000円　　　もう少し安い
　　① 1泊2日　　　　　　　休みが取れる
　　② 来週の土曜日　　　　都合がつく
　　③ 帰ってくるのが8時　アルバイトが代わってもらえる

2．1）ジョン：電話料金は、どこで（ 払う →　　　　　）いいですか。
　　　鈴木：コンビニで払えますよ。

2）リー：今、予定がわからないんだけど、
　　　　　いつまでに（ 返事をする →　　　　　　　　）いい？
　　チャン：今週中にメールしてくれればいいよ。

第15課　ば

3. 大地震が起きたら、どこに（避難する →　　　　　　　）いいか、あなたは知っていますか。家族との連絡方法について話し合っていますか。地震が起きたとき、どう（行動する →　　　　　　　）いいかを日頃から考えておくことが大切です。

「～ばよかった」は、自分がしなかったことを後悔した*とき、
「～なければよかった」は、自分がしたことを後悔したときに使います。

1. ルン：わあっ、雨が降ってきた。
   リー：あっ、ほんと。
   ルン：かさを持ってくればよかった。
2. リー：きのう美加さんとけんかしたんだって？
   ルン：うん。あんなひどいことを言わなければよかったって後悔している。

今までに何か後悔したことがありますか。どんなことですか。

---

*　後悔する（こうかい）　　regret, repent　　后悔　　후회하다

第16課　なら

> ウォームアップ

```
次の文の中で間違っているのはどれですか。
　a．北海道へ行ったら、おみやげにラーメンを買ってきてください。
　b．北海道へ行くなら、おみやげにラーメンを買ってきてください。
　c．北海道へ行ったら、セーターを持って行ったほうがいいですよ。
　d．北海道へ行くなら、セーターを持って行ったほうがいいですよ。
```

I.　導入

1.　　　　　　ルン：あのう、北山城はこの近くでしょうか。
　通りがかりの人：あ、お城なら、この坂を上がるとすぐですよ。

2.　マリア：リーさん、12月の日本語能力試験を受けますか。
　　　リー：ええ。2級を申し込んだんですが、自信がないんです。
　　マリア：2級を受けるなら、わたしが去年使った問題集をあげましょうか。

3.　　田中：金曜日のボウリング大会、行きますか。
　　ファン：田中さんが行くなら、わたしも行きます。

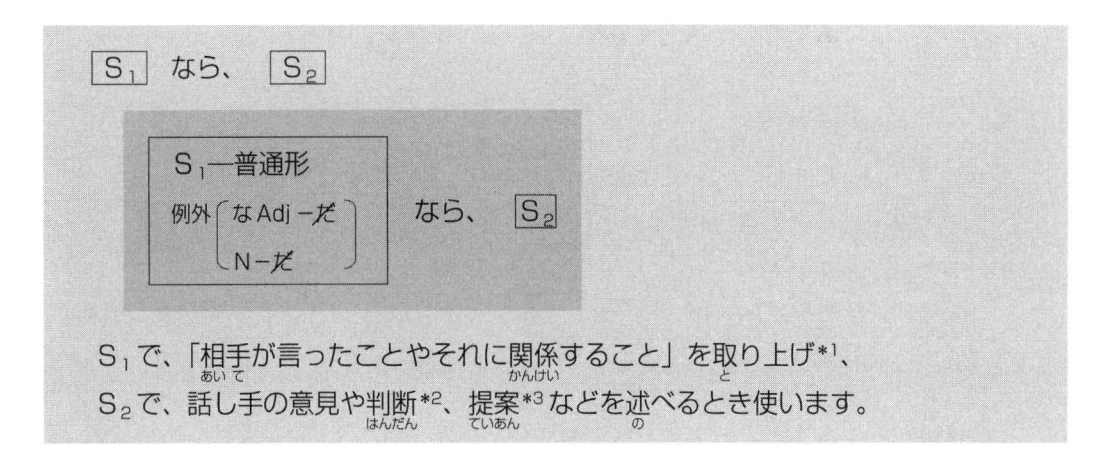

```
  S₁  なら、　 S₂

  ┌─────────────┐
  │ S₁ー普通形　　　│
  │ 例外 ┌ なAdj -だ ┐ │  なら、　S₂
  │     └ N -だ    ┘ │
  └─────────────┘

S₁で、「相手が言ったことやそれに関係すること」を取り上げ*¹、
S₂で、話し手の意見や判断*²、提案*³などを述べるとき使います。
```

第16課　なら

> [使い方の注意]
> 「S₁なら」の中では、「は」を使いません。
> 　例　田中さん<u>は</u>行くなら、わたしも行きます。（×）

* 1　取り上げる（とりあげる）　take up (for a topic)　提起　　제기하다, 집어들다
* 2　判断（はんだん）　　　　　judgement　　　　　　判断　　판단,
* 3　提案（ていあん）　　　　　proposal　　　　　　 提案、建议　제안

II. 使い方の練習

1．例　　課長：田中さんは？
　　　　ファン：あ、（田中さんなら）、さっき資料室に行きました。

1）夫：朝刊がない…。
　　妻：あ、朝刊なら、（　　　　　　　　　　　）。
2）美加：ちょっとスーパーへ行ってくる。
　　母：あ、（スーパーへ行きます →　　　　　　　　　　　　）、
　　　　（　　　　　　　　　　　　　　　　）。
3）野村：展示会の準備、進んでいますか。
　　川上：案内状がまだなんです。
　　野村：（できていません →　　　　　　　　　　　　）、
　　　　（　　　　　　　　　　　　　　　　）。
4）リー：通学証明書、きょう中にお願いできますか。
　　事務の人：きょうは無理ですけど、あした（　　　　　　　　　　　　）。
5）ファン：あしたの午後、会議室、空いていますか。
　　川上：いいえ、午後（　　　　　　　　　　　　）。
　　　　　午前（　　　　　　　　　　　　　）。
6）ファン：山下さん、いますか。
　　川上：今、会議中ですが…。
　　ファン：それなら、（　　　　　　　　　　　　　　　）。

2．1）　加藤：ブラウンさん、帰国はいつですか。
　　　　ブラウン：来月の中旬だけど、荷物が片付かなくて…。
　　　　加藤：荷造りが大変なら、（手伝いますよ）。

　　　例　荷造りが大変です
　　　①　段ボールが必要です　　②　荷物を運びます
　　　③　家具を売ります　　　　④　手が足りません

2）リー：夏休みに（タイ）へ行きたいんだけど、どこかいい所を教えて。
　　ルン：うーん、買い物したいなら、（バンコクがいいんじゃない？）

　　　例　買い物したいです　　　①　きれいな景色が見たいです
　　　②　歴史に興味があります　③　海が好きです

3）まゆみ：中国語を勉強したいんだけど…。
　　美加：（リーさん）なら（教えてくれるかもしれないよ。）

　　　例　中国語を勉強したいです
　　　①　マンションでペットが飼いたいです
　　　②　スペイン語の翻訳ができる人をさがしています
　　　③　外国人の友だちをどこかに案内したいです

III. 発展練習

「話し手が前に言ったことや、それに関係すること」を取り上げて、話を進めたり、まとめたりするときにも、「〜なら」を使います。

1）近視が進むとめがねが必要になる。スポーツをするとき、めがねが
　　（じゃまです →　　　　　　　）、コンタクトが便利だろう。もし手入れが
　　（面倒です →　　　　　　　　）、使い捨てのコンタクトもある。

2）刺身のしょうゆにこだわる人がいる。一般的に、関東の料理は味が濃く、関西の料理は味が薄い。味の違いはしょうゆの違いだ。関東でよく食べるまぐろやかつおは、味の濃いしょうゆがよく合う。が、関西でよく食べる魚はたいなどの白身の魚が多いので、味の薄いしょうゆのほうがいい。まぐろを（　　　　　　）、
　　（　　　　　　　　）しょうゆがいいということだ。

第16課　なら

IV.　読んでみましょう

『ブタ様』

　韓国では、豚は縁起がいい動物だ。豚の夢を見ると、お金持ちになるそうだ。子どもをたくさん産むので、繁栄のシンボルにもなっている。

　豚の形の貯金箱があったり、豚の形のアクセサリーをつけたりする。財産として豚の形をした金をタンスにしまっておいたり、母豚がたくさんの子豚に乳をやっている絵を飾っておくこともある。

　韓国へ行くなら、豚の飾り物を見るのもおもしろいかもしれない。

　　　　　　　　　　　　　　　　　―柳沢有紀夫『アジアのツボ　中国・香港・台湾・韓国』
　　　　　　　　　　　　　　　　　　　　　　　スリーエーネットワーク p.116 に基づく―

あなたの国では、どんな動物が縁起がいいですか。

話し言葉で「なら」のかわりに次の表現を使うこともあります。

・動詞、い形容詞のとき…「～んなら」「～んだったら」

　1．おじいさんが入院したんなら、お見舞いに行ったほうがいいんじゃない？
　　　　　　　　　　　　（んだったら）

　2．そんなに忙しいんだったら、アルバイトを減らしたらどう？
　　　　　　　（んなら）

・な形容詞、名詞のとき…「だったら」

　3．母だったら、この料理の作り方を知っているかもしれない。

第17課　ので・のに

> ウォームアップ

> aとbと、どちらがいいですか。
>   a．弟は風邪をひいているので、遊びに出かけました。
>   b．弟は風邪をひいているのに、遊びに出かけました。

I．導入

1．森田先生：きょうのテストはどうでしたか。
　　　　リー：習ったところを全部復習したので、だいたいできました。
　　　　ルン：わたしは一生懸命勉強したのに、できませんでした。

2．川上：田中さん、きのうどうしたの？
　　　　みんな待っていたのに…。
　　田中：ごめん。
　　　　行こうと思ってたんだけど、仕事が片付かなくて…。

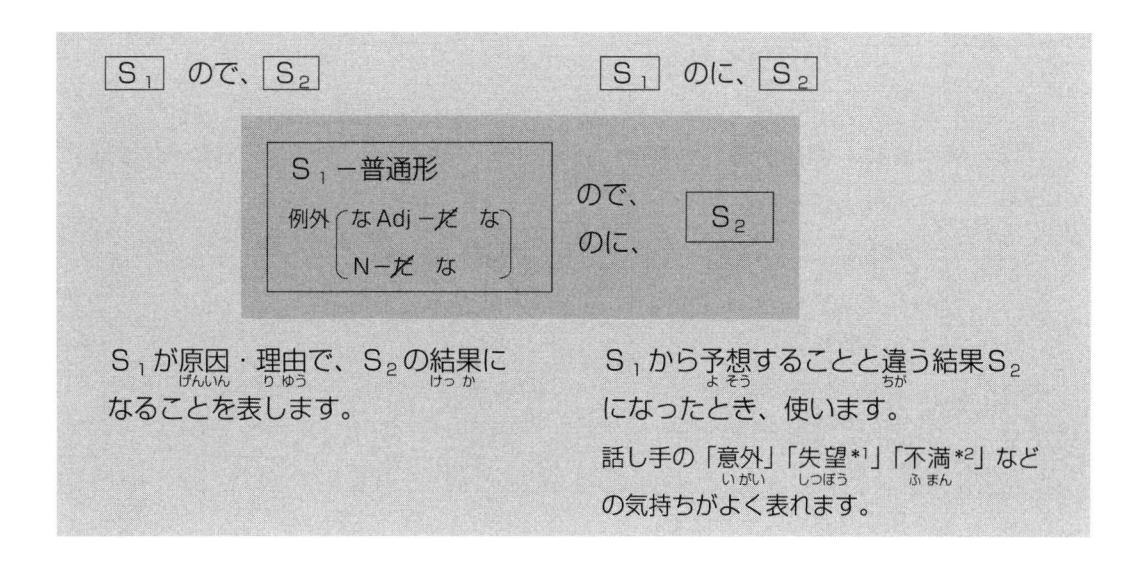

S_1 ので、S_2	S_1 のに、S_2

S_1 －普通形
例外　なAdj－だ　な
　　　N－だ　な

ので、
のに、　S_2

S_1 が原因・理由で、S_2 の結果になることを表します。

S_1 から予想することと違う結果 S_2 になったとき、使います。
話し手の「意外」「失望*1」「不満*2」などの気持ちがよく表れます。

第17課　ので・のに

> [使い方の注意]
> ・S₁のに、S₂：S₂に話し手の意志を表す言い方は来ません。
> 　　　　　　例　風邪をひいているのに、遊びに出かけようと思う。（×）
> ・S₁ので、S₂：S₂に話し手の意志を表す言い方も来ます。
> 　　　　　　命令形*³や「〜なさい」などの強い言い方は来ません。
> 　　　　　　例　・もう10時なので、起きなさい。（×）
> 　　　　　　　　・もう10時だから、起きなさい。（○）

＊1　失望（しつぼう）　　disappointment　　失望　　실망
＊2　不満（ふまん）　　　dissatisfaction, discontent　　不満　　불만
＊3　命令形（めいれいけい）　imperative　　命令形　　명령형

II. 形の練習

1．例　父は熱が38度5分も（ありました → あったのに）、出社した。
　　　父は熱が38度5分も（ありました → あったので）、病院に行った。

　1）8時に会う約束を（しました → 　　　　　　　）、早めに出ようと思います。
　　　8時に会う約束を（しました → 　　　　　　　）、起きたら8時でした。
　2）古くて目立たない（店です → 　　　　　　　）、ほとんど客が入らない。
　　　古くて目立たない（店です → 　　　　　　　）、いつも客でいっぱいだ。
　3）急いで（行きました → 　　　　　　　）、9時の電車に乗り遅れました。
　　　急いで（行きました → 　　　　　　　）、
　　　（　　　　　　　　　　　　　　　　　　　）。
　4）その日は（都合が悪いです → 　　　　　　　）、日にちを変えていただけませんか。
　5）せっかくがんばってケーキを（作りました → 　　　　　　　）、
　　　だれも（　　　　　　　）てくれませんでした。

2．1）ここに（入れたはずです →　　　　　　　　）のに、
　　　（　　　　　　　　　　　　　　　　　　）。
　2）今週中に論文を（仕上げないといけません →　　　　　　　　）
　　　ので、（　　　　　　　　　　　　　　　）。
　3）リーさんは（まじめです →　　　　　　　　）のに、
　　　たまに（　　　　　　　　　　　　　　　　　　）。
　4）年末年始はどこも（混雑します →　　　　　　　　）ので、
　　　（　　　　　　　　　　　　　　　　　　）。
　5）せっかく（　　　　　　　　　）、（　　　　　　　　　　　　　　）。

III. 使い方の練習

1．1）ファン：すみません。
　　　課長：あ、何ですか。
　　　ファン：（　　　　　　　　　　　　　　）ので、きょう早退したいんですが…。
　2）リー：文法はだいぶわかってきたんですが、なかなかうまく話せなくて…。
　　　アン：会話はむずかしいですね。
　　　　　　わたしは、もう（　　　　　　　　　　　　　　）のに、日本語がすぐ
　　　　　　出てきません。
　3）チャン：ごめん。チケット、取れなかった。
　　　リー：えっ、（　　　　　　　　　　　　　　）のに…。
　4）田中：今晩、みんなで飲みに行くんだけど、いっしょにどうですか。
　　　ファン：残念だけど、また今度誘ってください。
　　　　　　　（　　　　　　　　　　　　　　）ので…。

2．次の文を正しく書き直してください。
　1）この地方は、水がきれいなのに、おいしい米が取れるので、酒造りが盛んです。

　2）せきが出るのに、熱があって、会社に行かなければならない。

　3）なべ料理は、栄養のバランスがいいので、準備に手間がかからなくて、人気がある。

第17課　ので・のに

IV. 読んでみましょう

（　　）の中に「ので」か「のに」を入れてください。

『運動会』

去年ホームステイをした家の小学3年生のみっちゃんから絵はがきが届いた。

> お兄ちゃん、お元気ですか？　わたしはとっても元気です。
> きょう、学校で運動会がありました。
> 一生懸命走った□□2等でした。
> 今度いっしょに走ってね。

「一生懸命走った」と「2等でした」の間の字が薄くなっていて、読めない。
「（　　　）」を入れてみた。
　　一生懸命走った（　　　）2等でした。
「2等になってうれしい」という気持ちが表れている。
次に「（　　　）」を入れてみた。
　　一生懸命走った（　　　）2等でした。
こちらは「2等になって残念だ」という気持ちを表している。わたしなら
一生懸命走って2等になったらうれしい。みっちゃんはどうだろう。そういえば、
あの子は足がとても速くて友だちに負けたことがないと言っていた。みっちゃんの
言いたいことがわかったので、返事は次のように書いた。

　　了解！今度会ったとき、いっしょに練習しよう。
　　次はきっと1等だよ。

会話では「ので」が「んで」に変わることがあります。

また今度誘ってください。きょうは早く帰らないといけないんで…。

特に丁寧に言いたいときは、「丁寧形＋ので・のに」を使うことがあります。

1. 準備中ですので、もうしばらくお待ちください。
2. せっかく来ていただきましたのに、出かけていて申し訳ありませんでした。

第18課　～(さ)せる(使役)

> ウォームアップ

次の文はどんなときに使いますか。a、b、cのどの場合がいいですか。

母親が子どもをスイミングスクールに行かせた。

a．母親は子どもに「スイミングスクールに行かないほうがいい」と言ったが、子どもが一人で行ってしまった。
b．子どもが泳げないので「スイミングスクールに行きなさい」と母親が言った。そして、子どもがスイミングスクールに行った。
c．子どもが「スイミングスクールに行きたい」と言ったので、「行ってもいい」と母親が言った。そして、子どもがスイミングスクールに行った。

～(さ)せる(使役*)　1

I．導入

1．島田：もしもし、島田です。今、駅に着きました。
　　　　これからそちらへ行きます。
　　伊藤：あ、道がわかりにくいですから…。
　　　　すぐ娘を迎えに行かせます。駅で待っていてください。

2．課長：部長、ファンさんに今度の研修を受けさせようと思うんですが…。
　　部長：ああ、ファンさんなら、いいんじゃないですか。
　　課長：じゃ、伝えておきます。

＊　使役（しえき）　causative　使役　사역

第18課　～(さ)せる(使役)

人₁ が 人₂ を/に ～ V－(さ)せる
「人₁が原因となって、その結果人₂が何かをする」ことを表します。

　　　原因（指示する*¹ 人₁）⇒　結果（人₂が V）
1. 母　　　　　　　　　⇒　娘が行く
　　　　　　　　　　　　　　　　　　　　母が娘を行かせる。
2. 課長　　　　　　　　⇒　ファンさんが研修を受ける
　　　　　　　　　　　　　　　　　　　　課長がファンさんに研修を受けさせる。

[助詞のルール]
1. 動作をする人には「を」をつける。　　　　「人をV－(さ)せる」
2. 「研修を受ける」のように「名詞＋を」がある場合、動作をする人には「に」をつける。　　　　　　　　　　　　　　　　　　　「人にV－(さ)せる」

[使い方の注意]
　指示する人のほうが強い立場*²です。

使役動詞の作り方
- Ⅰグループ　飲む　　　飲(まみむめも)せる
　　　　　　作る　　　作(らりるれろ)せる
- Ⅱグループ　食べる　　食べさせる
　　　　　　片付ける　片付けさせる
- Ⅲグループ　来る　　　来させる
　　　　　　する　　　させる

使役動詞は、全部Ⅱグループの動詞です。

---

*1　指示する（しじ）　instruct　指示　지시하다
*2　立場（たちば）　position, situation　立场, 观点　입장, 관점

II. 形の練習

1. 例　急ぐ　　（　急がせる　）
   1) 手伝う　（　　　　　　　）　2) 来る　　（　　　　　　　）
   3) 報告する（　　　　　　　）　4) 調べる　（　　　　　　　）
   5) 持つ　　（　　　　　　　）　6) 確かめる（　　　　　　　）

2. 例　客 ⇒ 店員が急ぐ（　客が店員を急がせる　）。
   1) 部長 ⇒ 部下が転勤する（　　　　　　　　　　　）。
   2) 課長 ⇒ ファンさんが金沢に出張する（　　　　　　　　　　　）。
   3) 姉　 ⇒ 弟が買い物に行く（　　　　　　　　　　　）。
   4) 先生 ⇒ 生徒が静かにする（　　　　　　　　　　　）。

   例　母親 ⇒ 子どもがそうじを手伝う（　母親が子どもにそうじを手伝わせる　）。
   5) 医者　　 ⇒ 患者がしばらく運動をやめる（　　　　　　　　　　　）。
   6) チャンさん ⇒ 弟が後片付けをやる（　　　　　　　　　　　）。
   7) 両親　　 ⇒ 子どもが外国語を身につける（　　　　　　　　　　　）。
   8) 課長　　 ⇒ 田中さんが書類の書き直しをする（　　　　　　　　　　　）。
   9) 親　　　 ⇒ 子どもが歩道を歩く（　　　　　　　　　　　）。
   10) 母　　　 ⇒ 妹が牛乳を買ってくる（　　　　　　　　　　　）。

III. 使い方の練習

森田先生：日本では子どもに習いごとをさせる親が多いですが、皆さんも将来、子どもに何かさせたいと思いますか。

アン：そうですね…。サッカーをやらせたいと思います。
　　　（　スポーツは体にいい　）ので…。

例　サッカーをやる
① 語学を身につける
② 何か楽器を習う
③ 水泳をする

第18課 〜(さ)せる(使役)

IV. 発展練習

___の表現は、どう違いますか。

小島：今、駅に着いたんですが…。
課長：そうですか。じゃ、だれかを迎えに<u>行かせます</u>から、そこで
　　　待っていてください。
小島：すみません。
　　　　　　　　　　　　　　　⋮
課長：田中さん、悪いけど、A社の小島さんを駅まで迎えに<u>行ってくれませんか</u>。
田中：はい。

～(さ)せる(使役) 2

I. 導入

〈冬休みの前に〉

リー：ルンさん、いつ国へ帰るの？

ルン：帰るの、やめたの。受験勉強が思ったより大変だから…。

リー：えっ、帰らないの？

ルン：うん。両親をがっかりさせちゃったけど…。

人₁が 人₂を ～ V-(さ)せる

原因（人₁）⇒ 結果（人₂が V）
ルン　　 ⇒ 両親ががっかりする　　ルンさんが両親をがっかりさせる。

この場合、ルンさんは、指示を出していませんが、「両親ががっかりする」原因を作りました。

[使い方の注意]
・気持ちや感情を表す動詞によく使います。
・原因の人₁は、結果の人₂より、強い立場のときも弱い立場のときもあります。

II. 形の練習

例　わたし ⇒ 母がびっくりする　（わたしが母をびっくりさせる）。
1）学生 ⇒ 先生が困る　（　　　　　　　　　　　　）。
2）息子 ⇒ 親が安心する　（　　　　　　　　　　　　）。
3）チャンさん ⇒ 弟が泣く　（　　　　　　　　　　　　）。
4）弟 ⇒ 母が悲しむ　（　　　　　　　　　　　　）。

第18課　〜(さ)せる(使役)

III. 使い方の練習

　　　アン：チャンさん、小さいときはどんな子どもでしたか。
　チャン：そうですね。
　　　　　<u>よくけがをして、親を心配させました</u>。

　例　よくけがをする　　　　　　親が心配する
　①　ときどき危ない所で遊ぶ　　母が怒る
　②　いつもおもしろいことを言う　クラスの友だちが笑う
　③　よくいたずらをする　　　　先生が困る

～(さ)せる(使役) 3

I. 導入

1. 〈塾で〉
   受付：橋本先生、これ、伊藤健太君に渡していただけませんか。
   橋本先生：あ、早退したいと言ったので、もう<u>帰らせました</u>けど…。

2. 〈会社で〉
   ファン：川上さん、この書類、<u>コピーをとらせてもらえませんか</u>。
   川上：いいですよ。どうぞ。終わったら、ここに戻しておいてください。

人₁が 人₂を/に ～ V－(さ)せる

原因（許可する*¹ 人₁） ⇒ 結果（人₂が V）
1. 橋本先生 ⇒ 伊藤君が帰る　　　橋本先生が伊藤君を帰らせる。
2. 川上さん ⇒ ファンさんがコピーをとる。
　　　　　　　川上さんがファンさんにコピーをとらせる。

許可を求める*² ときは、「V－(さ)せてください」を使います。
   例　・コピーをとらせてください。
   　　・コピーをとらせてもらえませんか。

---

*1　許可する（きょか）　　permit　　許可　　허가하다
*2　求める（もとめる）　　request, ask for　　請求，要求　　구하다

II. 形の練習

1. 例　先生 ⇒ 学生が自由に意見を言う　（ 先生が学生に自由に意見を言わせる ）。
   1) 父親 ⇒ 息子が好きな道を選ぶ　（　　　　　　　　　　　　　）。
   2) 課長 ⇒ 部下が2週間の休暇を取る　（　　　　　　　　　　　　　）。
   3) 先生 ⇒ 気分の悪い学生が保健室で休む　（　　　　　　　　　　　　　）。

第18課　〜(さ)せる(使役)

2．例　学生がパソコンを使いたいと言った

　　　事務の人が（ 学生にパソコンを使わせた ）。

1) 弟がインターネットをやりたがっていた

　　兄が（　　　　　　　　　　　　　　）。

2) ファンさんが今度の企画を担当したいと言った

　　課長が（　　　　　　　　　　　　　　）。

3) 田中さんが2、3日考えたいと言った

　　部長が（　　　　　　　　　　　　　　）。

III.　使い方の練習

1．「許可を求める表現」を使って会話を作ってください。

　　例　・早めに帰らせていただきたいんですが…。

　　　　・早めに帰らせていただけませんか。

　　　　・早めに帰らせてもらえませんか。

　　　　・早めに帰らせてください。

　　　　・早めに帰らせてもらえる？／くれない？

　　　　・早めに帰らせて。

1) チャン：それ、何？

　　アン：ああ、これ？　新しいパソコン。

　　チャン：ちょっと使わせて。

　　アン：うん、いいよ。

　　　例　新しいパソコン　　　　使う
　　　①　ルンさんに借りたCD　　聞く
　　　②　きのう買ったゲーム　　やる
　　　③　スピーチの原稿　　　　読む

2) リー：あのう…。

　森田先生：リーさん、何か…。

　　リー：病院へ行きたいので、早めに帰らせていただけませんか。

　森田先生：（はい、わかりました）。

　　例　病院へ行きたい　　　　早めに帰る
　　①　国から両親が来ている　あした休む
　　②　3時まで勉強したい　　　101号室を使う
　　③　プリントを忘れた　　　コピーする

2．田中：今回のプロジェクトが終わったら、1週間ぐらい（　　　　　　　　　　）
　　　んですが…。

　部長：あ、いいですよ。

IV. 発展練習

相手に関係のあることをする場合、次のように、相手に頼まないで許可をもらう表現「～(さ)せていただきます」を使うこともあります。

1）〈喫茶店のドア〉
　勝手ながら10日(火)から15日(日)まで
　（休業する　→　　　　　　　　　）ていただきます。

2）〈新聞〉
　明日(月曜日)の朝刊は、（休む　→　　　　　　　　　）ていただきます。

第18課　～(さ)せる(使役)

V.　読んでみましょう

(　　)の中に助詞を入れて、動詞を適当な形にしてください。

『わたしの進路』

　　わたしは中学のときから日本のアニメに興味を持っていて、いつか日本に留学したいと思っていた。しかし、両親はわたし(　　)医学の道に(進む→　　　　)うとしていたので、初めはわたしの留学に反対だった。その両親を説得し、今、日本で日本語を勉強している。今まで両親(　　)(心配する→　　　　　)が4月に美術大学に入学する予定だ。休みになったら国へ帰って、そのことを報告し、両親(　　)(安心する→　　　　　)たいと思っている。

次の「～(さ)せる」の違いを考えてみましょう。
1．健康のために、母親が子どもに野菜ジュースを飲ませた。
2．子どもがほしがったので、オレンジジュースを飲ませた。
3．母親が赤ちゃんにミルクを飲ませた。

1、2は「母親が原因で子どもがジュースを飲んだこと」を表します。
3は、「母親が原因ではなく、直接赤ちゃんにミルクを与えたこと」を表します。
「～(さ)せる」には、3のような他動詞的な使い方もあります。

〈リフレッシュ体操〉
頭を左にゆっくりと大きく1回転させたら、今度は右に1回転させます。
これを左右それぞれ5回。この運動は、首全体の筋肉をリラックスさせます。

第19課　ように・ために

ウォームアップ

aとbと、どちらの文がいいですか。
　a．5時に起きられるように、目覚まし時計をセットしました。
　b．5時に起きられるために、目覚まし時計をセットしました。

I.　導入

1.　　ルン：…………

　　　チャン：聞こえません。

　　　森田先生：ルンさん、みんなに聞こえるように、大きい声で話してください。

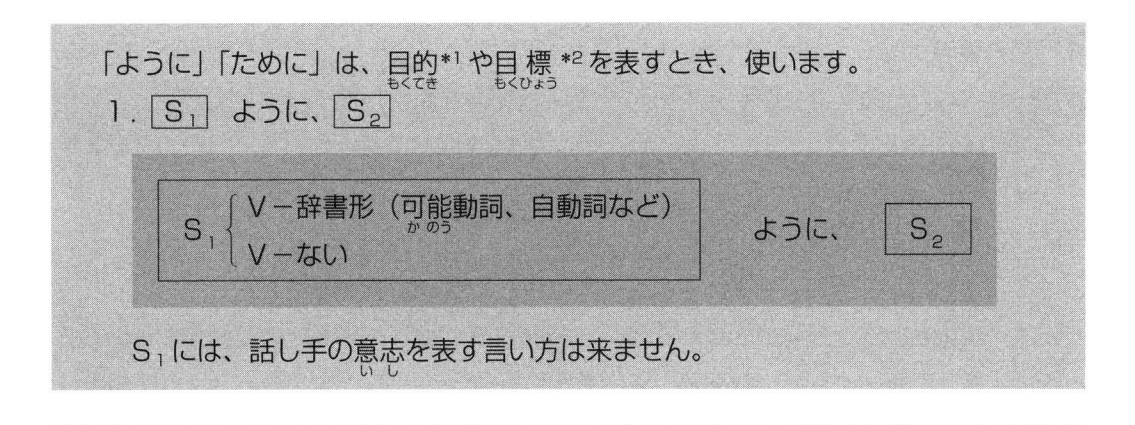

2．荒れ果てた森を再生させ、守っていくために、活動している人がいる。
　　長野県在住、イギリス人のC.W.ニコル氏だ。

「ように」「ために」は、目的*1や目標*2を表すとき、使います。

1.　S₁　ように、　S₂

$$S_1 \begin{cases} V-辞書形（可能動詞、自動詞など）\\ V-ない \end{cases} \quad ように、\quad S_2$$

S₁には、話し手の意志を表す言い方は来ません。

　＊1　目的（もくてき）　　purpose　　目的　　목적
　＊2　目標（もくひょう）　goal, target　目標　목표

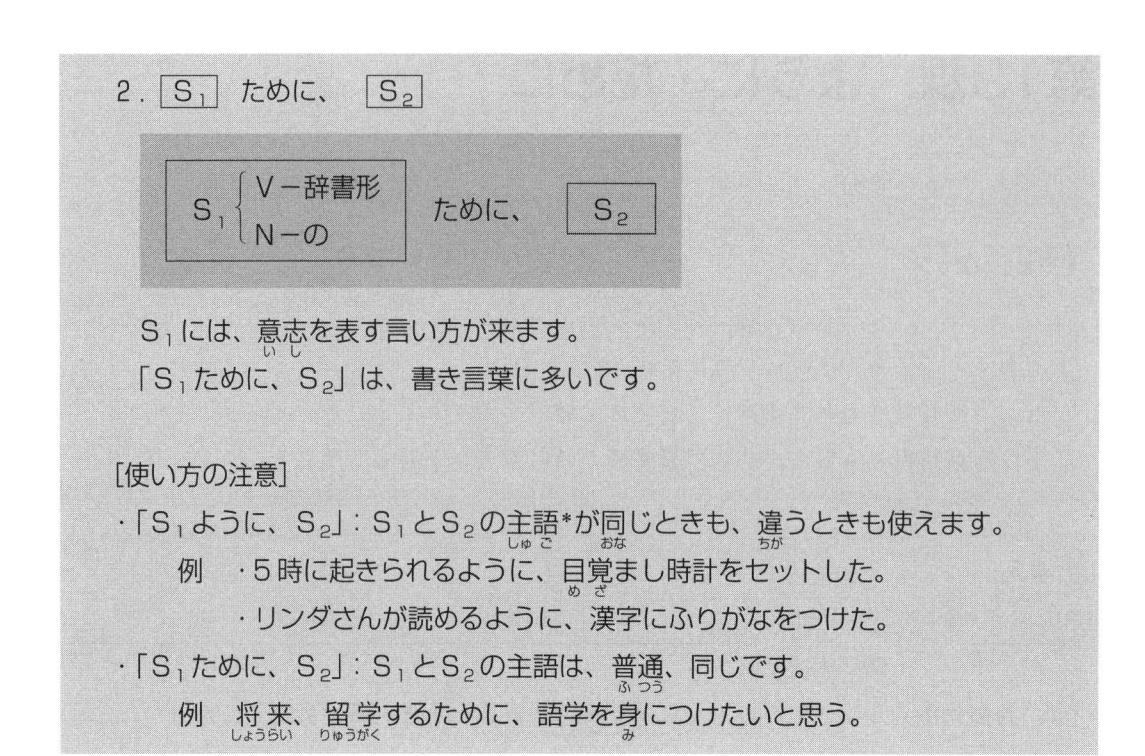

第19課　ように・ために

2. S₁ ために、 S₂

$$S_1 \begin{cases} V-辞書形 \\ N-の \end{cases} \text{ために、} \quad S_2$$

S₁には、意志を表す言い方が来ます。
「S₁ ために、S₂」は、書き言葉に多いです。

[使い方の注意]

・「S₁ ように、S₂」：S₁とS₂の主語*が同じときも、違うときも使えます。
　　例　・5時に起きられるように、目覚まし時計をセットした。
　　　　・リンダさんが読めるように、漢字にふりがなをつけた。

・「S₁ ために、S₂」：S₁とS₂の主語は、普通、同じです。
　　例　将来、留学するために、語学を身につけたいと思う。

---

* 主語（しゅご）　　subject, nominative　　主语　　주어

II. 形の練習

1. （　）の中に、「ように・ために」を入れてください。

　1）資格を取る（　　　　）、夜、専門学校に通っています。
　2）集合時間を忘れない（　　　　）手帳にメモしておきます。
　3）彼は自分で事業を始める（　　　　）資金をためている。
　4）英語のニュースが見られる（　　　　）衛星放送の契約をした。
　5）みんながよく理解できる（　　　　）グラフを使って、具体的に説明した。
　6）最近、離れている家族とのコミュニケーションの（　　　　）パソコンを活用する人が多い。

2．例1　よく（見ます → 見える）ように、大きく書いてください。
　　例2　生きがいを（見つけます → 見つける）ために、いろいろな体験をしたい。
　1）風邪を（ひきます →　　　　　）ように、外から帰ったら必ずうがいをします。
　2）わからない言葉があったらすぐ（調べます →　　　　　）ように、かばんの中にいつも辞書が入れてあります。
　3）けさ、始発電車に（乗り遅れます →　　　　　）ように、5時に起きました。
　4）ごみを（減らします →　　　　　）ために、余分なものを買わないほうがいい。
　5）自分の能力を（生かします →　　　　　）ために働いている人たちもたくさんいます。
　6）花が（枯れます →　　　　　）、毎日水をやってください。
　7）家族が（安心します →　　　　　）、（　　　　　）。
　8）語彙を（増やします →　　　　　）、（　　　　　）。
　9）パスポートを（なくします →　　　　　）、（　　　　　）。
　10）生活費の（節約です →　　　　　）、（　　　　　）。

III. 使い方の練習

1．1）　課長：きょうの会議、準備は進んでいますか。
　　　　ファン：はい。詳しい報告ができるように、準備しています。

　　例　詳しい報告をします
　　① 新しい資料も配ります
　　② 時間に間に合います
　　③ 全員がそろったら、すぐ始めます

　2）　ルン：まゆみさんはいつも元気そうですね。
　　　　まゆみ：そうでもないんです。忙しくて…。
　　　　　　　　それで、運動不足にならないように、（週に1、2回ジムに行っています）。

　　例　運動不足になります
　　① 気分転換です
　　② 疲れをためません
　　③ ストレスを解消します

第19課　ように・ために

2.　タレントの黒柳徹子さんは、世界のいろいろな地域で飢えや病気に苦しんでいる子どもたちのことを多くの人々に（知らせます →　　　　　　　　　　）、ユニセフの親善大使として活動を続けています。
　　徹子さんの子どものころのニックネームは、「トットちゃん」でした。その「トット」がスワヒリ語で「子ども」のことだと知ったとき、徹子さんは「子どもたちを（幸せにします →　　　　　　　　　　）働くのが自分の使命だ」と強く感じたそうです。

IV.　発展練習

「ように」は、何かを願ったり祈ったりするときにも使います。
「ように」の前に「V－ます」が来ることもあります。
　　例1　家族が幸せに暮らせるように祈っています。
　　例2　大学に合格できますように。
　　1）（　　　　　　　　　　　　　　　　　）ように祈っています。
　　2）（　　　　　　　　　　　　　　　　　）ますように。

第20課　ようだ・みたいだ

> ウォームアップ

aとbと、どちらがいいですか。
　ファンさんは研修に　a．参加したいです。
　　　　　　　　　　　b．参加したいようです。

I．導入

1. 加藤：妹さんは、来年、大学ですか。
　　ファン：ええ、どうするのかあまり言わないんですけど、
　　　　　　どうも日本で勉強したいようです。

2. ルン：このケーキ、おいしいね。
　　リー：うん、バナナが入ってるみたい。

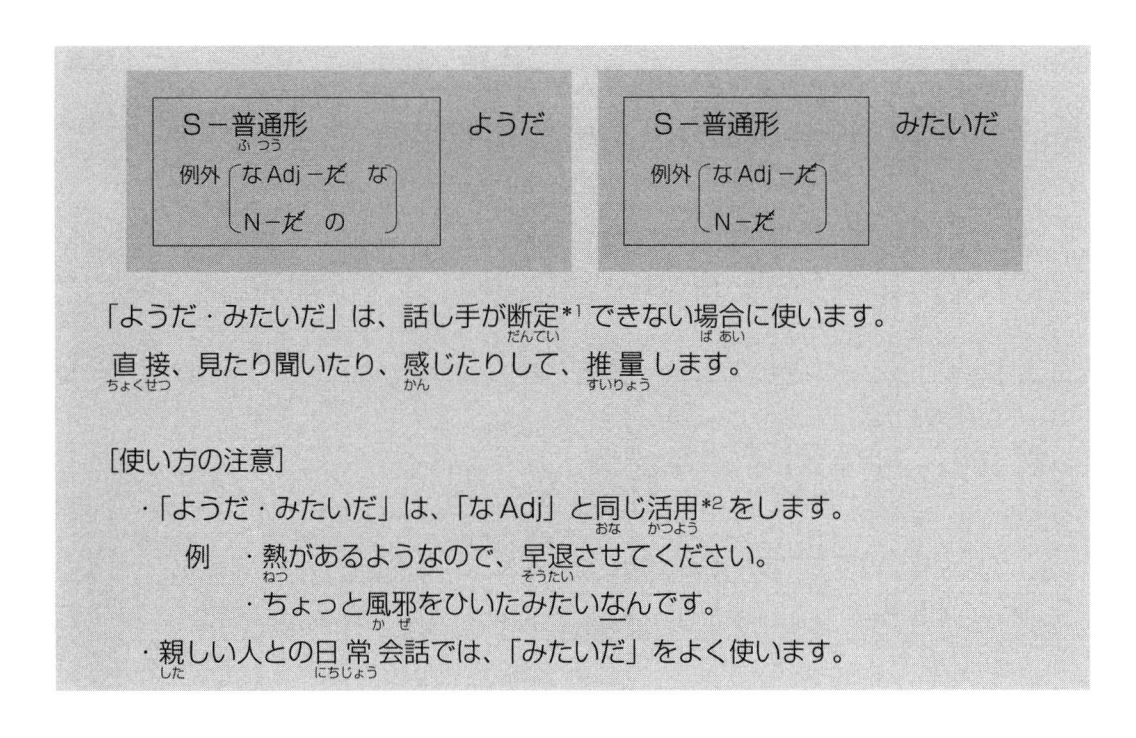

```
┌─────────────────┐              ┌─────────────────┐
│  S－普通形      │  ようだ      │  S－普通形      │  みたいだ
│ 例外 なAdj－だ な│              │ 例外 なAdj－だ   │
│     N－だ の    │              │     N－だ       │
└─────────────────┘              └─────────────────┘
```

「ようだ・みたいだ」は、話し手が断定*1できない場合に使います。
直接、見たり聞いたり、感じたりして、推量します。

[使い方の注意]
・「ようだ・みたいだ」は、「なAdj」と同じ活用*2をします。
　例　・熱があるようなので、早退させてください。
　　　・ちょっと風邪をひいたみたいなんです。
・親しい人との日常会話では、「みたいだ」をよく使います。

第20課　ようだ・みたいだ

*1　断定する（だんてい）　　conclude, decide　　断定　　단정하다
*2　活用する（かつよう）　　inflect, conjugate　　语尾变化, 活用　　활용하다

II. 形の練習

1. 例 （雨が降りました → 雨が降った）ようです。道路がぬれています。

    1) チャンさんは、弟さんが交通事故にあって、相当
       （ショックでした → 　　　　　　　　　　　　）ようです。でも、幸い、
       （たいしたけがじゃありませんでした → 　　　　　　　　　　　　　　　）
       みたいです。
    2) 山崎さんは、就職が決まって（ほっとしました → 　　　　　　　　　）。
       就職先は建築関係の（会社です → 　　　　　　　　　　　）。
    3) ファンさんは、試験の結果が（心配です → 　　　　　　　　　　　　）。
       旅行に誘ったんですが、どうも（気が進みません → 　　　　　　　　　）。
    4) 父は、兄に会社を（継がせたいです → 　　　　　　　　　　）が、兄に
       は自分のやりたいことが（あります → 　　　　　　　　　　　）。
    5) 〈めがね屋で〉
       ファン：近視が（進みました → 　　　　　　　　　　　）んですが…。
       店員：じゃ、一度測ってみますので、こちらへどうぞ。
    6) 川上：田中さん、きょうも休みですか。
       ファン：風邪が（治りません → 　　　　　　　　　　　）よ。
       高い熱が続いて、おなかも痛いと言っていました。
       川上：じゃ、ただのかぜじゃなくて、
       （インフルエンザです → 　　　　　　　　　　　）。

2. 1) 川上：ファンさんはこのごろ元気がありませんね。
       野村：（　　　　　　　　　　　　　　　）よ。
   2) ファン：すごい渋滞ですね。
       田中：（　　　　　　　　　　　　　　　）。
   3) 佐藤：あそこで田中さんと話している人、知ってる？
       川上：（　　　　　　　　　　　　　　　）。

4) ルン：どうしたの？

美加：マフラーがない。（　　　　　　　　　　　　　　　　　）。

III. 使い方の練習

1. 1) 加藤：ジョンさんの弟さん、広島の大学に入ったそうですね。

    ジョン：ええ、ときどき電話で話すんですが、元気でやっているようです。

    例　元気でやっています
    ① 一人暮らしはさびしいです
    ② 授業についていけるかどうか不安です
    ③ だいぶ学生生活に慣れてきました

    2) アン：最近、チャンさんは、張り切っていますね。

    スミス：ええ、（卒業後の進路が決まった）みたいですよ。

    例　張り切っています
    ① やる気が出てきたみたいです
    ② いらいらしています
    ③ 何か悩んでいるようです

2. 1) 加藤：展示会に絵を出したそうですね。

    木下：ええ。自信はなかったんですが、

    （評判がいいです→　　　　　　　　　　　　　　）で、ほっとしています。

    2) 〈店で〉

    ルン：これ、すてき。どう？

    リー：その色、ちょっと（太って見えます→　　　　　　　　　　　）…。

    > 「ようだ・みたいだ」は、婉曲＊に言いたいときにも使います。

    ＊ 婉曲（えんきょく）　　roundabout　　委婉　　완곡

3. ある新聞社の調査で、宗教や信仰への関心を聞いた。「関心がある」「多少関心がある」を合わせると23％で、「関心がない」が77％だった。宗教は、現代の日本人にとって心の支えには（なっていません→　　　　　　　　　　　　　　）。

第20課　ようだ・みたいだ

IV.　発展練習

「らしい」という言い方もあります。

　　　　aとbは、どう違いますか。
　　　　　川上：妹さん、お元気ですか。
　　　　　ファン：ええ、 ｛ a．元気でやっているようです。
　　　　　　　　　　　　　 b．元気でやっているらしいです。

「S－普通形［例外：なAdj－だ／N－だ］らしい」は、「ようだ・みたいだ」に比べると、話し手にとって「身近*¹ではない、心理的*²に距離*³がある」というニュアンスがあります。

直接さわったり、感じたりしたときは、「らしい」を使いません。

　　例　ちょっと熱があるらしいので、早退させてください。（×）

1）田中：先輩の山口さんは、今どうしていますか。
　　佐藤：さあ…。
　　　　うわさでは、どうも海外に転勤に（なりました→　　　　　　）よ。

2）川上：木村さんが部長に呼ばれて行ったけど、何かあったの？
　　田中：うーん、どうもお客さんとトラブルが（ありました→　　　　　　）よ。

3）　加藤：今年は花粉の量が、いつもの3倍になるそうですね。
　　スミス：アレルギーの人は大変でしょうね。
　　　加藤：急になる人も（います→　　　　　　）よ。
　　スミス：えっ、そうですか。

4）ファン：ヨーロッパの方で洪水が発生し、大きな被害が
　　　　　　（出ました→　　　　　　）ね。
　　田中：そうらしいですね。

＊1　身近（みぢか）　　　　close to　　　切身，身边　　주변, 신변
＊2　心理的（しんりてき）　psychologically　心理上（的）　심리적
＊3　距離（きょり）　　　　distance　　　距离　　거리

V. 読んでみましょう

『医者を選ぶ』

　最近、病院で起きた医療事故のニュースをよく耳にする。そのせいか、医者や病院にかかるときは、よく調べて選ばなければならないという声を聞くようになった。
　さて、次のような3人の医者がいたら、あなたはどの医者にかかりたいと思うだろうか。
　A：診察をしてすぐ「風邪ですね」と言う。
　B：診察をして考えて「風邪のようですね」と言う。
　C：診察をして考えて「風邪らしいですね」と言う。

　30人に聞いたら、全員がCの医者にはかかりたくないと答えた。Aの医者について、ある人は、すぐに判断できるとても腕のいい医者か、あるいは、やぶ医者のどちらかだろうと言った。その人が好きなのは、Bのような医者で、丁寧に診てくれるし、人柄が謙虚な印象を与えるからという理由だった。

　あなたはどのタイプの医者にかかりたいと思いますか。

第21課　〜(ら)れる(受身)

ウォームアップ

aとbと、どちらがいいですか。
1. a. リーさんはわたしに交流会の通訳を頼みました。終わって、ほっとしました。
   b. わたしはリーさんに交流会の通訳を頼まれました。終わって、ほっとしました。
2. a. 15世紀ごろだれかがこの寺を建てた。
   b. 15世紀ごろこの寺が建てられた。

〜(ら)れる(受身) 1

I. 導入

1. リー：良子さんから招待状をもらったんですけど…。
   加藤：ああ、そういえば、来月、良子さんの結婚式でしたね。
   リー：はい。結婚式に招待されたの、初めてだから、うれしくて…。

2. 〈病院で〉
   美加：ルンさん、看護師さんに名前を呼ばれたら、中に入ってね。
   ルン：うん、わかった。

3. 〈店で〉
   店員：アルバイトのチャンさんから電話があって、きょうは来られないそうです。
   店長：そうか…。急に休まれると、困るなあ。

4. 川上：ファンさん、調子が悪そうですね。
   ファン：ええ、ゆうべ、外で30分も友だちに待たされて、風邪をひいちゃったんです。

第21課　～(ら)れる(受身)

受身文は、「ほかの人の動作（できごと）を受ける側*1」からものごと*2を表します。

　　　N（受ける側）　が　V－(ら)れる

「～(ら)れる１」は、
・受ける側が「人」の場合です。
・直接受ける場合も、間接的*3に受ける場合もあります。
・動詞の意味や状況によって迷惑の意味になることがあります。
・話し言葉でよく使います。

１．良子さんが結婚式に招待した。　⇒　わたし
　　　　　　　　　　　　　　　　　　　　　（受ける側）

　　わたしが）良子さんに結婚式に招待された。
　　（受ける側）

２．看護師さんが名前を呼ぶ。　⇒　ルンさん
　　ルンさんが看護師さんに名前を呼ばれる。

３．チャンさんが休んだ。　⇒　店長
　　店長がチャンさんに休まれた。

４．友だちが30分も待たせた。（使役）　⇒　わたし
　　わたしが）友だちに30分も待たされた。（使役受身）

受身動詞の作り方		
Ⅰグループ	聞く	聞（かきくけこ）れる
Ⅱグループ	食べる	食べられる（可能動詞と同じ）
Ⅲグループ	来る	来られる（可能動詞と同じ）
	する	される

* 1　側（がわ）　　　　　　side　　　方面，一方　　측, 쪽
* 2　ものごと　　　　　　　things　　事物，事情　　사물, 사태
* 3　間接的（かんせつてき）　indirect　間接（的）　　간접적

第21課　～(ら)れる(受身)

> 使役受身の作り方
>
> Ⅰグループ　待たせる　　待たせられる　／待たされる
> Ⅱグループ　食べさせる　食べさせられる
> Ⅲグループ　させる　　　させられる
> 　　　　　　来させる　　来させられる
>
> Ⅰグループの使役受身には「～される」の形があります。「話す」「出す」などサ行の動詞には、「～される」の形がありません。　例　話させる　話させられる　話さされる
>
> 受身動詞は、全部Ⅱグループの動詞です。

Ⅱ. 形の練習

1. 例1　田中さんが映画に誘った。⇒ わたし
     （（わたしが）田中さんに映画に誘われた）。

   例2　レストランで、だれかがかさを持っていった。⇒ ルンさん
     （ルンさんがレストランでかさを持っていかれた）。

   1）両親が期待している。⇒ わたし
      （　　　　　　　　　　　　　　　　　　　　）。

   2）隣にすわった人が話しかけた。⇒ 美加さん
      （　　　　　　　　　　　　　　　　　　　　）。

   3）日本人が道を聞いた。⇒ ルンさん
      （　　　　　　　　　　　　　　　　　　　　）。

   4）蚊が足を刺した。⇒ わたし
      （　　　　　　　　　　　　　　　　　　　　）。

   5）だれかが新しい自転車を傷つけた。⇒ わたし
      （　　　　　　　　　　　　　　　　　　　　）。

   6）よくみんなが名前を間違える。⇒ わたし
      （　　　　　　　　　　　　　　　　　　　　）。

   7）スピーチコンテストで1位に選んだ。⇒ ファンさん
      （　　　　　　　　　　　　　　　　　　　　）。

2．例　母がいつも荷物を持たせる。⇒ わたし
　　　（（わたしが）いつも母に荷物を持たされる。）［　わたしが持つ　］
　　1）兄が写真屋に写真を取りに行かせた。⇒ わたし
　　　　（　　　　　　　　　　　　　　　　　　　）。［　　　　　　　　　　］
　　2）姉がよく泣かせた。⇒ わたし
　　　　（　　　　　　　　　　　　　　　　　　　）。［　　　　　　　　　　］
　　3）ときどき弟が心配させる。⇒ 両親
　　　　（　　　　　　　　　　　　　　　　　　　）。［　　　　　　　　　　］
　　4）課長が報告書を急いで書かせた。⇒ ファンさん
　　　　（　　　　　　　　　　　　　　　　　　　）。［　　　　　　　　　　］

3．文を作ってください。
　　1）弟がメールを見た。⇒ 美加
　　　　美加：（　　　　　　　　　　　　　）て、腹が立ちました。
　　2）だれかが車を止める。⇒ 伊藤
　　　　伊藤：家の前に（　　　　　　　　　　　　　）と、迷惑です。
　　3）雨が降った。⇒ ルン
　　　　ルン：散歩の途中で（　　　　　　　　　　）、びしょぬれに
　　　　なってしまった。
　　4）セールスの人がしつこく商品をすすめる。⇒ まゆみ
　　　　まゆみ：（　　　　　　　　　　　　　　　　　　）、困った。
　　5）家族が反対した。⇒ 加藤
　　　　加藤：若いころ歌手になりたかったけど、（　　　　　　　　　　）
　　　　あきらめました。
　　6）美加さんが断った。⇒ 山崎
　　　　山崎：美加さんをドライブに誘ったけど、（　　　　　　　）ちゃった。
　　7）長谷川さんがぐちを聞かせる。⇒ 田中
　　　　田中：長谷川さんと飲みに行くといつも（　　　　　　　　）から、
　　　　　　　（　　　　　　　　　　）んです。
　　8）友だちが頼んだ。⇒ ファン
　　　　ファン：（　　　　　　　　）て、（　　　　　　　　　　）てあげた。

第21課 ～(ら)れる(受身)

9) 病院で2時間も待たせた。⇒ ルン

　　ルン：(　　　　　　　　　　)て、(　　　　　　　　　　)。

III. 使い方の練習

1. 伊藤：子どものときからずっと水泳選手だそうですね。
　　山崎：ええ、(厳しい練習をさせた → 　　　　　　　　　　)ました。
　　　　でも、(みんなが励ました → 　　　　　　　　　　)て、何とか
　　　　続けてきました。

2. 1) 川上：今度の連休、何か予定がありますか。
　　　ファン：加藤さんに食事に招待されているんですけど…。
　　　川上：そうですか。

　　例　加藤さんが食事に招待する
　　① スミスさんが家に呼ぶ
　　② 田中さんが翻訳を頼む
　　③ 佐藤さんたちがドライブに誘う

　2) アン：あーあ、注意されちゃった。
　　　チャン：だれに？
　　　アン：(先生に)。
　　　チャン：どうして？
　　　アン：(今週3回も遅刻しちゃったから)。

　　例　注意する
　　① 笑う
　　② しかる
　　③ 文句を言う

3. 次の文の間違いを直してください。
　1) スピーチのときみんなが見て、あがってしまいました。
　　(　　　　　　　　　　　　　　　　　　　)。
　2) 事務室の前で校長先生がわたしの名前を呼んで、びっくりしました。
　　(　　　　　　　　　　　　　　　　　　　)。

3）通りがかりの人が道を聞いて、弟は駅まで連れていってあげた。
（　　　　　　　　　　　　　　　　　　　　　　　　　　　　）。

4）わたしは子どものころ牛乳が大嫌いだったが、母が毎朝、飲ませた。
（　　　　　　　　　　　　　　　　　　　　　　　　　　　　）。

5）川上さんはわたしに書類の整理を頼みましたが、断りました。
（　　　　　　　　　　　　　　　　　　　　　　　　　　　　）。

IV. 発展練習

＿＿の部分を比べて、違いを考えてください。

a．スミス：この間の写真、できましたよ。
　　ファン：ありがとうございます。
　　　　　　わあっ、こんな写真、撮られちゃった。

b．　ルン：ファンさん、よく撮れていますね。
　　ファン：あ、これ。スミスさんに撮ってもらったんです。

第21課　〜(ら)れる(受身)

〜(ら)れる(受身) 2

I. 導入

1. オリンピックは、1896年にアテネで開催されて、その後4年ごとに世界各地で行われている。

2. 新しいプロジェクトは、出席者全員に反対された。

3. ビートルズは、1962年にデビューし1970年に解散したが、今も世界中の人々に愛されている。その8年間に発表された曲は210曲になる。

4. 65歳以上の人口が全人口の14％以上の社会は、高齢社会だと言われている。日本は、2014年までに65歳以上の人口が25％以上の高齢社会になると予想されている。

受身文は、「受ける側」からものごとを表します。

N（受ける側）　が　V−(ら)れる

「〜(ら)れる2」は、
・受ける側が「人以外」（もの）の場合です。
・だれがしたかわからないとき、言う必要がないときによく使います。
・普通、迷惑の意味にはなりません。
・書き言葉でよく使います。

1. （だれかが）1896年にアテネで開催した。　⇒　オリンピック
　　　　　　　　　　　　　　　　　　　　　　　　（受ける側）

　　オリンピックが1896年にアテネで開催された。
　　（受ける側）

2．出席者全員が反対した。 ⇒ 新しいプロジェクト
　　新しいプロジェクトが出席者全員に反対された。

3．世界中の人々が愛している。⇒ ビートルズ
　　ビートルズが世界中の人々に愛されている。
　　（受ける側が人ですが、この場合の人は「感情を持たないもの」として扱います*1。）

4．（人々が）言っている。 ⇒ 「…14％以上の社会は高齢社会だ」
　　「…14％以上の社会は高齢社会だ」と言われている。

「～と V－(ら)れている」の形は、一般的な意見や考え方を表すとき、使います。

* 扱う（あつかう）　　regard as, think of ～ as　　处理，认为　　다루다, 취급하다

II. 形の練習

1．例　（だれかが）明治時代に建てた。 ⇒ このホール
　　（ 明治時代にこのホールが建てられた ）。

1）（人々が）中国から輸入している。 ⇒ 多くの野菜
　　（　　　　　　　　　　　　　　　　）。

2）最近（人々が）開発した。 ⇒ 新しい技術
　　（　　　　　　　　　　　　　　　　）。

3）高速道路でトラックが追突した。 ⇒ 乗用車
　　（　　　　　　　　　　　　　　　　）。

4）世界中の人々が知っている。 ⇒ ディズニー映画
　　（　　　　　　　　　　　　　　　　）。

5）（だれかが）日本語に翻訳している。 ⇒ 外国の小説
　　（　　　　　　　　　　　　　　　　）。

6）（人々が）言う。 ⇒ 「日本は安全な国だ」
　　（　　　　　　　　　　　　　　　　）。

7）（人々が）予想している。 ⇒ 「今後も少子化が進む」
　　（　　　　　　　　　　　　　　　　）。

第21課 ～(ら)れる(受身)

2. (　)の中に適当な助詞を入れて、文を作ってください。
　1) 話し言葉では、助詞(　　)(省略する→　　　　　)ことがある。
　2) 白川教授は、長い間の研究(　　)(認める→　　　　　)て、
　　　ノーベル化学賞に(選ぶ→　　　　　)た。
　3) インドは多民族の国だ。英語やヒンディー語など24の言語(　　)
　　　(話している→　　　　　)。それで、インドは「小さな世界」と
　　　(呼んでいる→　　　　　)そうだ。
　4) 働きながら外国の文化や習慣を体験するワーキングホリデーという制度は、
　　　多くの若者(　　)(利用している→　　　　　)。
　5) 今でも多くの森の木(　　)(切る→　　　　　)たり、
　　　(焼く→　　　　　)たりして、畑になっている。
　6) 1903年、ライト兄弟によって飛行機(　　)(発明する→　　　　　)、
　　　「鳥のように空を飛びたい」という人類の夢が実現した。

> 「によって」は、「作られる」「書かれる」「建てられる」などの動詞といっしょに書き言葉の中でよく使われます。

III. 使い方の練習

1. スミス：16世紀にポルトガルから天ぷらが伝えられたって知っていましたか。
　　アン：(　いえ、昔から日本にある料理だと思っていました　)。

　　　例　ポルトガル　　　天ぷら　　　伝えた
　　　①　中国　　　　　　漢字　　　　伝えた
　　　②　日本のデジカメ　世界　　　　輸出している
　　　③　たくさんのごみ　富士山　　　捨てている

2. □の言葉を適当な形（受身、そのほかの形）に変えて、（　）の中に入れてください。

　　源氏物語は、11世紀のはじめに紫式部によって（　　　　　）物語だ。これまでに何回も現代語に（　　　　　）れ、映画・テレビドラマ・漫画にも（　　　　　）た。そして、2,000円札のデザインにも（　　　　　）ている。また、海外では、いろいろな外国語に（　　　　　）ている。アメリカのバージニア大学のホームページでは、英語で源氏物語を（　　　　　）ことができるそうだ。

| 書き直す　　なる　　使う　　書く　　翻訳する　　読む |

IV. 発展練習

あなたの意見を言ってください。

　例1　日本の食生活は健康的です

　　　<u>日本の食生活は健康的だと言われています。</u>
　　　確かに、豆腐や納豆など、健康的な食品が多いです。

　例2　日本はサービスが進んでいます
　例3　大学生はあまり勉強しません

次の文の違いを考えてみましょう。
a．駅前に大きいビルが建てられました。
b．家の前に大きいビルを建てられて、日当たりが悪くなりました。

aはビルが建ったことだけを表しています。
bはビルが建ったことで、人（わたし）が間接的に影響（迷惑）を受けたことを表します。

第22課 〜ても

> **ウォームアップ**
>
> 次の文は正しいですか。
> 　a．車で行ったときは、お酒をすすめられても飲みません。
> 　b．車で行ったときは、お酒をすすめられても飲みませんでした。

〜ても 1

I．導入

　ルン：あしたのドライブ、雨が降ったらどうする？
　美加：うーん、降っても行こうよ。

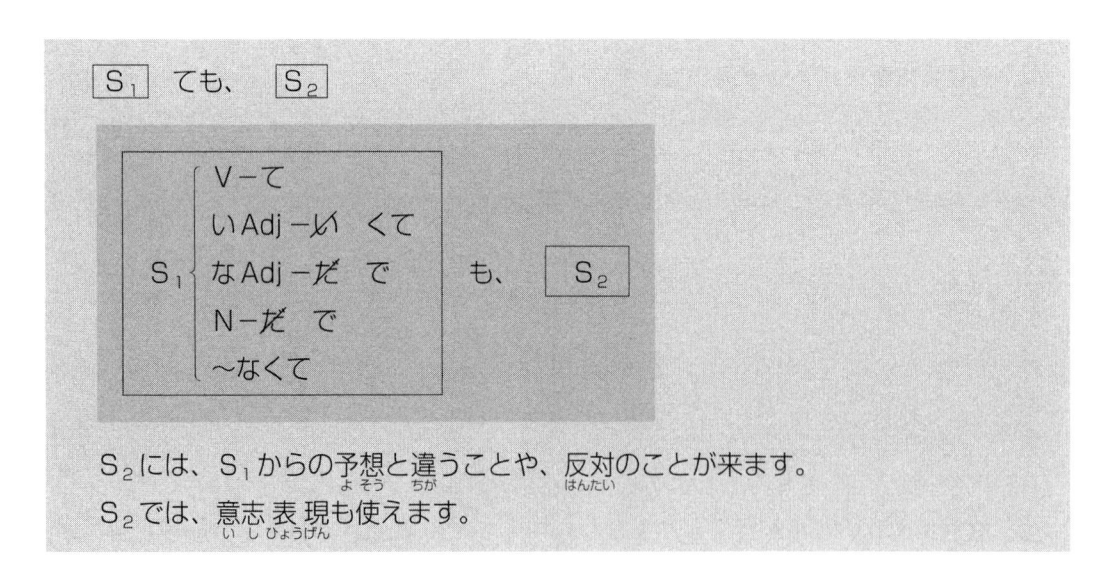

S_1 ても、 S_2

S_1 {
V−て
いAdj −~~い~~ くて
なAdj −~~だ~~ で
N −~~だ~~ で
〜なくて
} も、 S_2

S_2には、S_1からの予想と違うことや、反対のことが来ます。
S_2では、意志表現も使えます。

II. 形の練習

例　リー：結婚して職場が遠くなったら、仕事はどうしますか。
　　良子：(遠くなっても、今の仕事を続けるつもりです)。

1) リー：周りの人に反対されたら、結婚をあきらめますか。
　　良子：いいえ、(　　　　　　　　　　　　　　　)。

2) 加藤：ドイツに行くんですが、ドイツ語ができないと困りますか。
　　アン：いいえ、(　　　　　　　　　)、英語が話せればだいじょうぶです。

3) 田中：佐藤さんが来たら、ミーティングを始めましょうか。
　　課長：でも、もう時間だから、佐藤さんが(　　　　　　　)、始めましょう。

4) ルン：電子辞書がもう少し安かったら、買いたいんだけど…。
　　リー：わたしは(　　　　　　)、(　　　　　　　)。例文が少ないから。

5) ファン：冬になると沖縄も寒いですか。
　　加藤：いいえ、沖縄は(　　　　　　　　　)て、過ごしやすいですよ。

6) 京都なら何度も行っているので、地図(　　　　　　　)、一人で回れます。

7) 文化や習慣が(　　　　　　　)、相手のことを知りたい気持ちがあれば理解し合えるはずです。

8) (　　　　　　　　　　　　　)、クラスメートのことは決して忘れません。

III. 使い方の練習

1. 1) 〈クラスの最後の日に〉
　　森田先生：日本語の勉強はぜひ、続けてくださいね。
　　　　学生：はい。コースが終わっても、続けようと思っています。

　　例　コースが終わる
　　①　日本を離れる
　　②　就職する
　　③　仕事が忙しい

第22課　〜ても

2）不動産屋：どんな部屋をご希望ですか。
　　佐藤：駅に近ければ、少しぐらい高くてもかまいません。

　　例　駅に近い　　　　　高い
　　①　日当たりがいい　　狭い
　　②　ペットが飼える　　不便な所だ
　　③　家賃が安い　　　　通勤時間がかかる

2.「たら」か、「〜ても」を使って、文を作ってください。

　1）わたしは何かを始めるとき、いつも「（失敗する →　　　　　）どうしよう…」と考えてしまいますが、「1回や2回（失敗する →　　　　　）またやり直せばいい」と父は言います。

　2）外国人は、敬語がむずかしいと言うが、（日本人だ →　　　　　）敬語が正しく使えない場合が多い。特に、学生時代に敬語を使うチャンスがなかった新入社員は、研修を（受ける →　　　　　）、敬語の使い方には自信が持てないようだ。

　3）ガス調理器は火力が強いが、油が（こぼれる →　　　　　）、火事になる危険性がある。最近、磁石を使って加熱できる電磁調理器も使われるようになった。油が（こぼれる →　　　　　）、火が出る心配はないし、簡単にふけるから（汚れる →　　　　　）そうじが楽だ。安全で清潔な家庭用調理器だ。

～ても 2

I. 導入

山田：リンダさんの連絡先、わかりますか。
加藤：いいえ…。リーさんに聞いてみましたか。
山田：ええ。リーさんに聞いても、チャンさんに聞いてもわからないんです。

→リンダさんの連絡先は、だれに聞いてもわかりません。

S_1 { いくら～ / どんなに～ / (だれ・何回・どこ…) } ても、 S_2

疑問語*といっしょに使う場合も多いです。
例　リーさん、チャンさん、…に聞きましたが、わかりません。
　　→だれに聞いても、わかりません。

* 疑問語（ぎもんご）　interrogative word　疑问词　의문사

II. 形の練習

1．例　きのうの夜、けさ、さっき…電話をしましたが、チャンさんは出ません。
　　　　いつ（　電話をしても、チャンさんは出ません　）。

1）部屋、かばんの中、引き出し…をさがしましたが、かぎが見つかりません。
　　どこ（　　　　　　　　　　　　　　　　　　　）。

2）ファンさん、川上さん、佐藤さん…に聞きましたが、森さんが会社をやめた理由はわかりません。
　　だれ（　　　　　　　　　　　　　　　　　　　）。

3）5回、7回、10回…聞きましたが、テープの内容が理解できません。
　　何回（　　　　　　　　　　　　　　　　　　　）。

第22課 ～ても

4）10分・20分・30分…待ちましたが、チャンさんは来ませんでした。
　　いくら（　　　　　　　　　　　　　　　　　　）。
5）頭が痛い、熱が高い、せきが出る…ひどい風邪ですが、きょうは会社に行かないといけません。
　　どんなに（　　　　　　　　　　　　　　　　　　）。

2．例　連休はどこ（へ行っても）人でいっぱいでした。
　1）だれ（　　　　　　　　）、手伝ってくれませんでした。
　2）何度（　　　　　　　　）、あのレストランの料理は飽きません。
　3）何（　　　　　　）、（　　　　　　　　　　　）。

III. 使い方の練習

スミス：アンさん、チャンさんはもう国から帰ってきましたか。
アン：ええ…。もう帰ってきたはずなんですけど、
　　　いくらメールしても、（返事がないんです）。
スミス：そうですか。

　例　いくら　　メールする
　①　何度　　　訪ねていく
　②　いつ　　　電話する
　③　だれ　　　聞く

IV. 総合練習

「～ても1・2」の文を作ってください。
1）ルン：雨だとサッカーの試合は中止になるんですか。
　　伊藤：いいえ。（　　　　　　　　　　　　　　　　　）。
2）リー：ルンさん、なかなか風邪が治らないみたいね。
　　ルン：うん。（　　　　　　　　　　　　　　　　　）の。
3）アン：このビデオ、また借りるの？
　　チャン：うん、（　　　　　　　　　　　　　　　　　）んだ。
4）川上：このパソコンの操作、わかりますか。
　　ファン：いいえ。（　　　　　　　　　　　　　　　　）んです。
5）田中：駅から5分以内で、安くてきれいなマンション、ないかなあ…。
　　佐藤：そんなマンション、（　　　　　　　　　　　　　）。

V. 読んでみましょう

『盲導犬バレリー』

　わたしはバレリーです。目の不自由な人の目になって働く盲導犬を目指しています。生まれてまもなくボランティアの小野さん一家に引き取られ、この1年間、しつけなど基礎的な訓練を受けました。これから本格的な盲導犬の訓練を受けるために、訓練センターに移ります。

　そこでは、まず、英語を覚えます。訓練士さんは「ストップ」「ウェイト」「カムヒヤー」などと英語で命令します。なぜ英語かというと、言葉が違う所に行っても働けるようにするためです。

　これからとても厳しい訓練になります。目の不自由な人の命を預かるので、たとえ命令がなくても、自分で判断できないと盲導犬としては失格になるのです。訓練が終わって合格できるのは、3割ちょっとだそうです。どんなに苦しくても、訓練に耐えて、立派な盲導犬になりたいと思います。

—朝日新聞2003.1.9に基づき、一部改変—

　ほかにどんな動物が人を助けたり、役に立つ仕事をしていますか。

第23課　ことになる・ことにする

ウォームアップ

aとbと、どちらを使いますか。

村上：異動があって、海外支店に行く { a．ことにしました。
　　　　　　　　　　　　　　　　　　 b．ことになりました。

I．導入

1. 鈴木：帰国の日は、決まりましたか。
   マリア：はい、来週の土曜日にしました。

2. 森田先生：来週の文化祭、ルンさんは、何を発表しますか。
   ルン：いろいろ考えたんですけど、「タイ語の文字」について、話すことにしました。

3. 〈会社の廊下で〉
   ファン：あ、佐藤さん。来月から営業部に移ることになりましたので、どうぞよろしくお願いします。
   佐藤：こちらこそ、どうぞよろしく。

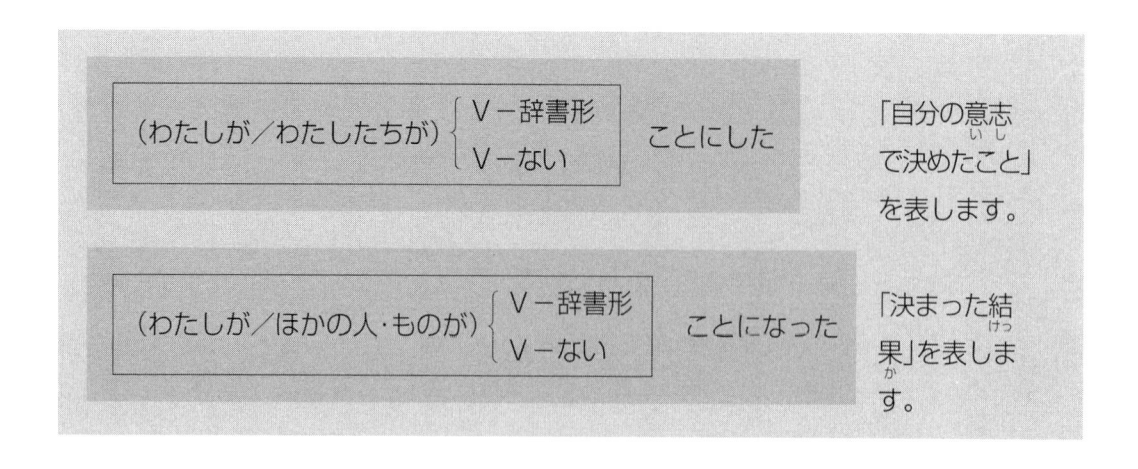

| (わたしが／わたしたちが) { V－辞書形 / V－ない } ことにした | 「自分の意志で決めたこと」を表します。 |

| (わたしが／ほかの人・ものが) { V－辞書形 / V－ない } ことになった | 「決まった結果」を表します。 |

第23課 ことになる・ことにする

II. 使い方の練習

1. 1) 森田先生：みなさん、日本語のコースが終わったらどうしますか。
   学生：いろいろ迷ったんですが、専門学校へ行くことにしました。

   例　専門学校へ行きます
   ①　大学院に進みます
   ②　国で仕事をさがします
   ③　もうしばらく英語の教師を続けます

   2) 森田先生：文化祭の準備は進んでいますか。
   アン：はい。みんなで話し合ってやっています。
   司会は、スミスさんがしてくれることになりました。

   例　司会　　　　スミスさんがしてくれます
   ①　音楽　　　　ファンさんが選んでくれます
   ②　会場　　　　当日みんなでセッティングします
   ③　プログラム　わたしが作ります

2. 加藤：今年の能力試験、受けますか。
   スミス：いいえ。今年は（　　　　　　）ことにしました。
   まだ自信がないし…。

III. 発展練習

1. 予定や規則*を表すときは、「ことになっている」を使います。
   1) 田中：帰りにお茶でも飲んでいかない？
   川上：うーん。ごめんなさい。
   きょうは、友だちが来ることになっているから…。

   例　友だちがきます
   ①　人に会います
   ②　荷物が届きます
   ③　5時にM社に行きます

   ＊　規則（きそく）　rule　规则　규칙

第23課　ことになる・ことにする

2）〈美術館で〉
係の人：お客様、申し訳ありませんが、<u>撮影できない</u>ことになっておりますので…。
客：あ、すみません。

例　撮影できません　　　①　携帯電話は使えません
②　食べ物は持ち込めません　　③　録音できません

2．（　）の中に適当な言葉を入れて、文を完成させてください。
わたしの会社では、毎年7、8、9月の3か月間に、社員が1週間の夏休みを取る（　　　　　　　）が、同じ時期に希望者が集まってしまうので、今年は、5月からの半年間に休みを取る（　　　　　　　）た。それで、わたしは5月の連休をはさんで10日間の休みを取る（　　　　　　　）。

自分の意志で決めたことでも、改まった場面*などでは「ことになる」を使う場合があります。

1．いろいろお世話になりましたが、大阪へ引っ越すことになりました。
本当にありがとうございました。

2．　リーさん、お元気ですか。中国語クラスで教え始めたそうですね。
　わたしは、ようやく入学試験が済んで、ほっとしています。4月からは、希望通り大学で経済の勉強をすることになりました。
　　　　　　　　　　：
　リーさんも体に気をつけてお過ごしください。
近いうちに会いましょう。
　　　　　　　　　　　　　　　　　　　チョウ　セイ

＊　改まった場面（あらたまったばめん）　　formal situation　　正式的場合　　격식을 차린 장면

第24課　うちに

ウォームアップ

aとbと、どちらを使いますか。

時間の変更を ｛a．忘れる前に、／b．忘れないうちに、｝ メモしておきます。

うちに　1

I．導入

1．加藤：コーヒーでも入れましょうか。
　　ルン：あ、どうもすみません。
　　　　　　　⋮
　　加藤：冷めないうちに、どうぞ。

2．〈山で〉
　　ファン：あ、もう3時。急ぎましょうか。
　　田中：ええ、明るいうちに、駅まで戻らないと…。

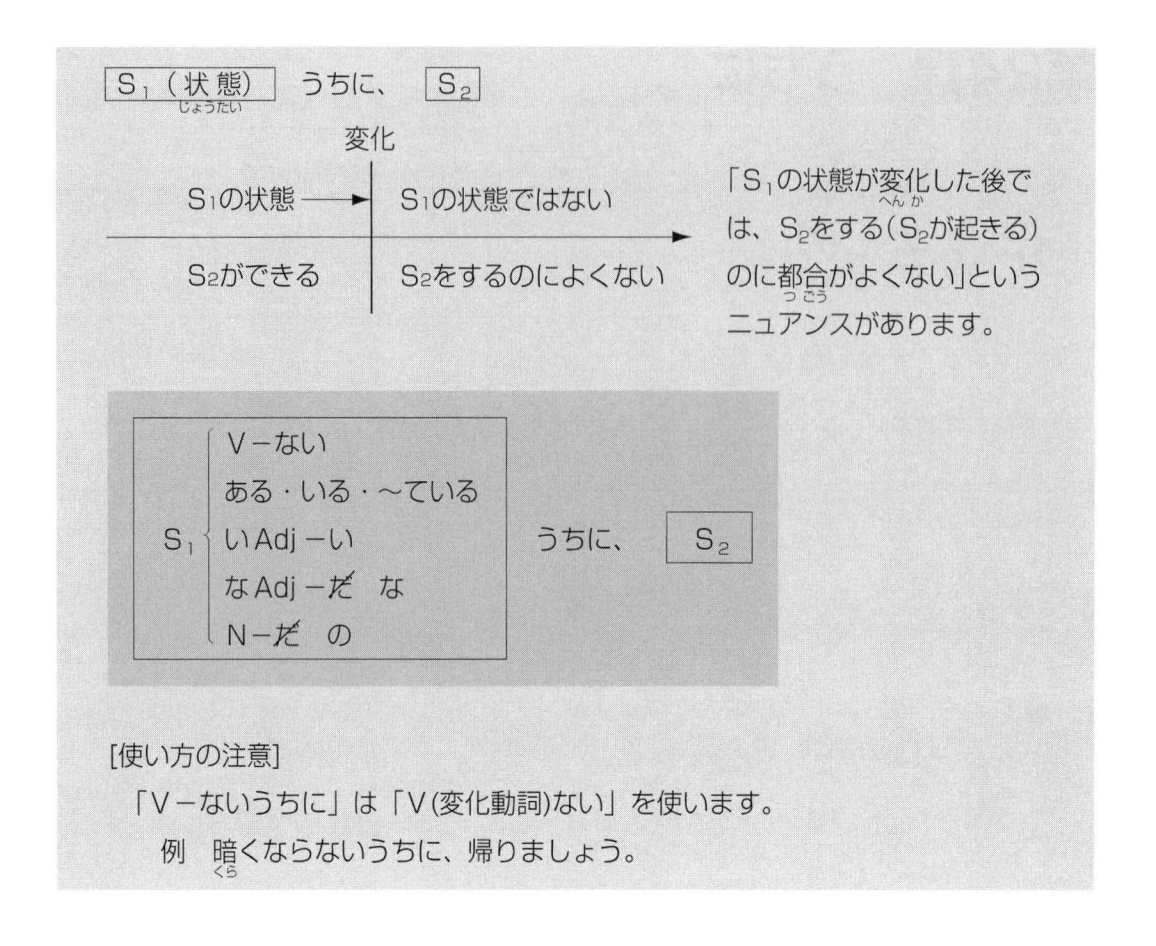

第24課　うちに

S_1（状態）　うちに、S_2

```
                  変化
    S₁の状態  ──→│ S₁の状態ではない
    S₂ができる   │ S₂をするのによくない
```

「S₁の状態が変化した後では、S₂をする（S₂が起きる）のに都合がよくない」というニュアンスがあります。

S_1
- V－ない
- ある・いる・～ている
- いAdj－い
- なAdj－だ　な
- N－だ　の

うちに、S_2

[使い方の注意]

「V－ないうちに」は「V（変化動詞）ない」を使います。

例　暗くならないうちに、帰りましょう。

II. 形の練習

例1　雨が（降り出す → 降り出さないうちに）、帰ろうか。

例2　子どもが（寝る → 寝ているうちに）、食事の準備をしておきます。

1）（売り切れる → 　　　　　　　　）、チケットを買っておいたほうがいいです。
2）駅の窓口が（開く → 　　　　　　　　）、定期券を買いに行かないと…。
3）祖父母が（元気だ → 　　　　　　　　）、家族そろって旅行に行きたい。
4）（20代だ → 　　　　　　　　）、一度海外で自分の力を試してみたい。
5）風邪が（ひどくなる → 　　　　　　　　）、（　　　　　　　　　　）。
6）アイスクリームが（とける → 　　　　　　　　）、（　　　　　　　　　　）。
7）来月いよいよ帰国します。日本に（いる → 　　　　　　　　）、
　　（　　　　　　　　　　　　　　　　）。
8）（忘れる → 　　　　　　　　）、（　　　　　　　　　　　　　）。

III. 使い方の練習

田中：<u>休暇届を出しました</u>か。
ファン：いいえ、まだですが…。
田中：<u>忙しくならない</u>うちに、（出しておいたほうがいいですよ）。

　例　休暇届を出す　　　　忙しくなる
　①　旅行の日程を決める　今だ
　②　航空券を取る　　　　席がなくなる
　③　ホテルを予約する　　いっぱいになる

「S₁うちに、S₂」は、「S₁の状態が変化した後ではよくない」場合が多いですが、「S₁の状態が変化する前に、何かが起きる」ことを表すときも使います。

1．うちの子は、10か月にもならないうちに歩き始めた。
2．相手が意見を言い終わらないうちに発言するのは、失礼だ。

うちに 2

I. 導入

1. マリア：サリーさん、日本語の勉強、進んでますか。
   サリー：いえ、漢字が大変で…。
   マリア：初めは、わたしもそうでしたよ。
   　　　　でも、勉強しているうちに、だんだんおもしろくなってきました。

2. 田中：きのうの講演会、どうでしたか。
   ファン：それが…、聞いているうちに、眠くなってしまって…。

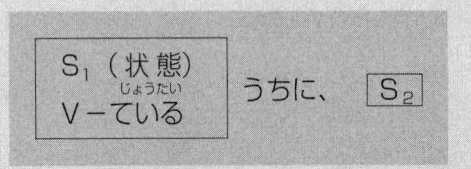

```
S₁（状態）
V－ている     うちに、  S₂
```

「ある状態が続いているとき、何かが変化する」ことを表します。
　S₁は「行為＊を続けたり、繰り返したりする状態」、
　S₂は「変化」を表します。

[使い方の注意]
　S₂には、変化を表す表現（「～なる」「～てくる」「ようになる」など）を使います。

＊　行為（こうい）　　conduct, behavior　　行为，行动　　행위

II. 形の練習

例　漢字を（勉強する → 勉強しているうちに）、おもしろくなってきた。
1) 考え事を（する →　　　　　　　　　）、夜が明けてきた。
2) 何度も文を（書き直す →　　　　　　　　　　　）、少しずつ内容がまとまってきた。

3）何回も実験を（繰り返す → 　　　　　　　　）、成功した。
4）努力を（重ねる → 　　　　　　　　）、必ず（　　　　　　　　）
　　ようになります。
5）美加さんの発音を（まねする → 　　　　　　　　）、
　　（　　　　　　　　）ようになってきた。
6）最初は話しにくそうな人だと思ったが、いっしょに
　　（仕事をする → 　　　　　　　　）、（　　　　　　　　）。
7）電話で母の声を（聞く → 　　　　　　　　）、（　　　　　　　　）。
8）旅行雑誌を（見る → 　　　　　　　　）、（　　　　　　　　）。
9）（　　　　　　　　　　　　）、おなかがすいてきました。
10）（　　　　　　　　　　　　）、（　　　　　　　　　　　　）。

III. 使い方の練習

　　加藤：日本語の勉強はどうですか。
　　サリー：それが、思ったより大変で…。
　　加藤：そうですか。
　　　　　でも、（勉強しているうちに、だんだんわかるようになりますよ）。

　　例　日本語の勉強
　　①　大学の授業
　　②　日本の生活
　　③　アルバイト

IV. 読んでみましょう

（　）の中の言葉を適当な形に変えてください。

『アンコールワットの日の出』

カンボジアにある世界文化遺産、アンコールワットの日の出を見る機会があった。まだ（暗い→　　　　　　）ホテルを出て、車で現地に着く。懐中電灯で足元を照らしながら、転ばないように門を通りぬける。石の城壁の階段に腰を下ろす。周りにも人が集まってくる。隣の人やガイドさんと話しながら（待つ→　　　　　　）、空の下の方が少しずつ明るくなってきた。カメラのシャッターの音が、あちこちから聞こえる。薄明かりがだんだん広がり、やがて、オレンジ色に輝く太陽がちょっとだけ見えると、「おっ」と声が上がった。みんなでじっと（見る→　　　　　　）、太陽がどんどん昇ってきて、あっという間に丸い姿を現した。

絵はがきや写真にもなっている、よく知られた光景が目の前で展開されていく。本当に短い間のできごとだった。

第25課　ように言う

> **ウォームアップ**
>
> aとbと、どちらがいいと思いますか。
> 課長に { a．資料を取ってきてくださいと / b．資料を取ってくるように } 言われたので、取りに来ました。

ように言う

I．導入

1. ファン：遅くなりましたが、先日のセミナーの報告書です。
   課長：はい。あ、田中さんにも<u>早く提出するように言って</u>ください。
   ファン：はい、言っておきます。

2. 〈講師室の前で〉
   ルン：すみません。森田先生、いらっしゃいますか。
   小川先生：森田先生は、今、席をはずしていますけど…。
   ルン：あ、そうですか。授業後、講師室に<u>来るように言われた</u>んですが…。

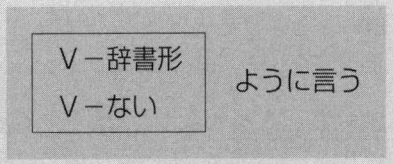

| V－辞書形 | |
| V－ない | ように言う |

指示の内容を間接的に伝える*とき、使います。

＊　直接指示をする言い方には、次の形もあります。
　　例　聞き<u>なさい</u>　聞く<u>な</u>　聞<u>け</u>

第25課　ように言う

II. 形の練習

例　事務の人：貴重品を必ず手元に置いてください。
→（事務の人は）、学生に（貴重品を必ず手元に置くように言った　　）。
→ 学生は、（事務の人に貴重品を必ず手元に置くように言われた　　）。

1) 車掌：車内で、携帯電話を使用しないでください。
→（　　）、乗客に（　　　　　　　　　　　　　　　　　）。
→ 乗客は、（　　　　　　　　　　　　　　　　　　　　　）。

2) 父：体に気をつけなさい。
→（　　）、妹に（　　　　　　　　　　　　　　　　　　）。
→ 妹は、（　　　　　　　　　　　　　　　　　　　　　　）。

3) 母：遅くなりそうだったら、必ず電話して。
→（　　）、わたしに（　　　　　　　　　　　　　　　　）。
→ わたしは、（　　　　　　　　　　　　　　　　　　　　）。

4) 医者：あまり無理をしてはいけませんよ。
→（　　）、患者に（　　　　　　　　　　　　　　　　　）。
→ 患者は、（　　　　　　　　　　　　　　　　　　　　　）。

5) 先生：遅刻しないでください。
→（　　）、わたしに（　　　　　　　　　　　　　　　　）。
→ わたしは、（　　　　　　　　　　　　　　　）てしまいました。

6) コーチ：もっと速く走れ。
→（　　）、選手に（　　　　　　　　　　　　　　　　　）。
→ 選手は、（　　　　　　　　　　　　　　　　　　　　　）。

III. 使い方の練習

1. 1) 田中：展示会の打ち合わせ、何時から始めましょうか。
課長：9時にしましょう。
田中：はい、じゃ、ファンさんに、<u>早めに来て、準備する</u>ように言っておきます。

　　例　早めに来て、準備します
　　①　8時半に来ます
　　②　遅れません
　　③　きょう中にリストを作っておきます

2）森田先生：ルンさん、事務室へ行って、マイクを借りてきてください。
　　　ルン：はい。

〈事務室で〉
　　　ルン：あのう、森田先生にマイクを借りてくるように言われたんですが・・・。
　事務の人：あ、そうですか。ちょっと待ってください。

　例　マイクを借ります
　①　これを返します
　②　これをコピーします
　③　教室が何時まで使えるか聞きます

2．1）〈学校で〉
　事務の人：チャンさんはいますか。
　　　リー：あ、すぐ戻ってくると思います。
　事務の人：そうですか。じゃ、渡したいものがあるので、
　　　　　　（　　　　　　　　　　　　　）言っておいてください。
2）加藤：お国を出るとき、ご両親にどんなことを言われましたか。
　　ルン：（　　　　　　　　　　　　　　　）。

第25課　ように言う

ように頼む
たの

I. 導入

水谷：大学の新聞に留学生のエッセーを載せたいんだけど、だれか適当な人を知りませんか。

山崎：じゃ、ペルーのアナさんに<u>書いてくれるように頼ん</u>でみましょうか。

> V－てくれる　　ように頼む

依頼*の内容を間接的に伝えるとき、使います。

* 依頼（いらい）　　request　　委托，请求　　의뢰

II. 形の練習

例　ファン：川上さん、すみませんが、書類の整理を手伝ってもらえませんか。
→（ファンさんは川上さんに書類の整理を手伝ってくれるように頼んだ）。

1）アン：エアコンの修理に来てもらえませんか。
→ アンさんは電器店に（　　　　　　　　　　　　　　）。

2）田中：ファンさん、悪いけど、あと10部コピーしてくれませんか。
→ 田中さんは（　　　　　　　　　　　　　　　　　　）。

3）ルン：リーさん、文法の参考書を貸してほしいんだけど…。
→ ルンさんは（　　　　　　　　　　　　　　　　　　）。

4）田中：ファンさん、金曜日のプレゼンテーションを代わってくれない？
→（　　　　　　　　　　　　　　　　　　　　　　　　）。

5）美加：お母さん、駅まで迎えに来て。
→（　　　　　　　　　　　　　　　　　　　　　　　　）。

III. 使い方の練習

〈新入生歓迎会の準備〉
リー：司会は、どうしますか。
スミス：(マリアさんに、やってくれるように頼んでおきましたよ)。

例　司会
① プログラム
② 歓迎のスピーチ
③ 学校紹介のビデオ

目上の人に依頼する内容を伝えるときは、次のような言い方をします。

1. セミナーの日程を変更する場合は、早めに知らせてくださるように、講師の方にお願いしました。
2. だれか韓国語の通訳ができる人を紹介していただけないか、朴先生に頼んでみようと思います。

第26課　敬語

ウォームアップ

①～⑦の動作は、だれがしますか。

〈インタビュー番組〉

インタビュアー：きょうは作曲家の坂本広司さんを①お迎えしています。
坂本さんは、大学卒業後、銀行に勤めながら、シンガーソングライターとして②活躍してこられました。
坂本さん、どうぞ。

︙

インタビュアー：ゆうべ、ニューヨークから③戻っていらっしゃったそうですね。

坂本：はい。

インタビュアー：きょうは、いろいろとお話を④うかがいたいと思いますので、どうぞよろしくお願いします。

坂本：こちらこそ、よろしく。

インタビュアー：坂本さんが音楽に⑤興味を持たれたのは、おいくつぐらいのときですか。

坂本：5、6歳のころからです。
父のクラシックギターを、いつも⑥聞いていましたから。

インタビュアー：ああ、それで、坂本さんもギターを⑦お弾きになるんですね。

第26課　敬語

敬語はほかの人に対して*¹ 敬意を表す表現です。

・尊敬語はほかの人の動作について言います。

　　　「ほかの人　が　尊敬語」

　　尊敬語1　　おVになる　　　　お弾きになる
　　　　　　　　特別な*² 形　　　戻っていらっしゃる
　　尊敬語2　　V-(ら)れる　　　活躍してこられる
　　　　　　　　　　　　　　　　（興味を）持たれる

・ていねい語*³・謙譲語*⁴ は自分の動作について言います。

　　　「わたし　が　ていねい語・謙譲語」

　　ていねい語　　丁寧形　　　　聞いていました
　　謙譲語　　　　おVする　　　お迎えする
　　　　　　　　　特別な形　　　うかがう

---

* 1　〜に対して（〜にたいして）　toward 〜　　対，対于　　〜에 대하여
* 2　特別な（とくべつ）　　　　　exceptional　　特殊（的）　　특별한
* 3　ていねい語（ていねいご）　　polite expression　　礼貌语　　정중어
* 4　謙譲語（けんじょうご）　　　humble expression　　谦让语　　겸양어

尊敬語―おVになる・特別な形―

I. 導入

〈国際交流パーティーで〉
ルン：吉川さん、タイに<u>いらっしゃった</u>そうですね。
吉川：ええ、先月、行ってきました。
ルン：どちらに<u>お泊まりになりました</u>か。
吉川：バンコクのホテルに4日間滞在しました。
ルン：そうですか。いろいろ<u>見物なさいました</u>か。
吉川：ええ。

第26課　敬語

敬語はほかの人（目上の人、親しくない人など）に対して敬意を表す表現です。
尊敬語は、ほかの人の動作や状態を言うとき、使います。

〈主語〉　　〈述語〉
ほかの人　が　尊敬語

〈動詞〉

おVになる	V	お（V－ます）になる	例　お泊まりになる
特別な形	行く・来る・いる	いらっしゃる	
	V－ている	V－ていらっしゃる	
	～だ	～でいらっしゃる	
	する	なさる	
	Nする	Nなさる	例　見物なさる
	くれる	くださる	
	V－てくれる	V－てくださる	例　教えてくださる
	飲む・食べる	召し上がる	
	言う	おっしゃる	
	見る	ごらんになる	
	寝る	お休みになる	
	知っている	ご存じだ	

[使い方の注意]
・「V－ている」は、普通、「～ている」の部分を尊敬語にして、
　「V－ていらっしゃる」になります。
　　例　勤めていらっしゃいます　住んでいらっしゃいます
・特別な形になるVに「～ている」がつく場合、Vの部分を尊敬語に変えて、
　「V（特別な形）－ている」をよく使います。
　　例　召し上がっています　なさっています

〈形容詞〉　お＋Adj　例　お元気　お忙しい　お好き
　　　　　ご＋Adj　例　ご自由　ご親切
〈名詞〉　　お＋N　　例　お勤め先　お仕事　おいくつ　お電話
　　　　　ご＋N　　例　ご家族　ご住所　ご都合　ごいっしょ

II. 形の練習
　1．1）例　あした放送局の見学に行く　　　　（　いらっしゃいます　　　　）
　　　　① けさのニュースを見た　　　　　　（　　　　　　　　　　　　　）
　　　　② 学校の講演会に来る　　　　　　　（　　　　　　　　　　　　　）
　　　　③ アジアフェスティバルに参加する　（　　　　　　　　　　　　　）
　　　　④ まだしばらくここにいる　　　　　（　　　　　　　　　　　　　）
　　　　⑤ 日本酒を飲む　　　　　　　　　　（　　　　　　　　　　　　　）
　　　　⑥ 水泳をする　　　　　　　　　　　（　　　　　　　　　　　　　）
　　　　⑦ 車を運転する　　　　　　　　　　（　　　　　　　　　　　　　）
　　　　⑧ 雪祭りに行ったことがある　　　　（　　　　　　　　　　　　　）
　　　　⑨ チャンさんの弟さんを知っている　（　　　　　　　　　　　　　）
　　　　⑩ けさの新聞を読んだ　　　　　　　（　　　　　　　　　　　　　）
　　　　⑪ スミスさんのことを聞いた　　　　（　　　　　　　　　　　　　）
　　　　⑫ リーさんのお母さんに会った　　　（　　　　　　　　　　　　　）
　　　　⑬ バスが来るまで待つ　　　　　　　（　　　　　　　　　　　　　）

　　2）上の言葉を使って、先生と話してください。
　　　　例　森田先生：アンさんは、あした放送局の見学に行きますか。
　　　　　　　　アン：はい、行きます。先生もいらっしゃいますか。
　　　　　　森田先生：ええ、行きます。

　2．1）例　食べてください　　　　どうぞ、（　召し上がってください　）。
　　　　① 遊びに来てください　　　今度、（　　　　　　　　　　　）。
　　　　② ゆっくりしてください　　どうぞ、（　　　　　　　　　　）。
　　　　③ 見てください　　　　　　ご自由に（　　　　　　　　　　）。

第26課　敬語

2）丁寧に指示するときの言い方、「お～ください」「ご～ください」に変えてください。

例1　入ってください　　中に（お入り~~になって~~ください　　　）。
例2　見てください　　　（ごらん~~になって~~ください　　　　　）。
① かけてください　　こちらに（　　　　　　　　　　　　　）。
② よろしく伝える　　ご家族の皆さんに（　　　　　　　　　）。
③ 寄る　　　　　　　近くにいらっしゃったときは、ぜひ（　　）。
④ 渡す　　　　　　　わたしが不在でしたら、社の者に（　　　）。

例　利用する　　　　２階の休憩室を（ご利用な~~さって~~ください　）。
⑤ 出席する　　　　　説明会に（　　　　　　　　　　　　　）。
⑥ 注意する　　　　　足元に（　　　　　　　　　　　　　　）。

> 相手に何かを頼みたいときは、依頼の表現（「Ｖ－ていただけませんか」など）を使います。
> 先生、推薦状をお書きください。（×）
> 先生、推薦状を書いていただきたいんですが…。（〇）

III. 使い方の練習

1．1）　美加：ジョンソン先生は、金曜日のパーティーに出席なさいますか。
　　　　事務の人：はい。出席なさるそうです。

　　　例　金曜日のパーティーに出席する
　　　① 会場を知っている
　　　② 日本語がわかる
　　　③ 日本料理を食べる

2）〈講師室で〉
　　ファン：あのう、森田先生はいらっしゃいますか。
　　事務の人：森田先生は、授業にいらっしゃいましたが…。
　　ファン：ああ、そうですか。
　　　　　　（何時ごろ戻っていらっしゃいますか）。

　　例　授業に行った
　　①　先ほど、出かけた
　　②　もう帰った
　　③　今、会議に出ている

2．1）秘書：部長、ちょっとよろしいでしょうか。
　　　部長：あ、いいですよ。
　　　秘書：先日届いたカタログですが、もう（見る→　　　　　）か。
　　　部長：いや、まだ…。持ってきてください。

　2）〈レストランで〉
　　ウェーター：いらっしゃいませ。
　　　　　　　（みんな→　　　　　）、（いっしょ→　　　　　）
　　　　　　　のほうがよろしいですか。
　　　客：はい。
　　ウェーター：では、少々（待つ→　　　　　）ください。

　3）〈加藤さんの家で〉
　　加藤：ブラウンさん、お久しぶり。（元気そうだ→　　　　　）ね。
　　ブラウン：はい。きょうは（招待してくれる→　　　　　）、あり
　　　　　　がとうございます。卒業してから、先生方や友人に会う機会があり
　　　　　　ませんでしたので、きょうはとても楽しみでした。
　　加藤：あ、森田先生はご都合でいらっしゃれないそうですが、皆さんによ
　　　　　ろしくと（言っていた→　　　　　）よ。
　　ブラウン：それは、残念ですね。
　　加藤：あちらに皆さん、（いる→　　　　　）から、どうぞ
　　　　　（入る→　　　　　）ください。

第26課　敬語

尊敬語—～(ら)れる—
そんけい

I. 導入

ファン：部長はまだ、いらっしゃいますか。
　　　　ぶちょう
秘書：いいえ。先ほど、帰られましたが…。
ひしょ

「～(ら)れる」は、尊敬語のもう1つの形です。
　　　　　　　　　　　　　　　　　　かたち

形の作り方
　Ｉグループ　　読む　　　　読まれる
　　　　　　　　買う　　　　買われる
　Ⅱグループ　　勤める　　　勤められる
　　　　　　　　つと
　　　　　　　　出かける　　出かけられる
　Ⅲグループ　　来る　　　　来られる
　　　　　　　　Ｖ－てくる　Ｖ－てこられる　　例　続けてこられた
　　　　　　　　　　　　　　　　　　　　　　　　　つづ
　　　　　　　　する　　　　される
　　　　　　　　Ｎする　　　Ｎされる　　　　　例　帰国される

受身動詞と同じ形です。
うけみ　　　おな

［使い方の注意］
・「～(ら)れる」は、「～てください」をつけることができません。
　例　どうぞ読まれてください。（×）

II. 形の練習

　例　吉川さんは10年前に大学を（ 卒業した → 卒業されました ）。
　　　よしかわ　　　　　　　　　　　　そつぎょう
　1）どこのパソコンを（ 買った →　　　　　　　　　）んですか。
　2）課長は、よく海外に（ 出張する →　　　　　　　　　）。
　　　かちょう　　　　　　　しゅっちょう
　3）佐藤さんは、ポルトガル語を（ 始めた →　　　　　　　　）そうです。
　　　さとう　　　　　　　　　　　　はじ
　4）森田先生は、もう（ 帰った →　　　　　　　　）ようです。
　　　もりた
　5）朴先生が広島へ（ 行く →　　　　　　　　　）のは、来週の水曜日です。
　　　パク　　ひろしま

第26課　敬語

6) 退職後、渡辺部長がどう（する→　　　　　　　　　）か、
　　（聞いた→　　　　　　　　　　　）か。
7) 渡辺部長は、30年間（勤めた→　　　　　　　　　）民間企業を退職して、今度大学に（移る→　　　　　　　　　）。
8) 渡辺部長は長年、自動車会社で、エンジンの開発に
　　（携わってきた→　　　　　　　　　　　）。

III. 総合練習

尊敬語（おVになる、特別な形、～(ら)れる）を使って、会話を作ってください。

1) 佐藤：新しいマンションに（引っ越した→　　　　　　　　　）そうですね。
　　　　もう（落ち着いた→　　　　　　　　　）か。
　　田中：ええ、何とか…。
2) 田中：部長はＡＢ貿易の谷さんが（転勤した→　　　　　　　　　）のを
　　　　（知っている→　　　　　　　　　）か。
　　部長：うん、ずいぶん急な話だったらしいね。
3) 加藤：スミスさん、今年の夏はどう（過ごす→　　　　　　　　　）か。
　　スミス：（　　　　　　　　　　　　　　）と思っています。
4) ファン：きょうからこちらで研修を受けることになりました。
　　　　　どうぞよろしくお願いします。
　　青山：ファンさんは、もうどのぐらい日本に（いる→　　　　　　　　　）
　　　　　んですか。
　　ファン：（　　　　　　　　　　　　　　　　　）。
　　青山：日本語はどちらで（勉強した→　　　　　　　　　）か。
　　ファン：（　　　　　　　　　　　　　　　　　）。
　　青山：わからないことは、遠慮なく（聞く→　　　　　　　　　）ください。
5) インタビュアー：すみません。アンケートにご協力いただきたいんですが…、
　　　　　　　　　1か月に何冊ぐらい本を（読む→　　　　　　　　　）か。
　　美加：（　　　　　　　　　　　　　　　　　）。
　　インタビュアー：手紙など文を（　　　　　　　　　）機会は多いですか。
　　美加：（　　　　　　　　　　　　　　　　　）。
　　インタビュアー：最近、活字離れが問題になっていますが、
　　　　　　　　　どう（思う→　　　　　　　　　）か。
　　美加：（　　　　　　　　　　　　　　　　　）。

第26課　敬語

ていねい語・謙譲語

I. 導入

1. チャン：あのう、進学のことで、ちょっとご相談したいことがあるんですが…。
   森田先生：あ、そうですか。
   　　　　　3時ごろなら時間がありますが。
   チャン：じゃ、3時に、講師室にうかがいます。

2. リー：リーと申します。去年、中国からまいりました。
   　　　どうぞよろしくお願いします。

「ていねい語・謙譲語」もほかの人に対して敬意を表す敬語です。
自分（自分のグループの人）の動作や状態を言うとき、使います。

〈主語〉　　〈述語〉
わたし　が　ていねい語
　　　　　　謙譲語

1. 「ていねい語」は「ほかの人に関係しない自分の動作」を聞き手に対して丁寧に話したいとき、使います。文末は「丁寧形」です。
   例　・夏休みに国へ帰ります。
   　　・リーと申します。去年、中国からまいりました。

Vます	V	Vます	例	帰ります　歩きます
				お帰りします（×）
特別な形	行く・来る	まいります		
	いる	おります		
	V－ている	V－ております	例	勤めております
	する	いたします		
	Nする	Nいたします	例	退職いたします
	～と言う	～と申します		

170

[使い方の注意]

[特別な形]の場合、文中で「普通形」を使うところでも「丁寧形」を使うことが多いです。

例　来週、帰国いたしますので、戻ってまいりましたら、お電話します。

2.「謙譲語」は自分の動作がほかの人に関係する*¹とき、使います。

例　・（わたしが）先生にご相談します。
　　・（わたしが）講師室にうかがいます。

おVする	V	お(V-ます)する	例	お借りする
	Nする	ごNする	例	ご相談する
		例外　おNする	例	お電話する
特別な形	聞く	うかがう	例	うかがいたいことがある
	訪問する(行く)	うかがう	例	お宅にうかがう
	会う	お目にかかる		
	見る	拝見する		
	もらう・食べる・飲む	いただく	例	遠慮なくいただく
	V-てもらう	V-ていただく		

*1　関係する（かんけい）　be related, be connected　有关系　관계, 관련하다

II. 形の練習

1. ほかの人に関係しない自分の動作を、聞き手に対して丁寧に話したいとき（ていねい語）

例1　最近、またテニスを（始めた → 始めました）。
例2　午後からAB貿易に（行ってくる → 行ってまいります）。
1）はじめまして。チャンと（言う →　　　　　　　）。
2）1年前に韓国から（来た →　　　　　　　　）。
3）今、北山公園の近くに（住んでいる →　　　　　　　）。
4）弟は今、北海道に（いる →　　　　　　　　）。
5）大学の試験に（合格した →　　　　　　　　）。

第26課 敬語

6) 来月、国へ帰ろうと（思っている →　　　　　　　　）。
7) 最近忙しいので、あまり映画を（見ない →　　　　　　　　）。
8) 将来、映画関係の会社で（働きたい →　　　　　　　　）と思います。

2. 自分の動作がほかの人に関係するとき（謙譲語）
　例　結果は1週間後に（知らせる → お知らせします）。
　1) お忙しいところ、（待たせる →　　　　　　　　）て、すみません。
　2) 先生の出版された写真集を（見た →　　　　　　　　）。
　3) この本、いつ（返す →　　　　　　　　）たら、よろしいですか。
　4) ちょっと（教えてもらう →　　　　　　　　）たいんですが…。
　5) あした、お宅に（行く →　　　　　　　　）ても、いいでしょうか。
　6) ご迷惑を（かける →　　　　　　　　）て、申し訳ございません。
　7) ご心配を（かけた →　　　　　　　　）が、おかげ様で
　　（　　　　　　　　　　　　　）。

III. 使い方の練習

1)〈電話で〉
　　アナ：あした、研究室にうかがいたいんですが…。
　水野教授：ええ、いいですよ。

　例　あした、研究室に行きたい　① 論文のことで相談したい
　② 講演会のビデオを借りたい　③ ちょっと聞きたいことがある

2) 木下：お手伝いします。
　伊藤：すみません。じゃ、お願いします。

　例　手伝う　　　　　　　　① 駅まで送る
　② お荷物、持つ　　　　　　③ 後は、わたしがする

IV. 発展練習

aとbのどちらを使いますか。

1)〈講師室の前で〉
　　ルン：先生に { a. お借りしたビデオ / b. 借りたビデオ } を { a. お返ししたいんですが…。 / b. 返したいんですが…。 }

2）〈レンタルショップで〉

　　ルン：先週 { a. お借りしたビデオ / b. 借りたビデオ } を { a. お返ししたいんですが…。 / b. 返したいんですが…。 }

V. 総合練習

「尊敬語、ていねい語、謙譲語」などを使って、会話を作ってください。

1) チャン：失礼ですが、(竹田さんだ → 　　　　　　　　　　　) か。

　　竹田：はい。竹田ですが…。

　　チャン：チャンと (言う → 　　　　　　　　) が、弟がいつも

　　　　　　お世話になっております。

　　竹田：いいえ、こちらこそ。

2)〈訪問先の会社で〉

　　ファン：先日、(電話した → 　　　　　　　　　) NA社のファンです。

　　　　　　営業部の井上さんに (会いたい → 　　　　　　　　)んですが…。

　　受付：はい。NA社のファンさんでいらっしゃいますね。

　　　　　少々、(待つ → 　　　　　　　　) ください。
　　　　　　　　　　　　　　：

　　受付：あのう、井上はただいま席を (はずしている → 　　　　　　　　　)

　　　　　が、すぐ (戻ってくる → 　　　　　　　　　　) ので…。

3)

```
SA大学入試係御中

前略
　貴校の受験を希望している者ですが、来年度の入学案内と入試要項を送って
いただけないでしょうか。
　また、留学生の受け入れ条件など詳しいことについて、担当の
( 人 → 　　　　　　　) に、直接 ( 会う → 　　　　　　　　　) て、お話を
( 聞ける → 　　　　　　) たらと ( 思っている → 　　　　　　　　　　)。
オープンキャンパスの日程も、併せて ( 知らせる → 　　　　　　　　　　)
ください。
　どうぞよろしくお願い申し上げます。

　　　　　　　　　　　　　　　　　　　　　　　　　　ムタラック　ルン
```

第27課　わけだ

ウォームアップ

aとbと、どちらがいいですか。
　　ルン：おかしいなあ。テレビがつかない…。
　森田先生：あ、コンセントが抜けていますよ。
　　ルン：ほんと…。｛a．つかないわけですね。
　　　　　　　　　　　b．つきませんね。

わけだ

I. 導入

　川上：この部屋、冷房がききませんね。
　ファン：あ、スイッチが入っていませんよ。
　川上：ああ…、暑いわけですね。

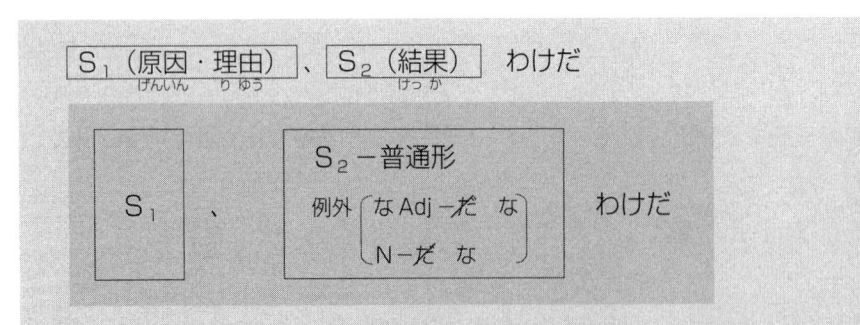

```
S₁（原因・理由）、S₂（結果）　わけだ

            ┌ S₂－普通形        ┐
    S₁  、  │ 例外 ┌ なAdj－だ な ┐│  わけだ
            │      └ N－だ な    ┘│
            └                    ┘
```

「S₁、S₂わけだ」は、「話の成り行き*¹から当然*²そうなると思われる」場合に、使います。

なぜS₂の結果になったか、その原因・理由がわかって納得したときも「S₂わけだ」の形で使います。

　例　(スイッチが入っていないことがわかった。) 暑いわけですね。
　　　　　　　　原因・理由　　　　　　　　　　　　　結果

*1 成り行き（なりゆき）　turn (of events), course (of events)　趋势，结果　과정
*2 当然（とうぜん）　proper, natural　当然　당연

II. 使い方の練習

1. 1) スミス：ファンさんは、最近とても忙しそうですね。
      リー：ええ。（　　　　　　　　　　　　　）からじゃないですか。
      スミス：そうですか。それで、忙しいわけですね。

   2) ルン：マリアさんは、日本人のように話しますね。
      スミス：ええ。5、6歳まで日本で育ったそうですよ。
      ルン：それで、（　　　　　　　　　　　　　　　　　　　）ね。

   3) 〈ファンさんの部屋で〉
      佐藤：あれ、ずいぶんきれいに片付いているね。
      ファン：国から妹が来ていて、そうじしてくれたんだ。
      佐藤：どうりで、（　　　　　　　　　　　　　　　　）。

   4) ファン：きょうは道が込んでいますね。
      田中：（　　　　　　　　　　　　　　　　　　）。
      ファン：それで、（　　　　　　　　　　　　　　　　）。

2. 脳と睡眠は密接な関係にあります。睡眠から覚めると、脳はリフレッシュされます。睡眠中に脳の中で、疲れを取るたんぱく質が活発に働くので、
   脳が（疲労回復します → 　　　　　　　　　　　　　　　　）。

> 話の成り行きから、当然そうなると説明するとき、「S₁、S₂わけだ」の形を使います。

第27課　わけだ

わけじゃない
　（では）

I. 導入

1. チャン：マリアさん、日本の新聞を読むんですか。すごいですね。
　　マリア：ええ。でも、全部わかるわけじゃありません。

2. 森田先生：ファンさん、調子が悪そうですね。病気ですか。
　　ファン：病気というわけじゃありませんが、残業が続いて疲れ気味なんです。

話の成り行きから当然そうなると思われることを、「その通りではない」と否定するとき、使います。

```
S－普通形
例外 ［なAdj－だ　な
　　　 N－だ　という／って］
```
わけじゃない
（では）

例1　・全部わかるわけじゃない。　　（わからないところもある）
　　　・全部わかりません。　　　　　（わからないところが全部）
例2　・病気というわけじゃない。　　（病気じゃない。でも、元気じゃない）
　　　・病気じゃない。　　　　　　　（健康だ。）

[使い方の注意]
「わけじゃない」の文では、「全部、毎日、いつも、だれでも、必ずしも…」などの副詞をよく使います。

II. 形の練習

例　日本人がみんな（納豆が好きです　→　納豆が好きなわけではありません）。

1) 料理は苦手ですが、
　　いつも（インスタント食品です　→　　　　　　　　　　　）。
2) 宇宙飛行士の試験は、だれでも（受験できます　→　　　　　　　　　　　）。
3) 父は、退職しても毎日（暇です　→　　　　　　　　　）と言っています。
4) 別に内容が（つまらないです　→　　　　　　　　　　　）。聞いても、
　　よくわからないんです。

III. 使い方の練習

1．1) ファン：この店、電気製品が安いそうですね。
　　　田中：ええ…。でも、（　　　　　　　　　　　　）。
　　　　　　ほかの店より高い物もありますよ。

2) 〈パーティーで〉
　　加藤：リーさんは、肉が嫌いなんですか。
　　リー：いえ、（　　　　　　　　　　　）が、
　　　　（　　　　　　　　　　　　　　　）んです。

3) 美加：ルンさん、今度の週末、何か予定がある？
　　ルン：今度の週末は、ちょっと…。
　　美加：忙しいの？
　　ルン：別に（　　　　　　　　　　　　　　）けど、
　　　　（　　　　　　　　　　　　　　　　）。

2．　鈴木：毎日、ジョギングするんですか。
　　　ファン：いえ、毎日ってわけじゃありませんが、
　　　　　（なるべくするようにしています）。

　　例　毎日　　ジョギングします　　① いつも　　料理を作ります
　　②　毎週　　ジムに行きます　　　③ 必ず　　予習します

> 「いつも」などの副詞を使う文では、動詞を省略して、「いつも　という／って　わけじゃない」をよく使います。

第27課　わけだ

わけにはいかない

I. 導入

田中：ファンさん、もう8時ですよ。そろそろ帰りませんか。
ファン：ええ。でも、報告書をあしたまでに仕上げなきゃいけないんで、
　　　　まだ帰るわけにはいかないんです。
田中：そうですか。大変ですね…。
　　　じゃ、お先に。

```
V－辞書形    わけにはいかない
V－ない
```

本当は「V－たい／V－たくない」が、事情*があって、「そうできない」ことを表します。

　例　・帰りたいが、仕事があるから帰ることができない。
　　　　→「帰るわけにはいかない」
　　　・行きたくないが、みんなが待っているので…。
　　　　→「行かないわけにはいかない」

* 事情（じじょう）　　reason, circumstances　　事由，原因　　사정

II. 使い方の練習

1. 例　あしたは大事な会議だから、（　欠席するわけにはいきません　）。
　1）ペットが飼いたくても、ペット禁止のマンションなので
　　　（　　　　　　　　　　　　）ません。
　2）この間、休みを取ったばかりなので、（　　　　　　　　　　　　　）んです。
　3）一度引き受けたことは、今さら（　　　　　　　　　　　　　　　　　）。
　4）（　　　　　　　　　　　　　　　　　）から、遊びに行くわけにはいかない。
　5）お中元やお歳暮は、「みんなが贈るから、自分だけ（　　　　　　　　　）」
　　　と思って、毎年贈り続ける人もいる。

2．伊藤：熱があるんだったら、あしたの試験、休んだらどう？
　　ルン：ええ…。でも（１年に１回しかない試験だ）から
　　　　　（休むわけにはいかない）んです。

　　例　試験　　　　　休みます
　　①　旅行　　　　　取りやめます
　　②　アルバイト　　代わってもらいます
　　③　約束　　　　　断ります

III．総合練習

「わけ」のいろいろな表現を使って、文を作ってください。
1）多数の意見が必ずしも正しい（　　　　　　　　　　　）。
2）日本に来てからずっとみんなに助けてもらってきたが、いつまでも人の好意に甘えている（　　　　　　　　　　）。
3）子どものころ、だれもが漫画の主人公にあこがれたことがあるだろう。しかし、現実には好きな主人公のように生きられる（　　　　　　　　　　）。
4）病気がすっかり治った（　　　　　　　　）が、この忙しい時期にいつまでもみんなに迷惑をかける（　　　　　　　　）ので、来週から仕事に行くつもりです。
5）デジタルカメラはフィルム式のカメラと同じぐらい画質がよくなり、急速に普及してきた。デジカメの中には、フィルムの代わりに何百万もの「画素」がぎっしり並んでいる。この画素が光の色や明るさを電気信号に変えるので、画素が多ければ多いほどきれいに写る（　　　　　　　　　　）。

索引

*の訳は本文中にあります。

あ

あいする［愛する］	21
あいて［相手］	4
～あう（たすけ～）［～合う（助け～）］	6
あがる（きゅうりょうが～）［上がる（給料が～）］	10
あがる（さかを～）［上がる（坂を～）］	16
あがる	21
あかるさ［明るさ］	27
あきらめる	6
あきる［飽きる］	22
あく［空く］	13
アクセサリー	16
アクセスする	14
あこがれる	27
あじ［味］	3
あしもと［足元］	24
あす［明日］	18
あずかる［預かる］	22
あたえる［与える］	6
*あたえる［与える］	6
あたる［当たる］	13
あちこち	24
*あつかう［扱う］	21
あっというま［あっという間］	24
アテネ	21
あと～	25
あとかたづけ［後片付け］	18
アドバイス（する）	9
アナウンス	7
アニメ	3
あぶら［油］	22
あまえる［甘える］	27
*あらたまったばめん［改まった場面］	23
*あらわす［表す］	1
あらわす［表す］	10
あらわす［現す］	24
あらわれる［表れる］	17
ある～	14
あるいは	20
アルバム	11
アルミかん［アルミ缶］	1
あれはてる［荒れ果てる］	19
アレルギー	20
あわせて［併せて］	26
あわせる［合わせる］	20
アンケート	5
アンコールワット	24
あんないじょ［案内所］	14

い

～い［～位］	21
イーメール［Eメール］	10
～いか［～以下］	3
いがい（な）［意外（な）］	13
*いがいな［意外な］	13
いがく［医学］	18
いかす［生かす］	2
いきがい［生きがい］	19
いきる［生きる］	27
いくら	22
いけ［池］	11
いさん［遺産］	24
*いし［意志］	1
*いし［意志］	6
いしき［意識］	10
いしき（する）［意識（する）］	4
いじめる	14
～いじょう［～以上］	1
いたす	26
いたずらもの［いたずら者］	12
いためる	1
いちいん［一員］	6
いちぼう（する）［一望（する）］	14
いっか［一家］	22
いっしょうけんめい［一生懸命］	17

181

いったい	4
いってきます [行ってきます]	9
いっぱん [一般]	3
*いっぱんてき [一般的]	9
いっぱんてき（な）[一般的（な）]	16
*いどう [移動]	9
いどう（する）[異動（する）]	23
〜いない [〜以内]	22
いなか	13
いのしし	12
いのち [命]	22
いのる [祈る]	19
いまごろ [今ごろ]	13
いまさら [今さら]	27
いよいよ	24
〜いらい [〜以来]	12
*いらい [依頼]	25
いらいらする	8
いりょう [医療]	20
いるいかんそうき [衣類乾燥機]	4
いんさつ（する）[印刷（する）]	3
いんしょう [印象]	20
インスタントしょくひん [インスタント食品]	4
インタビュアー	10
*イントネーション	5

う

ウーロンちゃ [ウーロン茶]	8
うえ [飢え]	19
ウェイト	22
ウェーター	26
ウオーキング	2
うがい	19
うかがう（おたくに〜）[うかがう（お宅に〜）]	26
うかがう（せんせいに〜）[うかがう（先生に〜）]	26
うかる [受かる]	15
うけいれ [受け入れ]	26
*うける [受ける]	6
うごかす [動かす]	7

うごく [動く]	7
うさぎ	12
うし [牛]	12
うすあかり [薄明かり]	24
うそをつく	12
うちあわせ [打ち合わせ]	3
うちゅう [宇宙]	13
うちゅうひこうし [宇宙飛行士]	27
うつくしい [美しい]	11
うつす [写す]	11
うつる [移る]	1
うつる [写る]	3
うでがいい [腕がいい]	20
うとうとする	9
うまくいく	5
うむ [産む]	16
うりきれる [売り切れる]	24
うわさ	20

え

えいきょう [影響]	5
えいせいほうそう [衛星放送]	19
えいよう [栄養]	17
えさ	6
エッセー	25
えと [干支]	12
エヌジーオー [NGO]	10
えはがき [絵はがき]	13
エプロン	7
えらい	5
えらぶ [選ぶ]	18
エルディーケィ [LDK]	3
えんぎ [縁起]	16
*えんきょく [婉曲]	20
えんちょう（する）[延長（する）]	15
えんりょ（する）[遠慮（する）]	1

お

おいかける [追いかける]	12
おう [追う]	6
おう [王]	12

おうだんほどう［横断歩道］	2
おうふく［往復］	1
おおかみ	6
おおく［多く］	2
おおさわぎ（する）［大騒ぎ（する）］	12
おおぜい［大勢］	8
オープン（する）	5
オープンキャンパス	26
おおりのかた［お降りの方］	7
おかげさまで［おかげ様で］	26
おかしい	7
〜おき（に）	8
おきもの［置物］	6
おきる（じしんが〜） ［起きる（地震が〜）］	4
おきわすれる［置き忘れる］	13
〜おく［〜億］	11
おくる［贈る］	27
おこなう［行う］	2
おこる［起こる］	11
おしいれ［押し入れ］	13
おじぎをする	7
おしらせ［お知らせ］	3
おしろ［お城］	14
おせいぼ［お歳暮］	27
おせわになりました ［お世話になりました］	23
おそく［遅く］	1
おたがい［お互い］	3
おちつく［落ち着く］	14
おちゅうげん［お中元］	27
おちる（しけんに〜） ［落ちる（試験に〜）］	9
おつかれさまでした ［お疲れ様でした］	9
おと［音］	2
おとずれる［訪れる］	3
*おどろき［驚き］	13
おどろく［驚く］	7
おにぎり	10
おねがいもうしあげます ［お願い申し上げます］	26
おひめさま［お姫さま］	14
おめにかかる［お目にかかる］	26
*おもいだす［思い出す］	11
おやすみになる［お休みになる］	26
おりたたむ［折りたたむ］	15
おりる（かいだんを〜） ［下りる（階段を〜）］	2
オリンピック	21
おる	26
おれいをする［お礼をする］	14
オレンジいろ［オレンジ色］	24
〜おわる（よみ〜） ［〜終わる（読み〜）］	13
*おんけい［恩恵］	6
おんすいせんじょうべんざ ［温水洗浄便座］	4
〜おんちゅう［〜御中］	26

か

〜か［〜家］	3
か［課］	5
か［蚊］	21
カーナビ	15
カーペット	4
〜かい［〜会］	3
〜かい［〜界］	3
かいいん［会員］	11
がいけんてき（な）［外見的（な）］	3
かいさい（する）［開催（する）］	21
かいさん（する）［解散（する）］	21
がいしゅつ（する）［外出（する）］	1
かいしょう（する）［解消（する）］	19
かいすう［回数］	4
かいちゅうでんとう［懐中電灯］	24
かいてき（な）［快適（な）］	3
かいてん（する）［回転（する）］	18
ガイド	24
ガイドブック	1
かいはつ（する）［開発（する）］	1
かいめん［海面］	11
がいらいご［外来語］	2
かう［飼う］	6
かおいろ［顔色］	5

かがく [科学]	13	
かがく [化学]	21	
かがやく [輝く]	24	
*かかる [係る]	3	
かかる（いしゃに～） [かかる（医者に～）]	20	
かかる（かぎが～）	7	
*かきことば [書き言葉]	1	
かきなおし [書き直し]	18	
かぐ [家具]	16	
かくじょし [格助詞]	3	
かくち [各地]	21	
かくにん（する）[確認（する）]	1	
かける（いすに～）	26	
かける（かぎを～）	7	
かける（じかんを～） [かける（時間を～）]	4	
かける（しょうゆを～）	1	
かこ [過去]	4	
かさねる [重ねる]	24	
かざりもの [飾り物]	16	
かざる [飾る]	16	
がしつ [画質]	27	
かしゅ [歌手]	21	
かず [数]	4	
がそ [画素]	27	
～がた [～方]	26	
～かたちをする [～形をする]	16	
かたづく [片付く]	7	
かたみち [片道]	1	
カタログ	10	
かつお	16	
がっか [学科]	12	
がっかりする	3	
がっき [楽器]	18	
かっこいい	11	
かつじばなれ [活字離れ]	26	
かって（な）[勝手（な）]	18	
かってくる [買ってくる]	1	
かつどう（する）[活動（する）]	10	
かっぱつ（な）[活発（な）]	27	
かつやく（する）[活躍（する）]	3	
かつよう（する）[活用（する）]	19	
*かつようする [活用する]	20	
かてい [家庭]	4	
*かてい [仮定]	13	
かなしむ [悲しむ]	18	
かならず [必ず]	10	
かならずしも [必ずしも]	27	
かなり	4	
カヌー	14	
かねつ（する）[加熱（する）]	22	
かのう（な）[可能（な）]	10	
かふん [花粉]	14	
かみさま [神様]	12	
かみなり [雷]	8	
カム ヒヤー	22	
かめ	14	
がめん [画面]	14	
からす [枯らす]	2	
からだじゅう [体中]	14	
かりょく [火力]	22	
かれる [枯れる]	19	
*がわ [側]	21	
かわいそう（な）	14	
かわり（に）[代わり（に）]	27	
*かわりに [代わりに]	5	
かわる [変わる]	7	
かわる [代わる]	15	
～かん [～間]	5	
かんがえごとをする [考え事をする]	24	
かんきょう [環境]	1	
*かんけい [関係]	3	
かんげい（する）[歓迎（する）]	25	
*かんけいする [関係する]	26	
かんごし [看護師]	21	
かんさい [関西]	16	
*かんさつする [観察する]	14	
かんじゃ [患者]	11	
*かんしゃする [感謝する]	6	
*かんじょう [感情]	3	
かんじる [感じる]	3	
かんしん [関心]	4	
*かんせいさせる [完成させる]	7	
*かんせつてき [間接的]	21	
がんたん [元旦]	12	

かんとう［関東］	16
かんとうだいしんさい［関東大震災］	11
カンボジア	24

き

～き［～機］	4
きあつ［気圧］	3
キー	14
きおん［気温］	11
きかい［機会］	24
きがえる［着替える］	1
きかく［企画］	18
きがすすむ［気が進む］	20
きがつく［気がつく］	12
きかん［期間］	3
*ききて［聞き手］	3
きく［効く］	11
きげん［期限］	8
きけんせい［危険性］	22
きこう［貴校］	26
きこえる［聞こえる］	2
きこく（する）［帰国（する）］	16
きじ［記事］	3
きしゅ［機種］	3
ぎじゅつ［技術］	5
きずく［築く］	10
きずつける［傷つける］	21
*きそく［規則］	23
きそてき（な）［基礎的（な）］	22
きたい（する）［期待（する）］	21
きちょうひん［貴重品］	25
きっかけ	11
ぎっしり	27
きねん［記念］	6
きばらし［気晴らし］	2
きびしい［厳しい］	21
きぶんてんかん（する）	19
［気分転換（する）］	
きみ［君］	11
～ぎみ［～気味］	27
キムチ	3
*ぎもんご［疑問語］	22

ぎもんのことば［疑問の言葉］	3
キャラクター	11
きゅう（な）［急（な）］	9
～きゅう［～級］	16
きゅうか［休暇］	12
きゅうぎょう（する）［休業（する）］	18
きゅうけい（する）［休憩（する）］	5
きゅうこう［休校］	9
きゅうそく（な）［急速（な）］	27
きゅうようができる［急用ができる］	1
きょうかしょ［教科書］	13
～きょうしつ［～教室］	15
きょうじゅ［教授］	13
*きょうちょうする［強調する］	12
*きょうゆうする［共有する］	11
きょうりょく（する）［協力（する）］	26
*きょかする［許可する］	18
*きょり［距離］	20
きれる（きげんが～）	8
［切れる（期限が～）］	
きれる（でんちが～）	8
［切れる（電池が～）］	
きろく（する）［記録（する）］	10
きん［金］	16
きんし［近視］	16
きんちょう（する）［緊張（する）］	1
きんにく［筋肉］	18

く

ぐうぜん［偶然］	13
くさ［草］	11
くせをつける	11
ぐたいてき（な）［具体的（な）］	19
ぐち	21
グッズ	11
くにじゅう［国中］	12
くばる［配る］	19
くべつがつく［区別がつく］	3
くもる［曇る］	8
クラシックギター	26
くらす［暮らす］	13

185

クラスわけのテスト	9
［クラス分けのテスト］	
クラブ	11
グラフ	4
*くらべる［比べる］	3
くらべる［比べる］	4
くりかえし［繰り返し］	7
*くりかえす［繰り返す］	11
くりかえす［繰り返す］	24
クリニック	14
くるしい［苦しい］	22
くるしむ［苦しむ］	19
くんれん（する）［訓練（する）］	11
くんれんし［訓練士］	22

け

けいざい［経済］	10
けいたい［携帯］	13
けいたいでんわ［携帯電話］	4
けいやく（する）［契約（する）］	15
けいやくしょ［契約書］	1
ケース	9
けしょうひん［化粧品］	9
*けっか［結果］	1
けっか［結果］	8
けっして［決して］	14
けっせき（する）［欠席（する）］	27
けむり［煙］	14
げんいん［原因］	3
げんきでやる［元気でやる］	20
けんきょ（な）［謙虚（な）］	20
げんご［言語］	21
けんこう［健康］	2
げんこう［原稿］	18
けんこうてき（な）［健康的（な）］	21
けんさ（する）［検査（する）］	1
げんじつ［現実］	27
げんじものがたり［源氏物語］	21
*けんじょうご［謙譲語］	26
げんだい［現代］	6
げんち［現地］	24
けんちく［建築］	20

こ

ごい［語彙］	19
こいしい［恋しい］	14
コインロッカー	10
～ごう［～号］	5
*こうい［行為］	24
こうい［好意］	27
こうえんかい［講演会］	15
こうか［効果］	15
こうかい（する）［後悔（する）］	15
*こうかいする［後悔する］	15
ごうかく（する）［合格（する）］	1
こうかん（する）［交換（する）］	13
こうくうけん［航空券］	13
こうけい［光景］	24
こうし［講師］	25
こうじ［工事］	5
こうしゅうでんわ［公衆電話］	2
こうじょう［工場］	6
こうずい［洪水］	20
こうそくどうろ［高速道路］	21
こうどう（する）［行動（する）］	11
こうりゅう［交流］	3
こうれい［高齢］	21
こえがあがる［声が上がる］	24
こえをかける［声をかける］	9
こえをだす［声を出す］	1
コーチ	25
ごがく［語学］	18
こくみん［国民］	11
ここ～ねん［ここ～年］	10
こころ［心］	4
こしをおろす［腰を下ろす］	24
こだわる	16
ごちそう［ご馳走］	14
ゴッホ（ヴァン・ゴッホ）	3
*ことがら	3
～ごとに	21
ことわる［断る］	10
このまま	13
こぼれる	22

コミュニケーション	19
ごめん	6
ころぶ［転ぶ］	24
こんかい［今回］	18
こんご［今後］	10
こんざつ（する）［混雑（する）］	17
コンセント	27

さ

さいがい［災害］	11
さいこう［最高］	10
ざいさん［財産］	16
ざいじゅう［在住］	19
さいせい（する）［再生（する）］	19
さいわい［幸い］	20
サイン（する）	1
サインかい［サイン会］	3
さか［坂］	16
さかん（な）［盛ん（な）］	3
～さき［～先］	9
さきほど［先ほど］	26
さくや［昨夜］	3
さけづくり［酒造り］	17
ささえ［支え］	20
*さす［指す］	11
さす［刺す］	21
～さつ［～札］	21
さつえい（する）［撮影（する）］	23
さっきょくか［作曲家］	26
さて	20
サボテン	2
さまざま（な）［様々（な）］	1
さめる［冷める］	24
さめる［覚める］	27
さゆう［左右］	18
ざるそば	13
さわぎ［騒ぎ］	12
さんがく［山岳］	3
ざんぎょう（する）［残業（する）］	27
さんこうしょ［参考書］	25
サンプル	9

し

～し［～氏］	19
しあげる［仕上げる］	17
シール	8
*しえき［使役］	18
しかい［司会］	3
しかく［資格］	15
しき（けっこん～）［式（結婚～）］	9
～しき（フィルム～）［～式（フィルム～）］	27
じき［時期］	23
じぎょう［事業］	19
しきん［資金］	19
しげん［資源］	1
じこく［時刻］	7
じさ［時差］	3
*しじする［指示する］	18
*じじつ［事実］	5
ししゃかい［試写会］	3
じしゃく［磁石］	22
*じじょう［事情］	27
じしん［自信］	16
しずむ［沈む］	11
しぜん［自然］	3
*したしいひと［親しい人］	5
したしみ［親しみ］	3
しちゃく（する）［試着（する）］	11
～しつ［～室］	1
しっかく（する）［失格（する）］	22
しっけ［湿気］	3
しつけ	22
じっけん（する）［実験（する）］	24
じつげん（する）［実現（する）］	21
しつこい	21
*じっさいに［実際に］	13
じっと	24
*しつぼう［失望］	17
していせき［指定席］	1
してん［支店］	23
しなかず［品数］	12
しはつ［始発］	19

187

しばらく	5
しばらくですね	11
しま [島]	11
しみん [市民]	14
ジム	1
じむ [事務]	13
しめい [使命]	19
*しめす [示す]	5
～しゃ [～車]	7
～しゃ [～者]	21
しゃ [社]	26
じゃがいも	1
しゃしょう [車掌]	7
シャッター	6
しゃない [車内]	25
じゃま (な)	16
ジャム	8
～しゅう (する) [～周 (する)]	14
～しゅう [～集]	26
しゅうかん～ [週刊～]	10
しゅうきょう [宗教]	20
じゅうぎょういん [従業員]	3
しゅうごう (する) [集合 (する)]	6
じゆうこうどう [自由行動]	14
しゅうしょく (する) [就職 (する)]	7
*しゅうしょくする [修飾する]	2
しゅうせい [習性]	14
しゅうせいえき [修正液]	11
じゆうせき [自由席]	1
*じゅうぞくせつ [従属節]	3
じゅうたい (する) [渋滞 (する)]	20
しゅうちゅう (する) [集中 (する)]	14
しゅうり (する) [修理 (する)]	25
じゅく [塾]	18
じゅけん (する) [受験 (する)]	18
*しゅご [主語]	19
しゅしょう [首相]	11
しゅじんこう [主人公]	11
*じゅつご [述語]	3
しゅっしゃ (する) [出社 (する)]	17
しゅっしん [出身]	3
しゅっぱん (する) [出版 (する)]	26
じゅんに [順に]	12
じゅんばん (に) [順番 (に)]	3
～しょう [～証]	8
しよう (する) [使用 (する)]	25
～じょう [～状]	6
～じょう [～場]	13
～じょう [～城]	16
しょうがくきん [奨学金]	6
じょうきゃく [乗客]	25
じょうきゅう [上級]	2
*じょうきょう [状況]	3
じょうけん [条件]	26
じょうし [上司]	9
しょうしか [少子化]	21
*じょうたい [状態]	1
しょうひしゃ [消費者]	10
しょうひん [商品]	2
じょうへき [城壁]	24
しょうみ [賞味]	8
しょうめいしょ [証明書]	16
じょうようしゃ [乗用車]	5
しょうりゃく (する) [省略 (する)]	21
しょくせいかつ [食生活]	21
しょくば [職場]	4
じょし [女子]	10
しょっき [食器]	6
ショック	20
ショップ	3
しょんぼりする	8
じりつ (する) [自立 (する)]	11
しろ [城]	14
しろみ [白身]	16
シンガーソングライター	26
しんけん (な) [真剣 (な)]	10
しんこう [信仰]	20
しんごう [信号]	27
じんこうてき (な) [人工的 (な)]	10
しんこく (な) [深刻 (な)]	10
しんさつ (する) [診察 (する)]	20
しんさつけん [診察券]	8
しんせん (な) [新鮮 (な)]	3
しんぜんたいし [親善大使]	19
しんにゅうしゃいん [新入社員]	22
しんにゅうせい [新入生]	25

しんぱいをかける［心配をかける］	26
シンボル	16
しんや［深夜］	9
＊しんりてき［心理的］	20
じんるい［人類］	11
しんろ［進路］	9

す

す［巣］	14
ず［図］	10
すいか	8
すいせん（する）［推薦（する）］	6
すいみん［睡眠］	27
スイミングスクール	18
＊すいりょう［推量］	5
すう～［数～］	3
すうじ［数字］	4
スーッと	7
すがた［姿］	11
スキーじょう［スキー場］	11
～すぎる	1
すごい	8
すすむ（きんしが～）［進む（近視が～）］	20
すすむ（けんきゅうが～）[進む（研究が～）］	10
すすむ（だいがくに～）[進む（大学に～）］	18
すすむ（とけいが～）［進む（時計が～）］	8
すすめる	21
ずつうがする［頭痛がする］	3
すっかり	14
ストップ	22
ストレス	19
スポーツバッグ	9
すませる［済ませる］	1
すもう［相撲］	3
する（しばらく～）	14
すると	5
スワヒリご［スワヒリ語］	19

せ

～せい	20
せいき［世紀］	21
せいけつ（な）［清潔（な）］	22
せいご［生後］	4
＊せいしつ［性質］	3
せいせき［成績］	15
せいど［制度］	21
せいひん［製品］	4
＊せいりつする［成立する］	15
セールス	21
せっかく	17
ぜったい（に）［絶対（に）］	6
セッティング（する）	23
せっとく（する）［説得（する）］	18
セットする	8
＊せつめいする［説明する］	3
せつやく（する）［節約（する）］	19
セミナー	25
せわ［世話］	2
ぜん～［前～］	11
ぜん～［全～］	21
ぜんいん［全員］	3
せんじつ［先日］	5
せんしゅ［選手］	10
センター	22
ぜんたい［全体］	18
～センチ	11
ぜんりゃく［前略］	26

そ

そういえば	21
そうさ（する）［操作（する）］	1
そうじきをかける［掃除機をかける］	2
そうたい（する）［早退（する）］	17
そうとう［相当］	20
そだつ［育つ］	27
そだてる［育てる］	2
そふ［祖父］	1
そふぼ［祖父母］	24

それぞれ	18
それでも	2
そろう	13

た

たい	16
～だい［～代］	24
たいきょくけん［太極拳］	12
だいきらい（な）［大嫌い（な）］	21
たいけん（する）［体験（する）］	19
たいざい（する）［滞在（する）］	26
たいした	20
たいしょく（する）［退職（する）］	13
たいそう［体操］	2
だいたい	4
たいちょう［体調］	3
タイプ	20
たいふう［台風］	5
たいへんさ［大変さ］	14
たいりょく［体力］	2
たえる［耐える］	22
たがい［互い］	3
たからくじ［宝くじ］	13
たけ［丈］	11
～だけ	10
たしかめる［確かめる］	18
たしょう［多少］	20
たすう［多数］	27
たすける［助ける］	6
たずさわる［携わる］	26
たずねる［尋ねる］	12
たずねる［訪ねる］	22
ただいま	26
ただの～	20
～たち	2
＊たちば［立場］	18
たつ	6
たてる［建てる］	21
たとえ	22
たな［棚］	11
たにん［他人］	4
たのしさ［楽しさ］	14

だます	12
たまに	6
たまる	7
たみんぞく［多民族］	21
ためす［試す］	24
ためる	7
タレント	19
タンス	16
だんだん	10
＊だんていする［断定する］	20
たんとう（する）［担当（する）］	18
たんぱくしつ［たんぱく質］	27
だんボール［段ボール］	16

ち

ちいき［地域］	10
ちがい［違い］	4
ちかいうちに［近いうちに］	23
ちかづく［近づく］	6
ちからがつく［力がつく］	10
ちからをあわせる［力を合わせる］	10
ちきゅう［地球］	11
ちち［乳］	16
ちほう［地方］	17
チャイム	7
チャンス	22
チャンネル	7
ちゅうし（する）［中止（する）］	13
ちゅうじゅん［中旬］	16
ちょうかん［朝刊］	16
ちょうさ（する）［調査（する）］	5
ちょうじょう［頂上］	10
ちょうしょく［朝食］	1
ちょうりき［調理器］	22
ちょきんばこ［貯金箱］	16
＊ちょくせつ［直接］	6
ちょくせつ［直接］	26
チンパンジー	4

つ

ツアー	5

ついていく	20
ついでに	10
ついとつ（する）［追突（する）］	21
つうがく（する）［通学（する）］	16
つうきん（する）［通勤（する）］	22
つうじる［通じる］	2
つうやく（する）［通訳（する）］	3
つかいすて［使い捨て］	16
つかれ［疲れ］	19
つきあたり［突き当たり］	14
*つぎつぎに［次々に］	14
つぐ［継ぐ］	20
～づくり［～作り］	2
つごうがつく［都合がつく］	15
つたえる［伝える］	21
つたわる［伝わる］	11
つづく（あとに～）［続く（後に～）］	2
つづく（かいぎが～）［続く（会議が～）］	7
～つづける（はたらき～） ［～続ける（働き～）］	12
つとめさき［勤め先］	26
つぼみ	11
つもる［積もる］	8
つゆ［梅雨］	3

て

であう［出会う］	11
*ていあん［提案］	16
ディーエヌエー［ＤＮＡ］	4
ディーブイディー［ＤＶＤ］	1
ていきけん［定期券］	1
ていしゃ［停車］	7
ていしゅつ（する）［提出（する）］	25
ディズニー	21
*ていねいご［ていねい語］	26
ていれ［手入れ］	16
てがたりる［手が足りる］	16
*できごと	3
できごと	24
てきとう（な）［適当（な）］	25
できるだけ	10
デザイン	21

てつづき［手続き］	1
でてくる［出てくる］	6
テニスコート	11
デビュー（する）	21
てまがかかる［手間がかかる］	17
てもと［手元］	25
てらす［照らす］	24
でる（けいほうが～） ［出る（警報が～）］	9
でる（こうかが～） ［出る（効果が～）］	15
でる（しょうひんが～） ［出る（商品が～）］	3
でる（やるきが～） ［出る（やる気が～）］	9
～てん［～展］	3
てんかい（する）［展開（する）］	24
でんきてん［電器店］	25
てんきん（する）［転勤（する）］	3
てんさい［天才］	4
てんじかい［展示会］	3
でんじちょうりき［電磁調理器］	22
でんち［電池］	8
でんちゅう［電柱］	6
てんちょう［店長］	21
てんぼうだい［展望台］	14

と

～ど［～度］	11
～ど～ぶ［～度～分］	17
といあわせる［問い合わせる］	3
～とう［～等］	17
どうか	5
どうぐ［道具］	4
*どうさ［動作］	1
とうじつ［当日］	23
どうじに［同時に］	12
*とうぜん［当然］	27
どうそうかい［同窓会］	3
とうちゃく（する）［到着（する）］	7
どうも	20
どうりで	27

どうりょう [同僚]	3
とおく [遠く]	8
ドーナツ	10
～どおり [～通り]	23
とおりがかり [通りがかり]	2
とおりぬける [通りぬける]	24
とくい（な）[得意（な）]	3
とくに [特に]	22
*とくべつな [特別な]	26
とける	24
ところで	12
～として	10
としょけん [図書券]	13
とちゅう [途中]	2
とっきゅう [特急]	7
とつぜん [突然]	13
～とどけ [～届]	24
とびおりる [飛び降りる]	12
とびのる [飛び乗る]	12
とぶ [飛ぶ]	21
とら	12
トラック	21
トラブル	20
*とりあげる [取り上げる]	16
とりかえる [取り替える]	8
*とりだす [取り出す]	3
とりやめる [取りやめる]	27
どりょく（する）[努力（する）]	11
ドリンクざい [ドリンク剤]	9
とる（ちょうしょくを～） [とる（朝食を～）]	1
とる（つかれを～）[取る（疲れを～）]	27
トレーニング（する）	10
とれる [取れる]	17
どんどん	10
どんなに	22

な

ないよう [内容]	1
～なおす（かき～）[～直す（書き～）]	21
ながねん [長年]	26
ながびく [長引く]	13
なかま [仲間]	6
ながめ [眺め]	11
～ながら	18
なぐさめる [慰める]	6
なくなる [亡くなる]	11
～なさい	12
なぜ	22
なつかしい [懐かしい]	9
*なっとくする [納得する]	5
なべりょうり [なべ料理]	17
なやむ [悩む]	9
ならいごと [習いごと]	18
ならす [鳴らす]	7
ならぶ [並ぶ]	8
*なりゆき [成り行き]	27
なんかいか [何回か]	3
なんかいも [何回も]	4
なんとか [何とか]	1
なんとなく [何となく]	9

に

にえる [煮える]	7
におい	2
にがて（な）[苦手（な）]	3
*～にたいして [～に対して]	26
にちじょうかいわ [日常会話]	4
ニックネーム	19
にづくり [荷造り]	16
にってい [日程]	8
にほんしょく [日本食]	10
*ニュアンス	8
にゅうかん [入管]	5
にゅうし [入試]	26
ニュージーランド	11
にゅうじょうりょう [入場料]	3
～によって	21
～による	5
にる [煮る]	1

ぬ

ぬける [抜ける]	27

ね

ねすごす [寝過ごす]	10
ねずみ	12
ねんし [年始]	17
～ねんだい [～年代]	4
ねんまつ [年末]	17
ねんれい [年齢]	11

の

のう [脳]	27
*のうりょく [能力]	3
のうりょく [能力]	19
のうりょくしけん [能力試験]	16
ノーベルしょう [ノーベル賞]	2
のこす [残す]	8
のせる [乗せる]	14
のせる [載せる]	25
のばす [延ばす]	13
のはら [野原]	14
*のべる [述べる]	5
のぼる [昇る]	24
のりおくれる [乗り遅れる]	14
のりかえ [乗り換え]	7
のんき (な)	12
のんびり	13

は

ばあい [場合]	11
～ばい [～倍]	20
ハイキング	6
はいけんする [拝見する]	26
はいる (おちゃが～) [入る (お茶が～)]	7
はかる [測る]	20
～はく～か [～泊～日]	15
はげます [励ます]	21
はこぶ [運ぶ]	15
はさむ	23
ばしょをとる [場所を取る]	15
バスターミナル	8
はたけ [畑]	21
*はたらき [働き]	3
はつげん (する) [発言 (する)]	24
はっせい (する) [発生 (する)]	20
はっぴょう (する) [発表 (する)]	21
はつめい (する) [発明 (する)]	21
はなしあう [話し合う]	3
はなしかける [話しかける]	21
*はなしことば [話し言葉]	1
*はなして [話し手]	3
はなれる [離れる]	19
ははおや [母親]	18
はやめに [早めに]	5
はらがたつ [腹が立つ]	14
はらをたてる [腹を立てる]	12
バランス	17
はりがみ [はり紙]	6
はりきる [張り切る]	12
はれる [晴れる]	1
はんえい (する) [繁栄 (する)]	16
ハンガー	8
バンコク	26
はんたい [反対]	1
はんたい (する) [反対 (する)]	21
*はんだん [判断]	16
はんだん (する) [判断 (する)]	20
はんとし [半年]	23
はんにち [半日]	14

ひ

～ひ [～費]	15
ひあたり [日当たり]	22
ビートルズ	21
ひがい [被害]	11
*ひかこ [非過去]	9
ひがでる [火が出る]	22
ひかり [光]	27
～ひき [～匹]	14
ひきうける [引き受ける]	27
ひきだし [引き出し]	13
ひきとる [引き取る]	22

ひごろ［日頃］	15
ひさびさ［久々］	2
びじゅつ［美術］	18
ひしょ［秘書］	26
ひじょうに［非常に］	10
びしょぬれ	21
ひつじ［羊］	6
ひつよう［必要］	5
*ひてい［否定］	1
ひとがら［人柄］	20
ひとまえ［人前］	3
ひとりぐらし［一人暮らし］	2
*ひとりごと［独り言］	11
ひなん（する）［避難（する）］	15
ひにち［日にち］	17
ひので［日の出］	12
ひめ［姫］	14
ひよう［費用］	5
びょう［秒］	10
*ひょうげん［表現］	1
ひょうげん（する）［表現（する）］	1
ひょうし［表紙］	2
ひょうばん［評判］	20
ひるねをする［昼寝をする］	9
ひろう［拾う］	6
ひろうかいふく［疲労回復］	27
ひろがる［広がる］	24
ひんしつ［品質］	15
ヒンディーご［ヒンディー語］	21
ヒント	3

ふ

～ぶ（サッカー～）［～部（サッカー～）］	9
～ぶ（10～）［～部（10～）］	25
ファッション	4
ファン	3
ふあん（な）［不安（な）］	20
フェスティバル	26
ふえる［増える］	3
ぶか［部下］	18
ふきゅう（する）［普及（する）］	4
ふく［吹く］	8
ふく	22
ふくざつ（な）［複雑（な）］	1
ふざい［不在］	26
ぶじ（な）［無事（な）］	3
ふしぎ（な）［不思議（な）］	7
ふじゆう（な）［不自由（な）］	22
ふじゆうする［不自由する］	4
～ぶそく［～不足］	19
ぶた［豚］	16
ふどうさん［不動産］	22
*ぶぶん［部分］	2
ぶぶん［部分］	11
*ふまん［不満］	17
*ふまんにおもう［不満に思う］	6
ふやす［増やす］	10
～ぶり	3
ふりがな	19
ふりだす［降り出す］	9
プリンター	3
プリント	18
プレゼンテーション	25
プログラム	23
プロジェクト	5
ぶんか［文化］	3
ぶんかさい［文化祭］	23
ぶんしょう［文章］	3
ぶんべつ（する）［分別（する）］	4

へ

*ペア	7
ヘアスタイル	7
へいき（な）［平気（な）］	2
へいきん［平均］	4
～べつ［～別］	11
ペットボトル	1
べつに［別に］	27
へらす［減らす］	19
ベランダ	3
へる［減る］	10
ベル	7
ペルー	25

へんか（する）[変化（する）]	3
*へんか（しゅんかん）どうし [変化（瞬間）動詞]	9
へんこう（する）[変更（する）]	8

ほ

ポイント	13
*ほうこう[方向]	10
ほうこう[方向]	14
ほうこく（する）[報告（する）]	11
ほうこくしょ[報告書]	25
*ほうこくする[報告する]	5
ぼうさい[防災]	11
ほうそう（する）[包装（する）]	10
ほうそうきょく[放送局]	26
ぼうそうぞく[暴走族]	9
ぼうふうけいほう[暴風警報]	9
ほうほう[方法]	5
ほうもん（する）[訪問（する）]	26
ボウリング	2
ホーム	7
ホームページ	14
ホール	3
ほけんしつ[保健室]	18
ほけんしょう[保険証]	1
ほし[星]	3
ほしょうしょ[保証書]	15
ほっとする	8
～ほど	14
ほどう[歩道]	18
ほとんど	3
ほめる	5
ほら	11
ボランティア	10
ポルトガル	21
ほんかくてき（な）[本格的（な）]	22
ほんやく（する）[翻訳（する）]	16

ま

マーク	11
マイク	25
まいる	26
まぐろ	16
まける[負ける]	8
まず	22
ますます	10
まだまだ	10
まちあわせ[待ち合わせ]	7
まちあわせる[待ち合わせる]	3
まちがう[間違う]	8
まっしろ（な）[真っ白（な）]	14
～まつり[～祭り]	26
まどぐち[窓口]	15
まとまる	24
*まとめる	5
まどり[間取り]	3
マニュアル	1
まね（する）	24
まもなく	7
まもる[守る]	6
まよう[迷う]	23
マヨネーズ	1
マラソン	10
まるい[丸い]	24
まわってくる[回ってくる]	7
まわり[周り]	11
まんせき[満席]	13

み

み[身]	11
み[実]	11
ミーティング	7
みおくる[見送る]	9
みがく（はを～）[みがく（歯を～）]	13
みかける[見かける]	9
ミス	4
みずうみ[湖]	14
みち[道]	18
*みぢか[身近]	20
みつける[見つける]	7
みっせつ（な）[密接（な）]	27
ミツバチ	14
みつめあう[見つめ合う]	4

みとめる [認める]	21
みにつける [身につける]	18
〜みまん [〜未満]	4
みみにする [耳にする]	20
みやざきはやお [宮崎駿]	3
みょうじ [名字]	1
みる [診る]	20
みんかんきぎょう [民間企業]	26

む

むかい [向かい]	11
*むかう [向かう]	10
むかし [昔]	1
むこう [向こう]	10
むし（する）[無視（する）]	5
むすこ [息子]	18
*むすぶ [結ぶ]	3
むすめ [娘]	18
むだ（な）[無駄（な）]	10
むらさきしきぶ [紫式部]	21
むりょう [無料]	3
むりをする [無理をする]	25

め

〜めい [〜名]	3
めいじじだい [明治時代]	21
めいししゅうしょく [名詞修飾]	2
めいししゅうしょくせつ [名詞修飾節]	3
めいれい（する）[命令（する）]	22
*めいれいけい [命令形]	17
めいわく（な）[迷惑（な）]	21
めいわくをかける [迷惑をかける]	9
めうえ [目上]	9
メーカー	1
めざす [目指す]	22
めだつ [目立つ]	17
めをさます [目を覚ます]	12
めんどう（な）[面倒（な）]	16
メンバー	10

も

もうしわけありません [申し訳ありません]	9
もうしわけございません [申し訳ございません]	26
もうどうけん [盲導犬]	22
*もくてき [目的]	19
*もくひょう [目標]	19
もじ [文字]	4
もちこむ [持ち込む]	23
もちよりパーティー [持ち寄りパーティー]	6
もっとも [最も]	2
もどす [戻す]	13
*もとめる [求める]	18
もの [者]	26
*ものがたり [物語]	14
ものがたり [物語]	21
*ものごと	21
もり [森]	19
もん [門]	24
もんく [文句]	21
モンゴル	3
もんだいしゅう [問題集]	16

や

やがて	24
やかましい	14
やきもの [焼き物]	6
やく [約]	4
やせいどうぶつ [野生動物]	10
やっきょく [薬局]	2
やっぱり	5
やはり	5
やぶいしゃ [やぶ医者]	20
やるき [やる気]	9
*やわらかい [柔らかい]	5

ゆ	
ゆうじん [友人]	26
ゆうはん [夕飯]	9
～ゆき [～行き]	3
ゆしゅつ（する）[輸出（する）]	21
ゆたか（な）[豊か（な）]	3
ゆでる	1
ユニセフ	19
ゆにゅう（する）[輸入（する）]	21
ゆめ [夢]	13

よ	
～よう [～用]	4
ようこう [要項]	26
ようす [様子]	5
ようやく	23
よがあける [夜が明ける]	24
よそう（する）[予想（する）]	21
＊よそうする [予想する]	13
よち（する）[予知（する）]	4
よなか [夜中]	12
よぶん（な）[余分（な）]	19

ら	
らいいん（する）[来院（する）]	1
ライト	1
ライブハウス	13
らく（な）[楽（な）]	2

り	
＊りえき [利益]	6
りかい（する）[理解（する）]	4
りきし [力士]	6
リクエスト（する）	9
リサイクル（する）	1
リスト	25
リフレッシュ（する）	18
リモコン	7
りゆう [理由]	2
りょう [猟]	6
りょう [量]	20
りよう（する）[利用（する）]	11
りょうかい（する）[了解（する）]	17
りょうきん [料金]	9
りょうこく [両国]	3
リラックス（する）	18

る	
るす [留守]	2

れ	
れいぼう [冷房]	27
レトルト	4

ろ	
ろうか [廊下]	23
ろくおん（する）[録音（する）]	23
ロシア	3
ろせんず [路線図]	15
ろてんぶろ [露天風呂]	14
ろんぶん [論文]	17

わ	
ワーキングホリデー	21
わかもの [若者]	21
わずか（な）	3
わだい [話題]	2
～わり [～割]	22
わる [割る]	7
わるいけど [悪いけど]	18

著者
>
> 名古屋YWCA　教材作成グループ
>
> 宮川光恵　　原田三千代　　安藤節子
>
> 坂口弘子　　山本祥子　　向山ひろみ　　村瀬由佳
> 土方千保　　田口典子　　川瀬世津子　　南東昭子
> 中村美智子　福武純子　　外山説子　　　深貝章世
> 山田慶江子　川崎カオリ　久野伊津子　　横井和子
> 伏屋由美　　谷山文子　　木下洋子

イラストレーション
> 横井和子

表紙デザイン
> 片岡　理

わかって使える日本語

2004年 4 月12日　初版第 1 刷発行
2025年 4 月25日　第 14 刷　発　行

著　者　名古屋YWCA　教材作成グループ
発行者　藤嵜政子
発　行　株式会社　スリーエーネットワーク
　　　　〒102-0083　東京都千代田区麹町 3 丁目 4 番
　　　　　　　　　　トラスティ麹町ビル 2 F
　　　　電話　営業　03（5275）2722
　　　　　　　編集　03（5275）2725
　　　　https://www.3anet.co.jp/
印　刷　倉敷印刷株式会社

ISBN978-4-88319-302-8 C0081

落丁・乱丁本はお取り替えいたします。
本書の全部または一部を無断で複写複製（コピー）することは著作権法上での例外を除き、禁じられています。

中級レベル
わかって使える日本語

名古屋YWCA 教材作成グループ　著

語彙

解答

スリーエーネットワーク

目　次

語彙

第 1 課　～て・なくて・ないで／ずに … 2
第 2 課　名詞修飾 …………………… 5
第 3 課　「は」と「格助詞」………… 7
第 4 課　ようになる ………………… 11
第 5 課　～んです …………………… 13
第 6 課　～てもらう・てくれる・てあげる 15
第 7 課　自動詞・他動詞 …………… 16
第 8 課　～ている …………………… 18
第 9 課　とき ………………………… 20
第10課　～てくる・ていく ………… 22
第11課　こ・そ・あ ………………… 25
第12課　普通形＋のは ……………… 28
第13課　たら ………………………… 29
第14課　と …………………………… 31
第15課　ば …………………………… 34
第16課　なら ………………………… 35
第17課　ので・のに ………………… 37
第18課　～（さ）せる（使役）…… 38
第19課　ように・ために …………… 40
第20課　ようだ・みたいだ ………… 41
第21課　～（ら）れる（受身）…… 44
第22課　～ても ……………………… 47
第23課　ことになる・ことにする … 49
第24課　うちに ……………………… 50
第25課　ように言う ………………… 53
第26課　敬語 ………………………… 54
第27課　わけだ ……………………… 56

解答

第 1 課　～て・なくて・ないで／ずに … 59
第 2 課　名詞修飾 …………………… 59
第 3 課　「は」と「格助詞」………… 60
第 4 課　ようになる ………………… 61
第 5 課　～んです …………………… 61
第 6 課　～てもらう・てくれる・てあげる 62
第 7 課　自動詞・他動詞 …………… 63
第 8 課　～ている …………………… 63
第 9 課　とき ………………………… 64
第10課　～てくる・ていく ………… 64
第11課　こ・そ・あ ………………… 65
第12課　普通形＋のは ……………… 65
第13課　たら ………………………… 66
第14課　と …………………………… 66
第15課　ば …………………………… 67
第16課　なら ………………………… 67
第17課　ので・のに ………………… 67
第18課　～（さ）せる（使役）…… 68
第19課　ように・ために …………… 69
第20課　ようだ・みたいだ ………… 69
第21課　～（ら）れる（受身）…… 70
第22課　～ても ……………………… 71
第23課　ことになる・ことにする … 71
第24課　うちに ……………………… 71
第25課　ように言う ………………… 72
第26課　敬語 ………………………… 73
第27課　わけだ ……………………… 74

第1課　～て・なくて・ないで／ずに

契約書 けいやくしょ	contract	合同(书)、契约	계약서
内容 ないよう	contents	内容	내용
サイン(する)	signature, autograph (sign, autograph)	签名	사인하다, 서명하다
	お名前の下にサインしてください。		

～て・なくて

環境 かんきょう	environment	环境	환경
急用ができる きゅうよう	urgent business come up	突然有急事	급한 용무가 생기다
	急用ができたので、午後の会議に出られません。		
～すぎる(甘すぎる) あま	over-, ～ too much (too sweet)	太～(太甜)	너무 ～하다(너무 달다)
	甘すぎるケーキは好きじゃない。		
操作(する) そうさ	operation (operate)	操作	조작(하다)
	パソコンの操作に慣れましたか。		
複雑(な) ふくざつ	complicated	复杂	복잡(한)
	この説明は複雑でよくわかりません。		
合格(する) ごうかく	pass (an exam)	考上, 及格	합격(하다)
	弟はN大学の試験に合格した。		
緊張(する) きんちょう	feeling nervous (feel nervous)	紧张	긴장(하다)
	試験のとき、とても緊張した。		
晴れる は	become sunny	晴	날씨가 개다, 맑다
	午前中は晴れますが、午後から雨になります。		
定期券 ていきけん	commuter pass	月票	정기권
何とか なん	somehow	想方设法	어떻게든
	何とかきょう中にこの仕事をやってしまいたい。		
移る うつ	move	移动, 迁移	옮기다
	大学に近いアパートに移りたいと思う。		

～て・ないで／ずに

表現(する) ひょうげん	expression (express)	表达, 表现	표현(하다)
	思っていることを日本語で表現したいと思います。		
検査(する) けんさ	inspection, examination	检查	검사(하다)
	病院で検査を受ける。		

朝食（ちょうしょく）	breakfast	早饭	조식, 아침밥
とる（朝食をとる）	have (breakfast)	吃, 用（吃早饭）	하다(조식을), 먹다(아침밥을)
	忙しくて昼食をとる時間もなかった。		
来院（らいいん）（する）	visiting a hospital (visit a hospital)	来医院	내원(하다), 병원에 옴(오다)
	次に来院するときは、予約をしてください。		
保険証（ほけんしょう）	health insurance card	保险证书	보험증
手続き（てつづ）	procedure, formalities	手续	수속
済ませる（す）	finish	办完, 做完	끝내다, 마치다
	受付で手続きを済ませてから、入ってください。		
〜室（しつ）	〜room	〜室	방, 실
マニュアル	manual	手册, 便览	안내서
声を出す（こえ だ）	produce a sound/noise	发出声音	소리를 내다
	もっと大きい声を出してください。		
確認（かくにん）（する）	confirmation (confirm)	确认	확인(하다)
	名前と電話番号を確認してください。		
遠慮（えんりょ）（する）	reserve (be reserved)	客气	사양(하다)
	どうぞ遠慮しないでください。		
祖父（そふ）	grandfather	祖父, 外祖父	조부, 할아버지
外出（がいしゅつ）（する）	going out (go out)	出门, 外出	외출(하다)
	父は今、外出しています。		
ジム（スポーツジム）	gym (sports gym)	体育馆, 健身房	연습장, 훈련장(스포츠센타)
着替える（きが）	change one's clothes	换装, 换衣服	옷을 갈아입다
	ジョギングの後、着替えて外出した。		
ライト	light	灯, 灯光	라이트
	車のライトがついていますよ。		
DVD（ディーブイディー）	DVD	数字视频光盘	디브이디(DVD)
メーカー	maker	厂商, 厂家	제조회사
	父は自動車メーカーに勤めている。		
開発（かいはつ）（する）	development (develop)	研制	개발(하다)
	彼は今新しい薬を開発しています。		
ガイドブック	guidebook	旅行指南	가이드북, 여행안내서
遅く（おそ）	late	迟, 晚	늦게
	ゆうべ遅くまでビデオを見ていた。		
じゃがいも	potato	土豆	감자

いためる	fry	炒	볶다
	この野菜はいためたほうがおいしいです。		
かける （しょうゆをかける）	pour, sprinkle (soy sauce)	淋，倒，浇(酱油)	치다, 뿌리다(간장을~)
	焼いた魚にしょうゆをかけますか。		
煮る	boil, cook	煮	조리다
	魚をしょうゆと砂糖で煮ます。		
ゆでる	boil	(用白水)煮	삶다
	卵をゆでてください。		
マヨネーズ	mayonnaise	(用鸡蛋，橄榄油，醋等作成的)蛋黄酱	마요네즈
様々（な）	various, different	各种各样的,各个	여러가지, 가지가지
	ここでは様々な国の学生が勉強しています。		
名字	family name	姓	성(姓)

N₁じゃなくて、N₂
（ではなくて）

ペットボトル	PET bottle, plastic bottle	塑料瓶	페트(pet) 병
アルミ缶	aluminium can	易拉罐,铝罐	알루미늄 캔
資源	resources	资源	자원
リサイクル（する）	recycling (recycle)	(废品)再利用	재생이용・재활용(하다)
	紙をリサイクルして大切に使いましょう。		
買ってくる	go and buy	买来	사오다
	コンビニで牛乳を買ってきてください。		
片道	one way (ticket)	单程	편도
往復	both ways, round trip (ticket)	往返	왕복
自由席	unreserved seat	不对号座位	자유석, 입석
指定席	reserved seat	对号座位	지정석
～以上	more than～, over～	～以上	～이상
	パーティーの予約は10人以上で申し込んでください。		
昔	a long time ago, in olden days	过去	옛날, 예진
反対	opposit, contrary	相反	반대
	兄は本当はやさしいが、言葉では反対のことを言う。		

第2課　名詞修飾

名詞修飾（めいししゅうしょく）	noun modification	修饰名词	명사수식
表紙（ひょうし）	cover (of a book)	封面, 封皮	표지
上級（じょうきゅう）	advanced level, upper level	高级(班)	상급
音（おと）	sound	声音	소리, 음
掃除機をかける（そうじき）	vacuum (a room)	用吸尘器清扫	청소기를 틀다(돌리다), 청소를 하다
	わたしは2日に1回掃除機をかけます。		
聞こえる（き）	hear, be audible	能听到	들리다
	公園（こうえん）で遊（あそ）ぶ子どもの声（こえ）が聞こえます。		
通じる（つう）	be understood	理解, 懂	통하다
	わたしの日本語が店員（てんいん）に通じて、うれしかった。		
生かす（い）	make the most of	有效地利用	활용하다, 살리다
	今までの経験（けいけん）を生かして仕事をしたい。		
におい	smell	气味儿	냄새
途中（とちゅう）	on the way	半路上	도중
	ここへ来る途中でリーさんに会いました。		
久々（ひさびさ）	after a long time	隔了好久, 少有的	오래(간)만
	弟（おとうと）の大学合格（ごうかく）は久々のうれしい知（し）らせだった。		
話題（わだい）	topic	话题	화제
ノーベル賞（しょう）	Nobel Prize	诺贝尔奖金	노벨 상
商品（しょうひん）	merchandise, goods	商品	상품
〜たち（リーさんたち）	(used to indicate the plural for people)	〜们(小李他们)	〜들(복수)
	(Ms. Lee's party)		
通りがかり（とお）	passerby	路过	통행
下りる（階段を下りる）（お　かいだん　お）	go down (stairs)	下, 降(下楼梯)	내려오다, 내려가다(계단을〜)
	この階段を下りて左に曲（ま）がってください。		
公衆電話（こうしゅうでんわ）	public telephone	公用电话	공중전화
薬局（やっきょく）	pharmacy, drugstore, chemist's (shop)	药店	약국
横断歩道（おうだんほどう）	pedestrian crossing	人行横道	횡단보도
外来語（がいらいご）	words of foreign origin	外来语	외래어
一人暮らし（ひとりぐ）	living alone	单身生活	독신 생활
	今、一人暮らしをしています。		
サボテン	cactus	仙人掌	선인장

育てる（そだ）	grow, bring up, raise	养育, 栽培	기르다, 키우다
	ベランダでトマトを育てています。		
理由（りゆう）	reason, cause	理由	이유
世話（せわ）	care	照顾, 照料	보살핌
	ペットの世話は大変（たいへん）ですか。		
楽（な）（らく）	easy	轻松, 容易	편안(한)
	部屋（へや）が狭（せま）いからそうじが楽です。		
留守（るす）	being away (from home or the office)	出门, 不在家	부재중
平気（な）（へいき）	indifferent, not care	若无其事, 不介意, 不在乎	태연(한), 예사(로운)
	わたしは虫（むし）が大嫌（だいきら）いですが、弟（おとうと）は平気です。		
それでも	even so	虽然那样, 还是	그럼에도 불구하고, 그런데도
	きのうは8時間寝（ね）た。それでも、眠（ねむ）い。		
枯らす（か）	let whither, let die	枯萎	시들게 하다, 말리다
	留守中（るすちゅう）にベランダの花（はな）を枯らしてしまった。		
最も（もっと）	most	最	가장, 제일
	日本で最も高い山は富士山（ふじさん）だ。		
多く（おお）	a lot	多数, 许多	다수, 많음
	多くの人がここに自転車（じてんしゃ）を止（と）めます。		
行う（おこな）	hold, carry out	举行	실시하다, 행하다
	来週の土曜日にさよならパーティーを行います。		
ウオーキング	walking	竞走, 散步	워킹, 보행
体操（たいそう）	gymnastics, physical exercise	体操	체조
ボウリング	bowling	保龄球	볼링
続く（つづ）	follow	继续, 接着	계속되다
	1番（ばん）はAさん、その後（あと）にBさんが続きます。		
気晴らし（きば）	diversion, recreation	散心	기분전환
	気晴らしにドライブに行きませんか。		
健康（けんこう）	health	健康	건강
体力（たいりょく）	physical power	体力	체력
～作り（体力作り）（づく）（たいりょくづく）	making, producing (producing physical strength)	培养, 增强	～만들기(체력단련)
	スポーツをする理由（りゆう）は体力作りです。		

第3課　「は」と「格助詞」

「格助詞」

格助詞 かくじょし	case particle	格助詞	격조사
話し合う はな　あ	talk with	商量，商议	이야기(를) 나누다(하다)
	これからリーさんと話し合おうと思います。		
お知らせ し	information, news, notice	通知	알림, 통지
通訳(する) つうやく	interpretation (interpret)	(做)口译	통역(하다)
	ルンさんにタイ語の通訳を頼んだ。 たの		

助詞「は」

～ぶり(2年ぶり) 　　　　ねん	after ～ (after 2 years)	(时间的经过)相隔	～만(2년만)
	大学卒業後2年ぶりに山田さんに会った。 　　そつぎょう		
同僚 どうりょう	colleague	同事	동료
山岳 さんがく	mountains	山岳,山川	산악
～家(写真家) 　か　しゃしんか	～ person (photographer)	～家(摄影家)	사진가
～展(写真展) 　てん　しゃしんてん	exhibition (photograph exhibition)	～展览(摄影展览)	～전(사진전)
ファン	fan	～迷(足球迷等)	팬, 후원자, 지지자
記事 きじ	article	报道,新闻	기사
～会(説明会) 　かい　せつめいかい	～ meeting (explanatory meeting)	～会(说明会)	～회, 모임(설명회)
間取り まど	layout of accommodation	房间的布局	방배치
LDK(エルディーケイ)	Living-Dinning-Kitchen (room)	一室一厅	엘・디・케이(LDK-거실과 식당겸용 부엌)
ベランダ	veranda	凉台,晒台	베란다
同窓会 どうそうかい	alumni society	同窗会	동창회
展示会 てんじかい	exhibition	展览会	전시회
司会 しかい	master of ceremonies	司仪,主持人	사회
順番(に) じゅんばん	in order, in turn	按照顺序	순번(으로), 차례(로)
	来た人から順番に名前を書いてください。		
出身 しゅっしん	be/come from	出生地,籍贯	출신
	ルンさんはタイの出身です。		
梅雨 つゆ	rainy season	梅雨	장마(철)
快適(な) かいてき	comfortable	舒服,舒适	쾌적(한)
	ホテルの部屋はとても快適でした。 　　　へや		

「は」と「格助詞」の使い方

文化(ぶんか)	culture	文化	문화
ホール	hall	大厅,会馆	홀, 회관
	文化(ぶんか)ホールでコンサートがある。		
試写会(ししゃかい)	preview	(电影)试映式	시사회
問い合わせる(とあ)	inquire	查询	문의하다
	電話で詳(くわ)しいことを問い合わせてみます。		
キムチ	kimchi (Korean pickles)	朝鲜辣白菜	김치
味(あじ)	taste	味道	맛
星(ほし)	star	星	별
～行き(西山公園行き)(ゆ にしやまこうえんゆ)	bound for ～ (bound for Nishiyama Park)	开往～(开往西山公园)	～행(西山公園행)
何回か(なんかい)	several times	几次,几回	몇번인가
	森(もり)さんの弟(おとうと)さんに何回か会ったことがある。		
待ち合わせる(まあ)	meet, wait for	等候,约会	약속시간에 만남
	友だちと駅前で待ち合わせて映画(えいが)に行った。		
昨夜(さくや)	last night (formal)	昨天夜间	어젯밤
従業員(じゅうぎょういん)	employee	职工	종업원
全員(ぜんいん)	all the members	全体人员	전원
無事(な)(ぶじ)	safe	太平无事,平安	무사(한)
	店が火事(かじ)になったが従業員(じゅうぎょういん)は全員(ぜんいん)無事だった。		
原因(げんいん)	cause	原因	원인
一般(いっぱん)	general	一般	일반인
入場料(にゅうじょうりょう)	admission fee	入场费	입장료
	一般(いっぱん)の入場料は1,800円です。		
～以下(いか)	less than ～, under ～	～以下	～이하
	12歳(さい)以下は入場料(にゅうじょうりょう)が200円です。		
無料(むりょう)	no charge, free	免费	무료
期間(きかん)	period	期间	기간
サイン会(かい)	signing session	签名会	사인회

「は」と「格助詞」―使い方のヒント―

ヒント	hint	启发,启示	힌트
疑問の言葉(ぎもん ことば)	interrogative word	疑问词	의문사
打ち合わせ(うあ)	meeting	事先商量,碰头	상의, 협의

名詞修飾節（めいししゅうしょくせつ）	noun modifying clause	修饰名词的短句	명사수식절
宮崎駿（みやざきはやお）	Miyazaki Hayao (renowned Japanese writer and director of cartoon films)	宫崎骏（著名动画制片家）	미야자키 하야오(만화가)
アニメ	animation, cartoon film	动画片，卡通片	애니메이션, 동화「アニメーション」의 준말
ゴッホ（ヴァン・ゴッホ）	Vincent Van Gogh (Dutch painter)	文森特・梵高（荷兰的画家）	반 고호 (네델란드의 화가)
訪れる（おとず）	visit	拜访，走访	방문하다
	冬（ふゆ）の京都（きょうと）を訪れたことがありますか。		
転勤（する）（てんきん）	transfer (be transferred)	调动工作（岗位）	전근하다
	兄（あに）は来月大阪（おおさか）に転勤します。		
体調（たいちょう）	(one's) physical condition	身体状况	몸의 상태, 컨디션
わずか（な）	a few, a little	很少，很短（的）	적다
	パーティーに出た人はわずかだった。		
湿気（しっけ）	humidity	湿气，潮气	습기
気圧（きあつ）	atmospheric pressure	气压	기압
変化（する）（へんか）	change	变化	변화(하다)
	大学ができて、この町は大きく変化した。		
頭痛がする（ずつう）	have a headache	头痛	머리가 아프다, 두통이 있다
	きょうは朝（あさ）から頭痛がする。		
がっかりする	be disappointed	失望，丧气	실망하다, 낙담하다
	雨で試合（しあい）がなくなって、がっかりしました。		
ロシア	Russia	俄国，俄罗斯	러시아
新鮮（な）（しんせん）	fresh	新鲜	신선(한)
	この店（みせ）の野菜（やさい）はいつも新鮮です。		
交流（こうりゅう）	interchange, exchange	交流	교류
人前（ひとまえ）	in front of people, in public	众人面前	남(타인) 앞
	人前で歌（うた）うのははずかしいです。		
得意（な）（とくい）	be good at	拿手，擅长	자신있음(-있는), 잘함(-하는)
	アンさんはイタリア料理（りょうり）が得意です。		
ショップ	shop	小卖部，零售商店	가게, 상점
出る（商品が出る）（で　しょうひん　で）	(goods) be put on the market	出，销出（商品）	나오다, 출하하다(상품이)
	A社から新（あたら）しいパソコンが出た。		
プリンター	printer	打印，打印机	프린터

機種(きしゅ)	type of machine	机型, 机种	기종
印刷(する)(いんさつ)	printing (print)	印刷, 打印	인쇄(하다)
自然(しぜん)	nature	大自然, 自然景致	자연
豊か(な)(ゆた)	abundant, rich	丰富, 富裕	풍부(한)

この辺(へん)は自然(しぜん)が豊かです。

| 文章(ぶんしょう) | sentence | 文章 | 문장 |
| 苦手(な)(にがて) | be poor at | 不擅长 | 서투름(-른) |

スポーツは好きですが、走(はし)るのは苦手です。

モンゴル	Mongolia	蒙古国	몽골, 몽고족
時差(じさ)	time difference	时差	시차
数〜(すう)	several 〜	几〜	수〜
〜名(10名)(めい)(めい)	〜 persons (10 persons)	〜名(十名)	〜명(열명)
写る(うつ)	be in (a photograph)	照, 映	(사진에) 찍히다, 박히다

この写真(しゃしん)に写っている人はだれですか。

| ほとんど | almost | 几乎, 差不多 | 대부분, 거의 |

ニュースの日本語はほとんどわからない。

| 区別がつく(くべつ) | be distinguished | 区分, 分清 | 구별(이)되다, 구별(이)가다 |

あの人は男か、女かほとんど区別がつかない。

| 外見的(な)(がいけんてき) | outwardly, appearance-wise | 外观上, 外表上 | 외관상(으로) |

あの2人は外見的によく似(に)ている。

| 親しみ(した) | friendly feeling, affection | 亲近, 亲密感情 | 친밀감, 친근감 |
| 感じる(かん) | feel, be impressed | 感受到, 感触到 | 느끼다 |

15年住んだこの町に親(した)しみを感じる。

両国(りょうこく)	both countries	两国	양국
相撲(すもう)	sumo wrestling	相扑	스모우(일본 씨름)
〜界(相撲界)(かい すもうかい)	world of 〜 (world of sumo)	〜界(相扑界)	〜계(씨름계)
力士(りきし)	sumo wrestler	力士(指相扑选手)	씨름꾼, 장사
活躍(する)(かつやく)	remarkable activity (take an active part in)	活跃	활약(하다)

兄(あに)は大学のサッカー部(ぶ)で活躍している。

| 互い/お互い(たが)(たが) | each other | 相互, 互相 | 서로 |

お互いに自分の考(かんが)えを言いましょう。

| 増える(ふ) | increase | 增加 | 증가하다, 늘다 |

日本語を勉強する人が増えています。

盛ん(な) さか	flourishing, popular	盛行,繁盛	번성(한), 번창(한)
	わたしの国で盛んなスポーツは、サッカーです。		

第4課　ようになる

比べる くら	compare	比较,対比	비교하다, 대조하다
	国と比べて、日本は物価がとても高い。		
数 かず	number	数,数量	수
	言葉の数が増えました。		
だいたい	mostly, generally	基本上	대체로, 대강, 대충
	日本人の友だちの話はだいたいわかります。		
日常会話 にちじょうかいわ	daily conversation	日常会話	일상회화
ミス	mistake	失误,错误,差错	실수, 잘못 실패
ファッション	fashion	时髦,时装	패션, 유행
携帯電話 けいたいでんわ	mobile/cellular phone	手机	휴대전화
普及(する) ふきゅう	spread, popularization (become popular, come into use)	普及	보급(하다)
	携帯電話が普及した。		
家庭 かてい	home, family	家庭	가정
～用(家庭用) よう かていよう	for ～ (for household use)	～使用(家庭使用的)	～용(가정용)
～機(電話機) き でんわき	～ machine/equipment (telephone set)	～机(电话机)	～기(전화기)
分別(する) ぶんべつ	separation (separate)	区分,分别	분리
	ごみの分別をしていますか。		
関心 かんしん	interest, concern	关心	관심
	環境問題に関心を持っていますか。		
レトルト	boil-in-the-bag (food)	快餐食品,袋装食品	리토트(인스턴트 식품의 일종)
インスタント食品 しょくひん	instant food	快餐食品	인스턴트 식품
かける(時間をかける) じかん	take (time)	花,用(花时间)	들이다, 소비하다(시간을~)
	食事の準備にどのくらい時間をかけますか。		
過去 かこ	the past	过去	과거
何回も なんかい	many times, again and again	好几次,多次	몇 회나, 몇 번이나
	何回も電話したが、だれも出なかった。		

起きる（地震が起きる） お　　じしん　お	occur (an earthquake occurs)	发生（发生地震）	일어나다, 발생하다(지진이 일어나다〈발생하다〉)
	過去に何回も大きな地震が起きました。 か こ　なんかい　　おお　　　じしん　お		
予知（する） よ ち	prediction (predict)	预知	예지(하다)
	将来、地震の予知ができるだろうか。 しょうらい じしん　よ ち		
職場 しょくば	place of work	工作单位	직장
不自由する ふ じ ゆう	cause a great deal of inconvenience	不方便,不自由	불편하다, 부자유스럽다
	スーパーが近いから買い物に不自由しません。 ちか　　　か　もの　　ふ じ ゆう		
グラフ	graph	图表	그래프, 도표
製品 せいひん	manufactured product	产品,制品	제품
〜年代（1990年代） ねんだい　　　ねんだい	〜 ties (the nineties)	年代（90年代）	년대(1990년대)
	1980年代の若い人たちがこの歌をよく歌った。 ねんだい　わか　ひと　　　　　　うた　　　うた		
約 やく	about, nearly	大约	약, 대충
カーペット	carpet	地毯	카펫, 융단, 양탄자
温水洗浄便座 おんすいせんじょうべんざ	toilet seat with in-built electronic bidet	自动便座	자동세척변기
衣類乾燥機 いるいかんそうき	dryer	烘干机	의류건조기
見つめ合う み　　あ	gaze at each other	相互凝视	응시하다, 빤히 보다
	2人はずっと見つめ合っている。 にん　　　　　み　　あ		
チンパンジー	chimpanzee	黑猩猩	침팬지
かなり	pretty, fairly	相当	제법, 상당히, 꽤
	バスで行くと、かなり時間がかかります。 い　　　　　　　じかん		
DNA（ディーエヌエー）	DNA	遗传基因（脱氧核糖核酸）	디・엔・에이(DNA-디옥시리보핵산)
道具 どうぐ	tool, instrument	工具	도구
文字 も じ	character, letter	文字	문자, 글자
数字 すう じ	figure, numeral	数字	숫자
理解（する） り かい	understanding (understand)	理解	이해하다
	あの人の気持ちが理解できない。 ひと　き も　　　　り かい		
天才 てんさい	genius	天才	천재
違い ちが	difference	差异,不同	틀림, 차이
いったい	what on earth, what in the world	到底,究竟	도대체
	彼からずっと連絡がない。いったいどうしたんだろう。 かれ　　　　　　れんらく		
回数 かいすう	frequency	回数,次数	횟수
生後 せい ご	after (someone's/something's) birth	出生以后	생후

～未満 みまん	less than ～, under ～	未満, 不足	～미만
	15歳未満は入場料が500円です。 さい　　　　にゅうじょうりょう		
平均 へいきん	average	平均	평균
相手 あいて	partner, companion	対方	상대(방)
意識(する) いしき	consciousness (be conscious of)	意识到	의식(하다)
	人の目をあまり意識しないほうがいい。		
他人 たにん	others, other people	别人	타인
心 こころ	heart, mind, spirit	心	마음

第5課　～んです

顔色 かおいろ	complexion	面色, 气色	안색, 얼굴빛
	顔色が悪いですね。どうしましたか。 　　　わる		
入管(入国管理局) にゅうかん　にゅうこくかんりきょく	Immigration Bureau, immigration authorities	入境管理局	입관(입국관리국)
ツアー	tour, group trip	团队旅行	투어, 단체관광

～んです

オープン(する)	open	开业, 开张	오픈(개업) 하다
	駅前に新しい店がオープンした。 えきまえ　あたら　みせ		
休憩(する) きゅうけい	break, rest (take a break)	休息	휴게, 휴식(하다)
	疲れましたね。休憩しましょうか。 つか		
どうか	what	怎么(啦)	무슨 일인가
	どうかしましたか。		
工事 こうじ	construction work	施工	공사
台風 たいふう	typhoon	台风	태풍
～号 ごう	number ～	～号	～호
影響 えいきょう	influence, effect	影响	영향
～間(東京名古屋間) かん　とうきょうなごやかん	between ～ (between Tokyo and Nagoya)	～之间(东京, 名古屋之间)	～간, 사이(도쿄 나고야간)
技術 ぎじゅつ	technique, technology	技术	기술
課 か	section	科, 科室	과
しばらく	for a while	短暂的, 一会儿	잠시
	しばらくお待ちください。 　　　　　　ま		

乗用車(じょうようしゃ)	passenger car	轿车, 卧车	승용차, 자가용
～による	owing to ～, be caused by ～	由于, 因为	～(으로) 인한
	友だちが事故によるけがで入院した。		
無視(する)(むし)	disregard (ignore)	无视	무시(하다)
	信号無視が事故の原因だ。		
先日(せんじつ)	the other day	前些日子	전날, 요전날
	先日、新しくできたレストランに行った。		
様子(ようす)	appearance, state	样子	상태, 모양
すると	and	于是	그랬더니, 그러자
	ドアを開けた。すると、男の子が立っていた。		
えらい	admirable	了不起, 地位高	지위가 (신분이) 높다
	家族の中でだれが一番えらいですか。		
ほめる	praise, speak well of	表扬, 夸奖	칭찬하다
	父は兄やわたしをあまりほめません。		

～んじゃないでしょうか

やっぱり/やはり	after all	还是	역시 (やっぱり는 やはり보다 구어적임)
	やっぱり最初に見たシャツを買います。		
早めに(はや)	a little early, a little earlier	提前	좀 일찍
	会議は3時からですが、少し早めに来てください。		
調査(する)(ちょうさ)	investigation (investigate)	调查	조사(하다)
	事故の原因を調査しました。		
必要(ひつよう)	need, necessity	必要	필요
	調査の必要はありません。		
方法(ほうほう)	method, manner, means	方法	방법
うまくいく	go well	(进行得)很顺利	잘 되다
	面接試験はうまくいったと思います。		
プロジェクト	project	项目, 研究课题	프로젝트, 계획, 연구과제
費用(ひよう)	expense, cost	费用	비용
アンケート	questionnaire	调查, 民意调查(电话调查等)	앙케트, 의견조사

第6課　〜てもらう・てくれる・てあげる

〜てもらう・てくれる

仲間 (なかま)	associate, companion	伙伴儿	동료
奨学金 (しょうがくきん)	scholarship	奖学金	장학금
推薦(する) (すいせん)	recommendation (recommend)	推荐	추천(하다)
	司会にはリーさんを推薦します。		
〜状 (推薦状) (じょう すいせんじょう)	letter of 〜 (letter of recommendation)	〜书, 〜信(推荐信)	〜장(추천장)
記念 (きねん)	commemoration	纪念	기념
	卒業の記念にみんなで写真を撮った。		
持ち寄りパーティー (もよ)	bring something (food, a bottle) party	自帯食物(物品)的晩会	각자 지참한 음식으로 여는 파티
たまに	once in a while, occasionally	偶尔	가끔, 어쩌다
	たまには休みを取って旅行に行きたい。		
ハイキング	hiking	徒歩旅行,郊游	하이킹
集合(する) (しゅうごう)	gathering, assembly (assemble)	集合	집합(하다)
	9時に学校の前に集合してください。		
焼き物 (や もの)	pottery	烧陶,陶艺	도예(도자기)
工場 (こうじょう)	factory	工厂	공장
食器 (しょっき)	tableware	餐具	식기
置物 (おきもの)	ornament	摆设,陈设品	장식품(응접실이나 다다미방의「床の間」등에 놓아두는 도자기, 조각등)
たつ	pass, elapse	过	시간이지나다, 흐르다
	時間がたつのは、はやい。		
電柱 (でんちゅう)	utility pole	电线杆子	전주, 전신주, 전봇대
はり紙 (がみ)	(pasted) notice	招贴,广告	벽보
	電柱にはり紙をしないでください。		
拾う (ひろ)	pick up	捡	줍다, 습득하다
	駅で定期券を拾って、届けました。		
絶対(に) (ぜったい)	definitely	绝对	절대(로)
	あしたは絶対に遅れないでください。		
出てくる (で)	be found, turn up	找到,出现	나오다
	なくしたかぎが机の下から出てきました。		

15

あきらめる	give up	断念,放弃	단념하다, 체념하다
休みが取れないので海外旅行をあきらめた。			

～てあげる

近づく	approach	接近,靠近	접근하다, 다가가다
台風が東海地方に近づいています。			
シャッター	shutter	(照相机等的)快门	(사진기등의) 셔터
ごめん	Sorry.	对不起	미안!
与える	give	给,给与	주다, 공급하다
彼の生き方は若い人たちに影響を与えた。			
助ける	help	帮助,救助	돕다, 구하다
彼はけが人を助けて病院に連れて行った。			
～合う（助け合う）	～ for each other (help each other)	互相～(互相帮助)	서로 ～하다(서로 돕다)
兄と弟は互いに助け合っている。			
おおかみ	wolf	狼	이리, 늑대
守る	protect, defend	守护,保护	지키다, 막다
子どもたちを危険から守りましょう。			
羊	sheep	羊	양
追う	run after, chase	追,赶	몰다
この犬は羊を追って集めるのが上手です。			
猟	hunting	狩猎	수렵, 사냥
現代	the present day, today	现代	현대
現代、コンピューターのない生活は考えられない。			
飼う	keep (animals)	饲养	(동물을) 기르다, 사육하다
マンションでペットを飼う人が増えている。			
一員	member	一员	일원, 한 사람
慰める	console, cheer up	宽慰,安慰	위로하다, 위안하다
試合に負けた弟を家族みんなで慰めた。			
えさ	feed, food	饲料,食物	먹이, 사료

第7課　自動詞・他動詞

リモコン	remote control	遥控器	리모콘
ヘアスタイル	hairstyle	发型	헤어 스타일, 머리 모양

変わる（か）	change	变动, 变更	바뀌다, 달라지다
来月のスケジュールが変わりました。			
たまる	collect, be accumulated	攒, 积蓄	모이다
お金が10万円たまりました。			
ためる	save, let accumulate	攒, 储蓄	모으다
旅行（りょこう）したいので、お金をためています。			
煮える（に）	be cooked	煮, 煮烂	익다, 삶아지다
野菜（やさい）が煮えました。			
割る（わ）	break	打碎	깨다, 깨트리다
子どもがコップを割った。			
動く（うご）	move, work	动	움직이다
時計（とけい）が動かない。			
動かす（うご）	move	活动, 移动	움직이다
机（つくえ）を動かしたいから、手伝（てつだ）ってください。			
片付く（かたづ）	be tidy	收拾好	정돈되다
なかなか部屋が片付かない。			
続く（つづ）	continue, last	继续, 连续	이어지다, 계속되다
4時間も会議（かいぎ）が続きました。			
見つける（み）	find	发现, 看到	발견하다
会社の近（ちか）くにいいマンションを見つけた。			
入る（お茶が入る）（はい ちゃ はい）	(the tea) be made	沏（茶）	(차가) 들어오다, 준비되다
お茶が入りました。			
かかる（かぎがかかる）	be locked	锁着（上着锁呢）	잠기다, 채워지다(열쇠가)
かぎがかかっていません。			
かける（かぎをかける）	lock	锁上, 锁上锁	잠그다, 채우다(열쇠를)
忘（わす）れずにかぎをかけてください。			
チャイム	chime	门铃, 铃	차임벨, 초인종
鳴らす（な）	ring (the bell)	鸣, 按	울리다, 소리를 내다
チャイムを鳴らしたが、だれも出てこない。			
待ち合わせ（ま あ）	meeting	等待, 约会	약속 장소에서 만남
就職（する）（しゅうしょく）	getting employment (find a job)	就业, 就职	취직(하다)
兄（あに）がＮＡ社に就職しました。			
チャンネル	channel	频道, 波道	채널

おかしい	strange	可笑,不正常	이상하다
	車の調子がおかしいので、調べてください。		
ミーティング	meeting	会议,集会	미팅, 회의, 모임
驚く	be surprised	吃惊,惊异	놀라다
	くだものの値段が高くて驚きました。		
不思議(な)	mysterious, strange	不可思议的	이상함(한)
	この古い家には不思議な話があります。		
ホーム	platform	月台,站台	플랫홈
アナウンス	announcement	广播	아나운서
繰り返し	repeated	反复,重复	반복
	電車が来る前に繰り返しアナウンスがあります。		
ベル	bell	铃	벨, 종
スーッと	noiselessly	轻快地,敏捷地	쑥(하고 다가와)
	後ろから来た車がスーッと止まった。		
特急	limited express	特快列车	특급.
～車(5号車)	car ～, carriage ～ (car No. 5)	～車廂(5号車廂)	～차(5호차)
停車	(car/train) stop	停车	정차
到着(する)	arrival (arrive)	到达	도착(하다)
時刻	time	时刻,时间	시각
まもなく	soon	即将,不久	곧, 금방
	駅に着いてまもなく電車が来た。		
車掌	(train/bus) conductor	乘务员	차장
おじぎをする	bow	行礼,鞠躬	절하다, 머리숙여 인사하다
	日本人はあいさつするとき、おじぎをする。		
エプロン	apron	围裙	에이프런, 앞치마
回ってくる	come round	巡回,转过来	(순서가 되어) 돌아오다
	車掌さんが切符のチェックに回ってきた。		
お降りの方	disembarking passenger	下车(机,船)的旅客	내리시는 분
乗り換え	change, transfer	乘换,换车(船,机)	갈아탐, 바꿔 탐

第8課　～ている

～ている・てある

すいか	watermelon	西瓜	수박

取り替える（とか）	change, exchange	更换, 替换	바꾸다, 교환하다
	カーテンを明るい色に取り替えました。		
セットする	set	设置, 调好	세트하다, 맞춰 놓다
	ビデオをセットして、出かけます。		
ハンガー	hanger	衣架	행거, 양복걸이
	ハンガーに服をかける。		
進む（すす）	be fast, gain	快	(시계 등이) 빠르다
	この時計は5分進んでいる。		
ジャム	jam	果酱	잼
賞味（しょうみ）	taste with relish	品尝	맛이 좋음
期限（きげん）	deadline, time limit	期限	기한
切れる（き）	expire	截止, 到期	(기한 등이) 다 되다
	3月でビザの期限が切れます。		
ウーロン茶（ちゃ）	oolong tea	乌龙茶	오룡차(차의 한 종류)
シール	seal, sticker	(装饰用的)贴纸	실, 스티카
電池（でんち）	battery	电池	전지
切れる（き）	run out, be flat	用完, 用尽	닳다, 없어지다
	電池が切れました。		
日程（にってい）	schedule	日程	일정
変更(する)（へんこう）	change	变更, 更改	변경(하다)
残す（のこ）	leave over	剩下, 留下	남기다
	食べられなくて、料理を残してしまった。		
診察券（しんさつけん）	patient's registration card	诊疗卡, 挂号证	진찰권
間違う（まちが）	make a mistake	搞错, 弄错	잘못되다, 틀리다
	田中さんの住所が間違っています。		
バスターミナル	bus terminal	公共汽车终点站	버스터미널
～おき（に）	every ～, at intervals of ～	间隔, 每隔	(수량에 접속) 간격(으로), 걸러(서)
	30分おきにバスが出ます。		
～証 （免許証）（しょう めんきょしょう）	certificate (license)	～证(驾驶证)	～증(면허증)
曇る（くも）	become cloudy	多云, 阴天	흐리다, 흐려지다
	きょうは、午後から曇るでしょう。		
遠く（とお）	far, distant place	远方, 远	먼 곳, 멀리
	天気がいいから、遠くまでよく見えますね。		
雷（かみなり）	thunder	雷	천둥, 번개

吹く ふ	blow	刮, 吹	(바람이) 불다
	風が吹いています。 かぜ		
積もる つ	accumulate, be piled up	积, 堆积	쌓이다
	ゆうべ雪が積もりました。 ゆき		

～ている

大勢 おおぜい	large number of people	很多(的人)	많은 사람, 여러명
並ぶ なら	queuing, standing in a line	排队	늘어서다
	店の前に大勢の人が並んでいます。 みせ　　　　おおぜい		
すごい	great, amazing	非常, 厉害	굉장한
	公園へ桜を見に行ったが、すごい人だった。 こうえん　さくら		
いらいらする	be irritated	着急, 急躁的样子	신경질(짜증, 조바심)이 나다
	道が込んでいていらいらしました。 みち　こ		
負ける ま	be beaten	输	지다, 패하다
	けんかして、弟に負けてしまった。 おとうと		
結果 けっか	result	结果	결과
ほっとする	be relieved	松了一口气	안심하다
	テストが終わって、ほっとしました。 お		
しょんぼりする	look downhearted	无精打彩, 垂头丧气	축 쳐져있다, 기죽어있다,
	あの子は、さびしそうにしょんぼりしている。		

第9課　とき

～るとき・たとき

料金 りょうきん	fare, charge, fee	使用费, 手续费	요금
ケース(ペンケース)	case (pen case)	盒子(铅笔盒)	케이스, 용기(필통)
クラス分けのテスト わ	placement test	分班测验	분반(레벨) 테스트
見送る みおく	see (a person) off	送行, 目送	전송하다, 배웅하다
	空港まで友だちを見送りに行った。 くうこう		
暴風警報 ぼうふうけいほう	storm warning	暴风警报	폭풍경보
出る(警報が出る) で　　けいほう　で	(warning) be issued	发(发警报)	나다(경보가 나다)
	7時に暴風警報が出ました。 ぼうふう		
休校 きゅうこう	closure of a school	停课	휴교
	きのう台風で小中学校が休校になった。 たいふう		

式（結婚式）	ceremony (wedding ceremony)	～典礼（婚礼）	식(결혼식)
上司	one's superior, one's boss	上司, 上级	상사
お疲れ様でした	(set phrase to appreciate someone's work or help) 「お先に失礼します」「お疲れ様でした」	（敬语）让您受累了, 辛苦了	수고하셨습니다
声をかける	call out to 泣いている男の子に声をかけました。	搭话, 打招呼	말을 걸다
～先（アルバイト先）	place of ～ (place of part-time work)	去处, 目的地, 地方（打工的地方）	곳, 처(아리바이트 하는 곳)
行ってきます	(set phrase used when going out) 「行ってきます」「行ってらっしゃい」	那我出去啦。	다녀오겠습니다
申し訳ありません	I am sorry. 大変遅くなって、申し訳ありません。	非常对不起, 实在抱歉	죄송합니다.
迷惑をかける	cause (a person) trouble 仕事を休んでみんなに迷惑をかけた。	给～添麻烦了	폐를 끼치다
スポーツバッグ	sports bag	体育运动提包	스포츠 가방
ドリンク剤	health drink	健康饮料	드링크제

～ているとき

懐かしい	nostalgic 子どものころ住んでいた町がとても懐かしい。	怀念	그립다
化粧品	cosmetics	化妆品	화장품
サンプル	sample	样品, 试用品	샘플, 견본
見かける	happen to see デパートでチャンさんを見かけました。	（偶然）看见, 看到	보다, 발견하다
夕飯	dinner	晚饭	저녁밥
暴走族	motorcycle gang	暴走族(驾车横冲直撞的家伙)	폭주족
進路	course, path (in life)	将来的出路, 毕业后的去向	진로
悩む	brood over, worry over 弟は進路のことで悩んでいる。	烦恼	괴로워하다, 고민하다
アドバイス（する）	advice (advise)	忠告, 建议	어드바이스, 조언, 충고

～部(サッカー部)	～ club (soccer club)	(课外活动)～小组，～队(足球队)	～부(축구부)
深夜	late at night	深夜	심야
リクエスト(する)	request	点播	요청, 요구(하다)
	音楽番組に好きな歌をリクエストした。		
うとうとする	doze off	迷迷糊糊,似睡非睡	꾸벅꾸벅 졸다
	疲れていたのでバスの中でうとうとしてしまった。		
落ちる(試験に落ちる)	fail (an exam)	没及格(考试没及格)	떨어지다, 불합격(낙방)하다 (시험에 떨어지다)
	大学院の試験に落ちて、がっかりした。		
急(な)	sudden	突然间	돌연(갑작스런)
降り出す	begin to rain	下起来	내리기 시작하다
	いい天気だったが、急に雨が降り出した。		
何となく	somehow	(不知为何)总觉得,不由得	어쩐지, 어딘지 모르게
	田中さんはきょう何となく元気がない。		
昼寝をする	take a nap	午睡,午觉	낮잠자다
	疲れたので30分ぐらい昼寝をしました。		
目上	one's superiors, one's seniors	比自己地位高或年长的人	윗사람
やる気	drive, motivation	干劲	의욕
出る(やる気が出る)	have (motivation)	出,有(有干劲)	나다(의욕이 나다)
	試験勉強をしないといけないが、やる気が出ない。		

第10課　～てくる・ていく

～てくる・ていく　1

向こう	there, over there	那边,对面	저쪽
	向こうに着いてから電話します。		
寝過ごす	oversleep	睡过头	늦잠자다
	けさ、寝過ごして会社に遅れてしまった。		
おにぎり	rice ball	(日本式)饭团	주먹밥
必ず	certainly, without fail	一定,必定	반드시, 꼭
	あした必ず9時までに来てください。		

ついでに	while, on the way	順便, 順道	〜하는 김에
	スーパーに行ったついでに本屋に寄った。		
週刊〜 しゅうかん	weekly 〜	周刊〜	주간〜
経済 けいざい	economics, economy	经济	경제
コインロッカー	coin-operated locker	投币式行李寄存柜	코인로커(동전을 넣고 이용할 수 있는 보관용 로커)
ドーナツ	doughnut	炸面包圈	도넛츠
カタログ	catalogue	目录, 商品目录	카다로그, 상품목록

〜てくる・ていく 2

インタビュアー	interviewer	采访人	면담자, 회담자
ここ〜年 ねん	for these 〜 years	这(几)年	최근(요새) 〜년
減る へ	decrease	减少	줄다, 적어지다, 감소되다
ボランティア	volunteer	志愿者	자원봉사(자)
できるだけ	as 〜 as possible	尽可能	가능한 한, 되도록
	あしたの朝、できるだけ早く来てください。		
Eメール(イーメール)	e-mail	电子邮件	E메일
ますます	more and more	越来越	더욱더, 점점 더
	説明書を読んだが、ますますわからなくなった。		
NGO(エヌジーオー)	NGO, non-governmental organization	非官方组织	엔・지・오(NGO−민간 국제 협력 조직)
メンバー	member	成员, 会员	멤버, 회원
〜として	as 〜	作为〜	〜로써(자격을 나타냄)
	彼はNGOのメンバーとして海外に出かけた。		
活動(する) かつどう	act, action (act)	活动, 工作	활동(하다)
	加藤さんは交流会のメンバーとして活動している。		
今後 こんご	from now, in the future	今后	금후
	スポーツ界の国際交流は今後も続くだろう。		
地域 ちいき	area, district	地域, 地区	지역
深刻(な) しんこく	serious	深刻	심각(한)
	あまり深刻に考えないほうがいいですよ。		
無駄(な) むだ	wasteful	浪費, 没用	쓸데없음(〜없는)
	買い物のとき、くれる買い物袋は無駄だと思います。		
包装(する) ほうそう	packing, wrapping (pack, wrap)	包装	포장(하다)

断る（ことわ）	refuse, decline	拒绝, 谢绝	거절하다, 사절하다
	森さんの招待を断ってしまった。		
消費者（しょうひしゃ）	consumer	消费者	소비자
意識（いしき）	consciousness	意识, 认识	의식
	最近消費者の意識が高くなった。		
力がつく（ちから）	gain the ability to	能力提高了	실력이 붙다
	勉強を始めて1年だが、まだ聞く力がつかない。		
まだまだ	still have a long way to go	还差得远	능력이 부족하다, 충분하지 않다
	日本語の作文力はまだまだです。		
だんだん	gradually	渐渐地	차차, 점점
	だんだん寒くなりますね。		
頂上（ちょうじょう）	top, peak	山顶, 顶峰	정상, 꼭대기
力を合わせる（ちからあ）	combine forces, work together	齐心协力	힘을 합치다, 합심하다
	夫と妻が力を合わせて小さな店を始めた。		
築く（きず）	build	构筑, 建立	이루다, 구축하다
	2人で温かい家庭を築いてください。		
日本食（にほんしょく）	Japanese food	日本式食品	일식
野生動物（やせいどうぶつ）	wild animal	野生动物	야생동물
非常に（ひじょう）	extremely, very	非常, 特别, 很	대단히
	冬の山に登るのは非常に危険です。		
人工的（な）（じんこうてき）	artificial, man-made	人工, 人造	인공적(인)
	人工的に森を造ることができるでしょうか。		
増やす（ふ）	increase	增加	늘리다
	店を新しくして、店員を5人増やした。		
可能（な）（かのう）	possible	可能	가능(한)
	この病気を治すことも可能になるだろう。		
真剣（な）（しんけん）	serious, earnest	认真	진지, 신중(한)
	これからのことを真剣に考えてください。		
図（ず）	chart, diagram, drawing	图表	그림, 회화
女子（じょし）	woman, girl	女子	여자
マラソン	marathon	马拉松	마라톤
最高（さいこう）	highest, best	最高	최고
記録（する）（きろく）	(written) record	记录	기록

表す あらわ	show, express	表现, 表达	나타내다, 표현하다
	今の気持ちを言葉で表すのは、むずかしいです。		
～だけ	only ～, just ～	只, 仅	～만(뿐)
	デパートでコートを見ただけで、買わずに帰った。		
どんどん	steadily, rapidly	接连不断	점점
	情報を伝える技術はどんどん変化する。		
選手 せんしゅ	player, athlete	选手	선수
秒 びょう	second	秒	초
上がる あ	go up	上升, 提高	오르다
	給料が少し上がりました。		
トレーニング(する)	training (train)	锻炼, 训练	트레이닝, 연습, 훈련(하다)
進む すす	go forward, advance	前进, 进展	진척되다, 진행되다
	研究が進んで、いい商品ができた。		

第11課　こ・そ・あ

眺め なが	view, scenery	眺望, 景色	경치, 전망
棚 たな	shelf, rack	架子	선반
しばらくですね	I haven't seen you for a long time.	好久不见	오래간만이군요
患者 かんじゃ	patient	患者, 病人	환자
試着(する) しちゃく	trial fitting, try-on (try on)	试衣, 试穿	시착(하다), 입어 봄(보다)
	このセーターを試着してもいいですか。		
丈 たけ	length	尺寸, 长短	길이, 기장

こ・そ・あ 1

関東大震災 かんとうだいしんさい	Great Kanto Earthquake	关东大地震	관동대지진
起こる お	occur, happen	发生	(사건 등이) 일어나다, 발생하다
	1923年に関東大震災が起こりました。		
亡くなる な	die	死亡	돌아가다(「죽다」의 존경어)
	関東大震災では約10万人が亡くなりました。		
被害 ひがい	damage, loss	受害, 受灾	피해
災害 さいがい	disaster	灾害, 灾祸	재해
身 み	oneself	自己, 自身	몸
防災 ぼうさい	disaster prevention	防灾	방재

年齢（ねんれい）	age	年龄	연령, 나이
～別（べつ）	classification by ～	按～(分)	～별
向かい（む）	opposite (side)	对面	건너편
図書館の向かいに大きなマンションができた。			
スキー場（じょう）	ski area, skiing ground	滑雪场	스키장
出会う（であ）	meet (by chance)	遇见	우연히 만나다, 마주치다
日本へ来る飛行機の中で妻のマリと出会った。			
きっかけ	trigger, a chance to start doing	开端, 机会	계기, 동기
池（いけ）	pond	池塘	연못
周り（まわ）	circumference, surroundings	周围, 四周	부근, 주위
写す（うつ）	take a picture	拍照	찍다, 촬영하다
デジカメで写真を写して友だちに送った。			
アルバム	(photograph) album	影集	앨범
人類（じんるい）	mankind, man	人类	인류
～億（おく）	～ hundred million	～亿	～억
テニスコート	tennis court	网球场	테니스 코트(장)
クラブ	club	俱乐部	클럽
会員（かいいん）	member (of a society)	会员	회원
利用（する）（りよう）	use, utilization (use, utilize)	利用	이용하다
毎日地下鉄を利用しています。			
修正液（しゅうせいえき）	correction fluid	涂改液	수정액
ほら	oh, look	喂, 你瞧	자(거) 봐!
ほら、見て。この写真、きれいに撮れている。			
マーク	mark	标志, 标识	마크, 기호
姿（すがた）	figure, shape	姿态, 姿势, 样子	모습
草（くさ）	grass, weed	草	풀, 잡초
美しい（うつく）	beautiful	美丽的, 漂亮的	예쁜, 아름다운
ルンさんから美しい絵はがきが届きました。			
部分（ぶぶん）	part, portion	一部分	부분
つぼみ	bud	花蕾, 花骨朵儿	꽃봉오리
実（み）	fruit, nut	果实	열매
島（しま）	island	岛屿	섬
地球（ちきゅう）	earth	地球	지구

気温 きおん	atmospheric temperature	气温	기온
～度 ど	～ degree	~度	~도
海面 かいめん	surface of the sea	海面	해면
～センチ	～ centimeter	~厘米	~센티
報告(する) ほうこく	report	报告	보고(하다)
沈む しず	sink, go down 船が沈みそうです。 ふね	沉没	가라앉다
前～(前首相) ぜん ぜんしゅしょう	former (prime minister)	前~(前首相)	전(~수상)
ニュージーランド	New Zealand	新西兰	뉴질랜드
首相 しゅしょう	prime minister	首相,总理	수상
場合 ばあい	situation, occasion, case	场合,时候,情况	경우
国民 こくみん	nation, people	国民	국민
君 きみ	you (informal, used by men) 君の家はどこ？	(上辈对晚辈,平辈之间)你	자네
自立(する) じりつ	independence (become independent) 早く自立して、生活したいと思う。 せいかつ	自立,独立	자립(하다)
行動(する) こうどう	act, behavior (act, behave) 地震のときは落ち着いて行動してください。 じしん お	行动	행동(하다)
くせをつける	form a habit 自分のことは自分でするくせをつけたい。	养成~习惯	습관, 버릇을 들이다
訓練(する) くんれん	training, drill, practice (train)	训练	훈련(하다)
努力(する) どりょく	effort (make effort)	努力	노력(하다)
効く き	be effective, work well この薬は風邪によく効きます。 くすり かぜ	有效	효력이 있다, 듣다
伝わる つた	be conveyed, be transmitted この話は近くの町や村に伝わった。 ちか まち むら	流传	전해지다

こ・そ・あ 2

グッズ	goods	商品,货物	상품
キャラクター	character	小说、电影、漫画等中出现的广为人知的人物,主人公,动物等	캐릭터, 성격
主人公 しゅじんこう	hero, heroine	主人公	주인공

かっこいい	cool, stylish	漂亮,气质高雅	멋지다
	あの車はかっこいいけど高そうですね。		

第12課　普通形＋のは

太極拳(たいきょくけん)	tai chi chuan	太极拳	태극권
品数(しなかず)	number of articles, items of merchandise	货色,花色品种	품목 종류
	あの店は品数が多いです。		
休暇(きゅうか)	holiday	休假	휴가
学科(がっか)	department (of study)	专业,学科	학과
干支(えと)	signs of the zodiac	干支	간지, 육십갑자
神様(かみさま)	god	神	하느님, 신
国中(くにじゅう)	throughout the country	全国,全国各地	나라 전체
元旦(がんたん)	New Year's Day	元旦	설날
～なさい	(used to give orders)	请～,要～(轻微命令)	～해요(명령형)
	静(しず)かにしなさい。		
順に(じゅん)	in order	顺序	순서, 차례
	背(せ)の高い順に並(なら)んでください。		
王(おう)	king	帝王,大王	왕, 임금
大騒ぎ(する)(おおさわ)	furor, fuss (cause an uproar, make a fuss)	大吵大闹,大混乱	대소동, 대소란(피우다, 부리다)
	窓(まど)から大きな蜂(はち)が入ってきて、大騒ぎになった。		
のんき(な)	easygoing	无忧无虑,悠闲自在	느긋함(-긋한), 낙천적(인)
	チャンさんはのんきな人です。		
目を覚ます(めさ)	wake up	睁开眼,醒过来	잠을 깨다
	ゆうべは暑(あつ)くて何度(なんど)も目を覚ましました。		
ねずみ	rat, mouse	老鼠	쥐
騒ぎ(さわ)	disturbance, noise	喧哗,吵闹	소란, 소동
尋ねる(たず)	ask, enquire	询问,打听	묻다
	通(とお)りがかりの人に道(みち)を尋ねた。		
いたずら者(もの)	prankster, mischief-maker	恶作剧的人,捣蛋鬼	장난꾸러기
うそをつく	tell a lie	说谎话	거짓말(을) 하다
	うそをついてはいけません。		

牛 うし	cow, bull, ox	牛	소
張り切る は き	be enthusiastic	干劲十足,精神百倍	힘이 넘치다, 의욕이 충만되다
	アンさんは就職が決まって張り切っています。		
夜中 よなか	middle of the night	深夜	(한) 밤중
飛び乗る と の	jump onto/into	纵身跳上(车,船)	뛰어들다, 뛰어타다
	電車に飛び乗るのは危険です。		
日の出 ひ で	sunrise	日出	일출, 해돋이
同時に どうじ	at the same time, simultaneously	同時	동시에
	開店と同時に多くの客が店に入った。		
飛び降りる と お	jump down	纵身跳下(车,船)	뛰어내리다
	事故を起こしたバスから飛び降りてけがをした。		
とら	tiger	老虎	호랑이, 범
うさぎ	rabbit	兔子	토끼
いのしし	wild boar	野猪	산(멧)돼지
ところで	by the way	(转变话题)可是,我说	그런데, 그것은 그렇고
	みんな楽しそうね。ところで、お子さんはお元気？		
だます	deceive, trick	骗,欺骗	속이다
	ねずみが猫をだました話を知っていますか。		
気がつく き	notice	注意到,发觉,察觉	알아차리다
	バスを降りて、かさがないのに気がついた。		
腹を立てる はら た	get angry	非常生气	화(를) 내다
	父はわたしの言葉を聞いて、ひどく腹を立てた。		
～以来 いらい	since ～	～以来	～이래, 이후
	日本へ来て以来、一度も国へ帰っていない。		
追いかける お	chase, run after	追,赶	뒤쫓아가다, 추적하다
	猫がねずみを追いかける。		
～続ける(働き続ける) つづ はたら つづ	contine ～ing (continue working)	继续～,连续～	～계속하다(계속 일하다)
	結婚後も働き続ける女性が多い。		

第13課　たら

たら 1

事務 じ む	office work	事务	사무

置き忘れる（おわす）	leave behind, forget	忘了拿回来	잊고 두다
喫茶店に新しいかさを置き忘れてしまった。			
～終わる（読み終わる）（お／よお）	finish ～ (finish reading)	～完（看完）	마치다, 끝내다(다 읽다)
きのう買った本を1日で読み終わってしまった。			
戻す（もど）	put back, return	归还, 放回	되돌리다
この辞書を棚に戻しておいてください。			
退職（する）（たいしょく）	retirement, leaving employment (retire, leave employment)	退职	퇴직(하다)
父は40年勤めた会社を先月退職した。			
いなか	the country, countryside	乡下	시골
のんびり	leisurely, quietly	舒适地, 悠闲地	유유히, 한가로이
暮らす（く）	live	生活, 过日子	살다, 지내다
いなかでのんびり暮らしてみたい。			
夢（ゆめ）	dream	梦, 理想	꿈
中止（する）（ちゅうし）	cancellation, calling off (cancel, call off)	中止, 停止	중지
雨で試合が中止になった。			
ポイント	point	分数	포인트(포인트 카드의 점수)
交換（する）（こうかん）	exchange, change	交换	교환(하다)
50ポイントでコーヒーカップと交換した。			
満席（まんせき）	full house, full up	满坐, 满员	만석
延ばす（の）	postpone	延长, 延期	연기(연장)하다
森さんは結婚式を半年延ばしたそうです。			
このまま	as it is	就这样	이대로
テーブルの上をこのままにしておいてください。			
科学（かがく）	science	科学	과학
宇宙（うちゅう）	space	宇宙	우주
宝くじ（たから）	public lottery	彩票	복권
当たる（あ）	win	中(奖)	당첨되다
くじに当たったことがありますか。			
今ごろ（いま）	about now	此时此刻	지금쯤
もう11時だ。今ごろ彼は両親に会っているだろう。			
航空券（こうくうけん）	airline ticket	飞机票	항공권
空く（あ）	be empty	空	(자리가) 나다, 비다
席が空くまでしばらくお待ちください。			

そろう	gather, meet	聚齐, 齐全	빠짐없이 모이다
	みんながそろってから食事にしましょう。		
携帯 けいたい	mobile, portable	手机	휴대폰, 핸드폰
長引く ながび	be prolonged, drag on	拖延	길어지다
	授業が長引いて、いつものバスに乗れなかった。		

たら 2

図書券 としょけん	book token	书籍购买券	도서권
ライブハウス	live house	音乐酒吧	라이브하우스(생음악연주를 하면서 음료 경양식을 파는집)
～場（サッカー場） じょう　　　じょう	～ ground (soccer ground)	～场(足球场)	～장(축구장)
突然 とつぜん	all of a sudden, without warning	突然	돌연(히), 갑자기
	さっきまで晴れていたが、突然雨が降り出した。		
偶然 ぐうぜん	(by) chance, (by) accident	偶然	우연히, 뜻밖에
	デパートで偶然リーさんに会いました。		
教科書 きょうかしょ	textbook	课本, 教材	교과서
教授 きょうじゅ	professor	教授	교수
絵はがき え	picture postcard	美术明信片	그림엽서
みがく（歯をみがく） は	brush (one's teeth)	刷, 磨(刷牙)	닦다(이를～)
	１日に３回食後に歯をみがきますか。		
押し入れ お　い	Japanese-style closet	壁橱	벽장, 반침
ざるそば	buckwheat noodles served with nori (dried seaweed) on a wicker platter	(盛在竹帘上的)荞面条	소쿠리에 담은 메밀국수
意外（な） いがい	unexpected, surprising	意料之外的	의외(인)
	きのうのテストは意外に簡単でした。		
引き出し ひ　だ	drawer	抽屉	서랍

第14課　と

やかましい	noisy	嘈杂	시끄럽다
	この辺は夜遅くまでやかましい。		
集中（する） しゅうちゅう	concentration (concentrate)	集中	집중(하다)
	暑くて勉強に集中できない。		

落ち着く(お)	calm down, cool down, settle down	静下心来	안정되다, 진정되다.
	この部屋はやかましくて落ち着きません。		
ホームページ	home page	网页	홈페이지(HP)
アクセスする	access	点击	접속하다
	このホームページにアクセスしてください。		
楽しさ(たの)	pleasure, enjoyment	乐趣,快乐	즐거움
	山登りの楽しさは経験した人しかわからない。		
大変さ(たいへん)	troublesomeness	不容易,艰难	고생
	一人暮らしを始めて、母の大変さがわかった。		
腹が立つ(はら た)	feel/get angry	生气	화(가)나다, 노하다
	兄のひどい言い方に腹が立った。		
乗り遅れる(の おく)	miss (one's train/bus)	没赶上(车,船等)	(출발시간에) 늦어서 못타다
	8時の電車に乗り遅れてしまった。		
案内所(あんないじょ)	information bureau, inquiry office	问讯处	안내소
画面(がめん)	screen	画面,屏幕	화면
キー	key	键	키, 열쇠(중요한 포인트)
市民(しみん)	citizen	市民	시민
クリニック	clinic	诊所,(私立)医院	클리닉, 진료소
突き当たり(つ あ)	end	(道路等的)尽头	막다른 골목
自由行動(じゆうこうどう)	free time	自由活动	자유행동
	見学の後は自由行動です。		
露天風呂(ろてんぶろ)	open-air bath	露天浴池	노천 목욕탕, 노천탕
半日(はんにち)	half a day, half day	半天	반일, 한나절
湖(みずうみ)	lake	湖	호수
～周(する)(しゅう)	～ round (go round)	绕～圈	～주(하다)
	バスで湖を1周するコースがあります。		
カヌー	canoe	皮艇	카누
展望台(てんぼうだい)	observatory	瞭望台	전망대
一望する(いちぼう)	command a view	一望	한눈에 보다
	ここから富士山が一望できます。		
ミツバチ	bee	蜜蜂	꿀벌, 밀봉
習性(しゅうせい)	behavior, habit	习性	습성
	動物の習性を研究するのはおもしろい。		
体中(からだじゅう)	all over the body	全身	몸 전체

花粉	pollen	花粉	꽃가루
かふん			
巣	nest, beehive, cobweb, den	巣,窝	집(새, 짐승, 벌레, 물고기등), 둥지
す			
方向	direction	方向	방향
ほうこう			
ある〜(ある所)	a certain (place)	某(某个地方)	어떤(〜곳)
ところ			
	昔 ある所におばあさんが住んでいました。		
	むかし		
〜匹	(counter suffix for small animals)	支,只	〜마리
ひき			
かめ	tortoise, turtle	龟	거북
いじめる	bully	捉弄,欺侮	들볶다, 괴롭히다
	小さい弟をいじめてはいけません。		
	おとうと		
かわいそう(な)	poor, sad, pitiful	可怜	가여움(-운), 불쌍한(-한)
	雨の中で鳴いている子犬はとてもかわいそうだった。		
	な こいぬ		
お礼をする	return the favor	致谢	사례를 하다, 선물을 하다
れい			
	お世話になった森さんに今度お礼をしたい。		
	せわ もり こんど		
乗せる	give a lift, give a ride	(让)乘车,(使)乘车	태우다
の			
	森さんはときどき犬を車に乗せて出かける。		
	もり いぬ		
する(しばらくする)	pass, elapse (after a while)	不一会儿	시간이 경과하다(잠시 후에)
	宿題が終わった。しばらくして友だちが来た。		
	しゅくだい お		
(お)城	castle	城,城堡	성
しろ			
ご馳走	feast, entertainment, treat	盛宴,酒席	맛있는 음식, 진수성찬
ちそう			
お姫さま／姫	princess	公主,千金小姐	귀인의 따님, 아가씨
ひめ ひめ			
恋しい	be homesick for, miss	眷恋,怀念	그립다
こい			
	国の家族や友だちがとても恋しい。		
	かぞく		
〜ほど	about	〜左右(时间,距离等)	〜정도
	家は駅から歩いて10分ほどです。		
	ある		
決して	never, by no means	绝对(不)	결코, 절대로 〜(부정)
けっ			
	皆さんのことは決して忘れません。		
	みな わす		
すっかり	completely, perfectly	完全	완전히, 모두
	友だちとの約束をすっかり忘れていた。		
	やくそく わす		
野原	field, plain	原野	들, 들판
のはら			
煙	smoke	烟	연기
けむり			
真っ白(な)	pure white	纯白,洁白	새하얌(새하얀)
ま しろ			
	雪が降って野原は真っ白になった。		
	ゆき ふ のはら		

第15課　ば

カーナビ	car navigation system	全球卫星定位系统	차내 도로안내 모니터
講演会	lecture meeting	讲演会	강연회
〜教室（料理教室）	〜 class (cookery class)	~讲习班(烹饪讲习班)	~교실(요리교실)
窓口	service window	窗口	창구
路線図	(bus/train) route map	交通线路图	노선지도
効果	effect, efficacy	效果, 成效	효과
出る（効果が出る）	get (good results)	出(出成效)	(나타)나다(효과가 나다)

やせたくて運動を続けたが効果が出なかった。

折りたたむ	fold up	折叠	접다
場所を取る	take up space	占地方	장소를 차지하다

このテーブルは折りたためるので場所を取らない。

品質	quality	质量	품질
資格	qualification	资格	자격
保証書	(written) guarantee	保证书, 保修单	보증서
成績	performance, record, score	成绩	성적
運ぶ	carry, convey	运送, 搬送	옮기다, 운반하다

森さんに荷物を運んでもらった。

受かる	pass (a test)	合格, 考上	합격하다

入学試験に受かって4月からは大学生だ。

契約（する）	contract	契约, 合同	계약(하다)
延長（する）	extension (extend)	延长, 延期	연장(하다)

ビザを延長したので来年の3月までいられます。

〜費（参加費）	〜 fee (participation fee)	~费(参加费用)	~비, 비용(참가비)
〜泊〜日（1泊2日）	a 〜 stay and 〜 -day trip (a one-night stay, two-day trip)	一宿两天(的旅行)	~박~일(1박2일)
都合がつく	make it	腾出时间, 抽出时间	형편(사정)이 좋다

ツアーに参加したかったが、都合がつかなかった。

代わる	fill in, take the place of	替代	대신, 교체하다

会議の司会を田中さんに代わってもらいました。

避難（する）	evacuation, refuge (take refuge)	避难	피난(하다)

地震のとき、どこへ避難するか知っていますか。

日頃 (ひごろ)	usually	平素, 平时	평소
	日頃から運動して体力をつけておきたい。		
後悔(する) (こうかい)	regret, remorse (regret)	后悔	후회(하다)
	テストの前に勉強しなかったことを後悔した。		

第16課　なら

～城（北山城） (じょう きたやまじょう)	～ castle (Kitayama Castle)	～城(北山城)	～성(기타야마성)
坂 (さか)	slope, hill	坡, 斜坡	고개
上がる (あ)	go up	上, 登	오르다, 올라가다
	わたしの家はこの坂を上がったところです。		
能力試験 (のうりょくしけん)	proficiency test	能力測驗	능력시험
～級（2級） (きゅう きゅう)	level ～ (level 2)	～級(2 級)	～급(2급)
	能力試験の2級を受けたいと思います。		
自信 (じしん)	confidence	自信	자신
問題集 (もんだいしゅう)	workbook (collection of exercises)	习题集	문제집
朝刊 (ちょうかん)	morning paper	晨報(日報)	조간
通学(する) (つうがく)	attending school (go to school)	上学	통학
証明書 (しょうめいしょ)	certificate	证明书, 证件	증명서
帰国(する) (きこく)	return (return to one's country)	回国	귀국(하다)
	来年の3月に帰国する予定です。		
中旬 (ちゅうじゅん)	middle of the month	中旬	중순
	来月の中旬に休暇を取るつもりです。		
荷造り (にづく)	packing	打包, 捆行李	짐꾸리기
段ボール (だん)	cardboard	(包装用)瓦楞纸	포장용 단보드
家具 (かぐ)	furniture	家具	가구
手が足りる (て た)	have enough hands	人手足, 人手够	일손이 충분하다
	手が足りないから、手伝ってください。		
翻訳(する) (ほんやく)	translation (translate)	笔译	번역(하다)
近視 (きんし)	shortsightedness, myopia	近视	근시
じゃま(な)	be a nuisance	干扰, 碍事	방해, 장애(되는)
	じゃまな物を片付けて、部屋が広くなった。		
手入れ (てい)	care	保养, 拾掇	손질, 수선

面倒(な) めんどう	troublesome	麻烦	번거로움(-운), 귀찮음(-은)
	コンタクトレンズは手入れが面倒です。		
使い捨て つか す	disposable	一次性的(打火机等)	일회용
	使い捨てのコップや皿は便利だが、ごみになる。		
こだわる	be particular about	讲究, 拘泥	구애받다, 신경을 쓰다
	父は和食が好きで、食器にもこだわります。		
一般的(な) いっぱんてき	common, usual, general	一般, 普通	일반적(인)
	旅館は、夕食と朝食がついているのが一般的だ。		
関東 かんとう	Kanto (region of Japan)	关东(地名)	관동(관동지방의 준말)
関西 かんさい	Kansai (region of Japan)	关西(地名)	관서(관서지방의 준말)
まぐろ	tuna	金枪鱼	다랑어, 참치
かつお	bonito	鲣, 松鱼	가다랭이
たい	sea bream	鲷鱼, 加级鱼	도미
白身 しろみ	white meat	肉的白色部分	흰살(생선등)
	白身の魚が好きです。		
豚 ぶた	pig	猪	돼지
縁起 えんぎ	omen, luck	吉凶之兆, 兆头	운수, 재수
産む う	give birth to	生, 产	낳다
	うちの犬が4匹の子犬を産みました。		
繁栄(する) はんえい	prosperity (prosper)	繁荣	번영(하다)
	家が繁栄することを願って、豚の絵をかける。		
シンボル	symbol	象征	심벌, 상징
貯金箱 ちょきんばこ	savings box, piggy bank	存钱罐	저금통
アクセサリー	accessories	装饰品(饰针、耳环、首饰之类)	액세서리
財産 ざいさん	asset, property	财产	재산
～形をする かたち	be in the shape of ～	形状, 样子	～모양을 하다
	おみやげに豚の形をした貯金箱をもらった。		
金 きん	gold	金	금
タンス	chest of drawers, cabinet	衣橱, 衣柜	장롱, 옷장
乳 ちち	milk	奶, 乳汁	젖
飾る かざ	decorate	装饰	꾸미다, 장식하다
	テーブルに花を飾ってください。		
飾り物 かざ もの	ornament, decorations	装饰品	장식(품)

第17課　ので・のに

一生懸命（いっしょうけんめい）	with all one's effort	尽力, 拼命(地), 努力	열심히
	彼はわたしの質問に一生懸命答えてくれた。		
～度～分(38度5分)（ど・ふん）	～ degree (38.5 degrees)	～度～(三十八度五)	～도 ～분(38도 5분)
	熱が38度5分もあった。		
出社（する）（しゅっしゃ）	going to work (go to work)	上班	출근(하다)
	先週の土曜日も出社した。		
目立つ（めだ）	stand out, be conspicuous	引人注目, 显眼	눈에 띄다, 두드러지다
	弟はとても背が高くて、目立つ。		
日にち（ひ）	date	日期	날짜
せっかく	in spite of	特意, 好不容易	모처럼, 애써
	せっかく電子レンジを買ったが、ほとんど使わない。		
論文（ろんぶん）	paper, thesis	论文	논문
仕上げる（しあ）	complete	做完, 完成	일을 끝내다, 완성하다
	今週中に論文を仕上げるつもりです。		
年末（ねんまつ）	end of the year	年底	연말
年始（ねんし）	beginning of the year	年初	연시, 연초
混雑（する）（こんざつ）	congestion (be crowded)	拥挤	혼잡, 복잡(하다)
	年末はデパートが混雑します。		
早退（する）（そうたい）	leaving work/school early (leave work/school early)	早退	조퇴(하다)
	きょう早退したいんですが。		
地方（ちほう）	region, district	地方	지방
取れる（と）	be produced	能收获, 能生产	나다
	この地方ではおいしいりんごが取れます。		
酒造り（さけづく）	alcohol producing, alcohol making	造酒, 酿酒	주조
なべ料理（りょうり）	hot pot (cooked at the table)	火锅	찌개요리
栄養（えいよう）	nutrition	营养	영양
バランス	balance	平衡	밸런스, 균형
手間がかかる（てま）	take a lot of time and trouble	费工夫	손이 가다
	この料理は手間がかかるけれど、とてもおいしい。		
～等（とう）	～ prize	～等奖(二等奖)	～등
	宝くじの5等が当たった。		

表れる あらわ	be expressed, be showed	表現,露出	나타나다
	うれしい気持ちが表れたいいスピーチだった。		
了解(する) りょうかい	understanding (understand)	知道了	이해, 납득(하다)
	「準備が済んだら始めるよ」「了解」		

第18課 ～(さ)せる(使役)

～(さ)せる(使役) 1

母親 ははおや	mother	母亲	모친, 어머니
スイミングスクール	swimming school	游泳学校(教室)	수영학교(수영강습)
娘 むすめ	daughter	女儿	딸
確かめる たし	confirm, make sure	确认	확인하다
	メモを見て約束の時間を確かめた。		
部下 ぶか	subordinate	部下	부하
後片付け あとかたづ	clean up	拾掇,收拾	뒷처리
身につける み	acquire, master	掌握	습득하다, 익히다
	何か技術を身につけたほうがいいですよ。		
書き直し か なお	rewriting	重写	다시(새로) 쓰다, 고쳐쓰다
歩道 ほどう	sidewalk, pavement	人行道	보도
習いごと なら	lesson, accomplishment	(茶道,花道等)技艺	배우는(익히는) 일
語学 ごがく	language study, linguistics	语言学	어학
楽器 がっき	musical instrument	乐器	악기
悪いけど わる	I'm sorry, but…	不好意思(表示轻微谦意)	안됐지만
	悪いけど、あと10分待ってくれない？		

～(さ)せる(使役) 2

受験(する) じゅけん	taking an exam (take an exam)	考试,投考,报考	수험
	弟は２月に高校を受験します。		
息子 むすこ	son	儿子	아들
悲しむ かな	sorrow, sadness	悲哀,悲伤	슬퍼하다
	子どもたちが悲しむ姿をニュースで見た。		

～(さ)せる(使役) 3

塾 じゅく	cram school	塾,补习班	사설학원

道（みち）	course, path (in life)	（人生的）道路	길
選ぶ（えら）	choose, select	选择	선택하다
自分の選んだ道だから、後悔しない。			
保健室（ほけんしつ）	health-care room, nurse's office	医务室	양호실
企画（きかく）	plan, project	规划, 计划	기획
担当（する）（たんとう）	being in charge (be in charge)	担当, 担任	담당(하다)
ファンさんがこの企画を担当します。			
原稿（げんこう）	manuscript	稿子, 稿件	원고
プリント	print	（打印的）教材	프린트, 인쇄물
今回（こんかい）	this time	这一次	이번, 금번
今回の企画はきっと成功すると思います。			
勝手（な）（かって）	selfish	任性, 任意, 随便	맘대로 함(맘대로), 제멋대로 임(제멋대로)
勝手なことを言って、すみません。			
〜ながら	though, but, in spite of	虽然～但是～	〜지만
休業（する）（きゅうぎょう）	suspension of work (be closed)	停业	휴업(하다)
勝手ながらあしたから3日間休業します。			
明日（あす）	tomorrow	明天	내일
医学（いがく）	medicine, medical science	医学	의학
進む（すす）	continue on	走～之路	나가다
音楽の道に進みたいと思っている。			
説得（する）（せっとく）	persuasion (persuade)	说服	설득(하다)
両親が説得したので、妹は留学をあきらめた。			
美術（びじゅつ）	art	美术	미술
リフレッシュ（する）	refresh	恢复精神, 重新振作	기분전환, 원기회복하다
軽い体操をしてリフレッシュします。			
回転（する）（かいてん）	revolving (revolve, rotate)	转, 转动	회전(하다)
自転車のタイヤが回転しません。			
左右（さゆう）	left and right	左右	좌우
それぞれ	each	各, 分别, 各自	각각, 각자
それぞれ好きな飲み物を頼んでください。			
全体（ぜんたい）	the whole, all	全体, 整体	전체
筋肉（きんにく）	muscle	肌肉	근육
リラックス（する）	relaxation (relax)	松弛, 放松	긴장을 품(풀다)
家に帰って着替えるとリラックスできる。			

第19課　ように・ために

荒れ果てる あ　は	come to ruin, fall into ruin	荒废, 荒凉	몹시 거칠어지다, 몹시 황폐해지다
	木を切った後、山が荒れ果ててしまった。		
森 もり	forest, wood, woods	森林	숲
再生(する) さいせい	recovery, regeneration (recover)	再生	재생(하다)
	荒れ果てた森が再生するまで何十年もかかる。		
在住 ざいじゅう	living in	居住	거주
～氏 し	Mr./Ms. (formal)	～先生	～씨
ふりがな	(kana letters written next to Chinese characters to show the pronunciation)	注音假名	주음(토) 달기
事業 じぎょう	business, enterprise	事业	사업
資金 しきん	funds	资金	자금
衛星放送 えいせいほうそう	satellite broadcasting, satellite broadcast	卫视	위성방송
具体的(な) ぐたいてき	concrete, definite	具体地	구체적(인)
	具体的な例をあげてください。		
離れる はな	leave, be apart	离开	헤어지다, 떨어지다
	兄は家を離れて一人暮らしを始めた。		
コミュニケーション	communication	(思想等)沟通, 交流	커뮤니케이션, 대화
活用(する) かつよう	utilization, exploitation (use, take advantage of)	有效地利用	활용(하다)
	ホームページを活用して、情報を集める。		
生きがい い	reason for living, (life) worth living	生存的意义	사는 보람, 사는 가치
体験(する) たいけん	experience	体验	체험(하다)
	２、３年海外に行っていろいろ体験したい。		
うがい	gargle	漱口	양치질
	のどが痛かったのでうがいをした。		
始発 しはつ	the first train, bus, etc., starting from the station, terminal, etc.	头班(车)	시발
減らす へ	reduce, cut down	减少	줄이다, 덜다
	リサイクルしてごみを減らしましょう。		
余分(な) よぶん	additional, extra	多余	여분(인) 나머지(남는)
	部屋が狭いので、余分なものは買いません。		
能力 のうりょく	ability	能力	능력

枯れる（か）	wither and die	枯萎	마르다, 시들다
	花が枯れるといけないから、毎日水をやります。		
語彙（ごい）	vocabulary	词汇	어휘, 단어
節約(する)（せつやく）	economization, saving (cut down, save)	节约	절약(하다)
	外食をやめて、生活費を節約しています。		
配る（くば）	distribute, hand out	分发	나누다
	このプリントを全員に配ってください。		
～不足(運動不足)（ぶそく うんどうぶそく）	shortage of ～, lack of ～ (lack of exercise)	～不足(运动不足)	~부족(운동부족)
	最近、運動不足で太ってきた。		
気分転換(する)（きぶんてんかん）	change of mood, diversion (refresh oneself)	转换心情	기분전환(하다)
疲れ（つか）	fatigue	疲劳, 疲乏	피곤
ストレス	stress	压抑, 精神压力	스트레스
解消(する)（かいしょう）	elimination, dissolution (eliminate)	消除	해소(하다)
	どうやってストレスを解消していますか。		
祈る（いの）	pray	祝愿	기도하다, 간절히 바라다
	チャンさんの合格を祈っています。		
タレント	talent, entertainer	演员, 表演者	탤런트, 재능
飢え（う）	famine, starvation	饥饿	굶주림, 기아
苦しむ（くる）	suffer, be tormented	受折磨	괴로워하다, 고생하다
	多くの国々に飢えで苦しむ人々がいる。		
ユニセフ	UNICEF, United Nations International Children's Emergency Fund	联合国儿童基金	유니세프, 유엔아동기금
親善大使（しんぜんたいし）	goodwill ambassador	友好使节	친선 대사
ニックネーム	nickname	外号, 昵称	닉네임, 별명, 애칭
スワヒリ語（ご）	Swahili	斯瓦希里语	스와히리어(아프리카 부족어)
使命（しめい）	calling, mission, vocation	使命, 任务	사명

第20課　ようだ・みたいだ

どうも	somehow	总觉得, 似乎	정말, 참, 어쩐지, 아무래도
	どうもおかしい。体の調子が変だ。		
相当（そうとう）	considerably, fairly	相当	상당히, 매우
	きのうの事故は相当ひどかったそうです。		

ショック	shock	打击,惊讶,震惊	쇼크, 충격
	友だちが急に国に帰ると聞いて、ショックでした。		
幸い（さいわ）	luckily	幸亏	다행히
たいした	not very (negative)	大不了的,严重的	대단한, 엄청난
	幸い、たいしたけがじゃなくて、よかった。		
建築（けんちく）	architecture, construction	建筑	건축
気が進む（きすす）	feel inclined to, be willing to	有意,起劲,感兴趣	마음이 내키다
	映画に行く約束をしたが、どうも気が進まない。		
継ぐ（つ）	succeed	继承	잇다, 계승하다
	兄が父の仕事を継ぎました。		
進む（近視が進む）	get worse (shortsightedness get worse)	加重（近视加重）	진행되다(근시가 악화되다)
	最近、近視が進んで見にくくなった。		
測る（はか）	measure, take	量	재다
	カーテンを買うので窓の大きさを測った。		
ただの〜	mere 〜	普通的,一般的	보통〜
	ただの水なのに、おいしい。		
渋滞（する）（じゅうたい）	(traffic) congestion/jam (be congested, be jammed)	堵车,塞车	정체(하다), 막힘(막히다)
	この道路はいつも渋滞する。		
元気でやる（げんき）	get along well	健康	건강하게 지내다
	元気でやっていますから、心配しないでください。		
ついていく	keep up with	跟上	따라가다
不安（な）（ふあん）	anxious, uneasy	不安,担心	불안(한)
	大学の授業についていけるかどうか、不安です。		
評判（ひょうばん）	reputation	评价	평판
宗教（しゅうきょう）	religion	宗教	종교
信仰（しんこう）	belief, faith	信仰	신앙
多少（たしょう）	some	稍微	다소
	多少の危険があるスポーツのほうが好きです。		
合わせる（あ）	put/join together	加在一起	합치다
	2つのクラスを合わせると、30人です。		
支え（ささ）	support	支柱	지주, 받침, 떠받침
	家族のやさしさが心の支えです。		
うわさ	gossip, hearsay	风声,传言	(뒷)소문

トラブル	trouble	纠纷, 麻烦	트러블, 분쟁
量(りょう)	amount	份量, 数量	양, 부피
～倍(ばい)	～ time(s), ～ -fold	～倍	～배
アレルギー	allergy	过敏症	알레르기
洪水(こうずい)	flood, flooding	洪水	홍수
発生(する)(はっせい)	occurrence (occur, arise)	发生	발생(하다)
	大雨で洪水が発生した。		
医療(いりょう)	medical treatment	医疗	의료
耳にする(みみ)	hear	听到	듣다
	最近、ちょっといい話を耳にした。		
～せい	fault of ～, because of ～	由于	～탓
	わたしの不注意のせいで、家族に迷惑をかけた。		
かかる(医者にかかる)(いしゃ)	consult (consult a doctor)	看病, 看医生	치료(진찰)받다, 보이다(의사에게 보이다)
	アレルギーがひどくて、医者にかかっている。		
さて	well, now then	那么, 却说	그런데
	さて、次はどこに行こうか。		
診察(する)(しんさつ)	consultation, medical examination (examine)	看病, 诊察	진찰(하다)
	医者が患者を診察した時間は、わずか10分だ。		
判断(する)(はんだん)	judgement, decision (judge)	判断	판단(하다)
	どちらが正しいか、わたしには判断できない。		
腕がいい(うで)	skilled	有本事, 水平高	역량(솜씨)가 좋다
	あそこの歯医者は腕がいい。		
あるいは	or	或者	혹은, 또는
	メール、あるいはファクスでご連絡します。		
やぶ医者(いしゃ)	quack	庸医	돌팔이 의사
診る(み)	examine	诊察, 看病	치료(진료)받다
	体の調子が悪いので、医者に診てもらおうと思う。		
人柄(ひとがら)	character, personality	人品	인품, 사람됨이
謙虚(な)(けんきょ)	humble, modest	谦虚	겸허(한)
	彼は才能のある技術者だが、とても謙虚だ。		
印象(いんしょう)	impression	印象	인상
タイプ	type	类型	타입, 형식, 유형

第21課　〜(ら)れる(受身)

〜(ら)れる(受身) 1

世紀（せいき）	century	世纪	세기
建てる（た）	build	建造	(건물을) 짓다, 세우다
	父が家を建てたのは、10年前です。		
そういえば	now that you mention it, come to think of it	那么说来	참, 그러고 보니까
	そういえば、最近森さんを見かけませんね。		
看護師（かんごし）	nurse	护士	간호사, 간호원
店長（てんちょう）	shop/store manager	店长	(지)점장
期待(する)（きたい）	expectation, hope (expect, hope for)	期待	기대(하다)
	おじ夫婦は上の息子に期待している。		
話しかける（はな）	talk/speak to	搭话, 打招呼	말을 걸다
	クラスの最初の日にリーさんが話しかけてくれた。		
蚊（か）	mosquito	蚊子	모기
刺す（さ）	bite, sting	咬, 叮	(모기가) 물다
	蚊が足を刺した。		
傷つける（きず）	scratch	弄伤, 损伤	상처를 입히다, 흠내다
	だれかがわたしの車を傷つけた。		
〜位(1位)（い）	number 〜, 〜 place (number one)	第〜名(第一名)	〜위(일위)
迷惑(な)（めいわく）	annoying, nuisance	打搅, 麻烦	폐(스런, 끼치는)
	電車の中で携帯電話を使うのは、周りの人に迷惑だ。		
びしょぬれ	(be) drenched	湿透, 湿淋淋	흠뻑 젖음
	ひどい雨でびしょぬれになってしまった。		
セールス	sales	推销	외부 판매 활동
しつこい	persistant	絮叨, 纠缠不休, 执拗	집요하다, 끈덕지다
	父はお酒を飲むと、話がしつこくなる。		
すすめる	recommend, suggest	推荐, 建议	권하다
	ルンさんにこの電子辞書をすすめました。		
反対(する)（はんたい）	opposition (oppose)	反对	반대(하다)
	父は兄の留学に反対した。		
歌手（かしゅ）	singer	歌手	가수

ぐち	grumble	牢骚,怨言	푸념
	妹は家に帰ってくると、よく仕事のぐちを言う。		
厳しい きび	strict	严格,严厉	엄하다, 엄격하다
	あの先生は厳しいが、やさしいところもある。		
励ます はげ	encourage, cheer up	鼓励,激励	격려하다
	試合に負けた弟を、みんなで励ました。		
文句 もんく	complaint	牢骚,不满	불만, 불평
	文句があるなら、黙っていないで言ってください。		
あがる	get nervous, have stage fright	怯场,紧张	(흥분하여 침착을) 잃다, 얼다
	人前で話すとき、いつもあがってしまいます。		
大嫌い(な) だいきら	hate	特别讨厌	매우 싫음(싫은)
	わたしは虫が大嫌いです。		

～(ら)れる(受身) 2

オリンピック	Olympics	奥林匹克	올림픽
アテネ	Athens	雅典	아테네
開催(する) かいさい	holding (hold)	举办,召开	개최(하다)
	初めてオリンピックを開催した所は、アテネです。		
～ごとに	every	每隔～	～마다
	4年ごとにオリンピックを行っている。		
各地 かくち	various parts	各地	각지
～者(出席者) しゃ しゅっせきしゃ	the person(s) ～ (the people attending)	～者(参加者)	～자(출석자)
ビートルズ	Beatles	披头士(60年代的英国著名乐队)	비틀즈
デビュー(する)	debut	首次登场,首次出现	데뷔, 첫출연(하다)
	ビートルズは1962年にデビューした。		
解散(する) かいさん	breakup (break up)	解散	해산(하다)
	ビートルズは1970年に解散した。		
愛する あい	love	爱	사랑하다
	あなたは今だれかを愛していますか。		
発表(する) はっぴょう	presentation (present)	发表	발표(하다)
	きょうルンさんがレポートを発表しました。		
全～(全人口) ぜん ぜんじんこう	entire ～ (entire population)	全～(总人口)	전～(전인구)
高齢 こうれい	advanced age	高龄	고령

予想(する) よそう	prediction (predict)	预想，预测	예상(하다)
	100年後の世界を予想するのは、むずかしい。		
明治時代 めいじじだい	Meiji Era	明治时代	메이지시대(명치시대)
輸入(する) ゆにゅう	import	进口	수입(하다)
	日本は多くの国から食料を輸入している。		
高速道路 こうそくどうろ	expressway, motorway	高速公路	고속도로
トラック	truck, lorry	卡车	트럭
追突(する) ついとつ	rear-end collision (rear end)	追尾	추돌(하다)
	交差点でトラックがタクシーに追突した。		
ディズニー	Disney	迪斯尼	디즈니
少子化 しょうしか	decline in the birthrate	出生率下降	가족계획(자식을 적게 낳는 사회현상)
省略(する) しょうりゃく	abbrevation (abbreviate, omit)	省略	생략(하다)
	時間がないので、細かい説明を省略します。		
認める みと	approve, recognize	承认, 赏识, 重视	인정하다
	会社が野村さんの研究を認めて、研究費を出した。		
化学 かがく	chemistry	化学	화학
多民族 たみんぞく	multiethnic	多民族	다민족
ヒンディー語 ご	Hindi	印地语	힌두어(인도 연방의 공영어)
言語 げんご	language	语言	언어
ワーキングホリデー	working holiday	旅游度假打工	여행국에서 취업도 가능한 제도
制度 せいど	system	制度	제도
若者 わかもの	young people	年轻人	젊은이
畑 はたけ	(cultivated) field	田地	밭
発明(する) はつめい	invention (invent)	发明	발명(하다)
	彼はいろいろな道具を発明するのが好きだ。		
飛ぶ と	fly	飞翔	날다
	だれでも一度は空を飛んでみたいと思うだろう。		
実現(する) じつげん	realization (realize)	实现	실현(하다)
	いつか自分の夢を実現したい。		
～によって	by ～	由	～에 의하여
	飛行機はライト兄弟によって発明された。		
ポルトガル	Portugal	葡萄牙	포르투갈

伝える（つた）	pass on, hand down	传授，传下来	전하다
	これは、祖母（そぼ）が母に、母がわたしに伝えた料理です。		
輸出（する）（ゆしゅつ）	export	出口	수출(하다)
	日本は海外（かいがい）に多くの電気製品（せいひん）を輸出している。		
源氏物語（げんじものがたり）	The Tale of Genji	源氏物語(日本著名古典小说)	「겐지모노가다리」(헤이안시대 장편소설명)
紫式部（むらさきしきぶ）	Murasaki Shikibu (author of "The Tale of Genji")	紫式部(源氏物語作者)	「겐지모노가다리」여류 작가
物語（ものがたり）	story, tale	故事，传记	이야기, 소설
～札(2,000円札)（さつ／えんさつ）	bill, note (2,000-yen note)	纸币,钞票(两千日元一张的纸币)	지폐(이천엔지폐)
デザイン	design	设计,图案	디자인
～直す(書き直す)（なお／か　なお）	re- (rewrite)	重写，修改	～고치다(고쳐쓰다)
	スピーチの原稿（げんこう）を何回も書き直した。		
食生活（しょくせいかつ）	dietary habits, eating habits	饮食生活	식생활
健康的（な）（けんこうてき）	healthy	健康的	건강(한)
	健康的な食生活（しょくせいかつ）をしていますか。		

第22課　～ても

～ても 1

不動産（ふどうさん）	real estate, property	房地产,不动产	부동산
日当たり（ひあ）	sunny, sunshine	向阳,朝阳	양지
通勤（する）（つうきん）	going to work (commute)	上下班,通勤	통근(하다)
	通勤にどのくらい時間がかかりますか。		
特に（とく）	particularly	特别	특히, 특별히
	きょうの試験（しけん）は、最後（さいご）の問題（もんだい）が特にむずかしかった。		
チャンス	chance	机会	기회
新入社員（しんにゅうしゃいん）	new employee	新职员	신입사원
調理器（ちょうりき）	cooker, stove	烹饪器具	조리기
火力（かりょく）	heating power	火力	화력
油（あぶら）	oil	油	기름
こぼれる	spill	洒	넘쳐흐르다, 쏟아지다
	コーヒーがこぼれてしまった。		

危険性(きけんせい)	risk, danger	危险性	위험성
磁石(じしゃく)	magnet	磁石	자석
加熱(する)(かねつ)	heating (heat)	加热	가열(하다)
牛乳を入れて5分ぐらい加熱してください。			
電磁調理器(でんじちょうりき)	electromagnetic cooker	电磁炉	전자조리기
火が出る(ひ で)	fire break out	冒火	불이 나다
ビルの2階から火が出て、火事になった。			
ふく	wipe, clean	擦	닦다
テーブルをふいてください。			
清潔(な)(せいけつ)	clean	干净	청결(한)
母はいつも台所を清潔にしています。			

～ても 2

いくら	however	怎么~也	아무리 ~(해도)
いくら考えても、よくわからない。			
どんなに	no matter how, however	无论如何~也	아무리 ~(해도)
どんなに急いでも間に合いません。			
飽きる(あ)	get bored, tire	厌烦, 腻烦	물리다, 싫증나다
いつも同じ料理で、飽きてしまった。			
訪ねる(たず)	visit	访问, 拜访	방문하다, 찾아가다
今度、高校時代の友だちを訪ねようと思う。			
～以内(5分以内)(いない ふんいない)	within ～ (within 5 minutes)	~以内(5分钟以内)	~이내(5분이내)
盲導犬(もうどうけん)	guide dog	导盲犬	맹도견
不自由(な)(ふじゆう)	disabled, physically handicapped	不好使, 不方便	부자유(스런), 불편(한)
祖父は体が不自由なので、ほとんど外出しない。			
目指す(めざ)	aim, aspire	以~为目标	목표로 하다, 지향하다
リーさんは通訳を目指して勉強しています。			
一家(いっか)	family	一家	일가, 한 가족
引き取る(ひ と)	take care of, take in	领取, 领回	인수하다
友だちが帰国するので、ペットを引き取った。			
しつけ	training, discipline	礼仪规矩	예의 범절
基礎的(な)(きそてき)	basic, primary	基础的	기초적(인)
ペットにも基礎的なしつけが大切だ。			

本格的(な) ほんかくてき	full-scale	正式的, 真正的	본격적(인)
	来週から本格的な研修が始まります。		
センター	center	中心	센터, 중심
まず	at first, firstly	首先	우선, 먼저
	まず始めに自己紹介をお願いします。		
訓練士 くんれんし	trainer	训练师	훈련사
ストップ	Stop!	停住!	스톱!, 멈춤!, 정지!
ウェイト	Wait!	等等!	기다려!
カム ヒヤー	Come here!	过来!	이곳(여기)으로 와(라)!
命令(する) めいれい	command, order	命令	명령(하다)
	飼い主が犬に命令する。		
なぜ	why	为什么	왜, 어째서
命 いのち	life	生命	목숨, 생명
預かる あず	take charge of, be responsible for	保管, 负责	맡다, 보관하다
	この荷物をちょっと預かってください。		
たとえ	even if, even though	即使	가령(설령) ~지라도
	たとえ何があっても、驚かないでください。		
失格(する) しっかく	disqualification (be disqualified)	失去资格	실격(하다, 되다)
	マラソンのスタート時間に遅れて失格した。		
~割 わり	~ percent	~成	~할
苦しい くる	hard, difficult, painful	艰苦, 穷困	괴롭다
	物価が高くて、生活が苦しい。		
耐える た	endure, bear	忍受, 经受住	참다, 견디다
	選手に選ばれるように厳しい訓練に耐えている。		

第23課　ことになる・ことにする

異動(する) いどう	transfer (move, be transferred)	调动	이동(하다)
	森さんは4月から本社に異動します。		
支店 してん	branch (store or office)	分公司	지점
文化祭 ぶんかさい	school festival	文化节	문화제
廊下 ろうか	corridor	走廊	복도
迷う まよ	waver, hesitate	犹豫, 踌躇	망설이다, 헤매다
	A大学とB大学のどちらを受けようか、迷っています。		

当日 とうじつ	the day, on the day	当天	당일
	検査の当日は、食事をしないで来てください。 けんさ		
セッティング(する)	setting (set)	布置	배치, 설치(하다)
	みんなで会場のセッティングをしました。 かいじょう		
プログラム	program	节目, 计划	프로그램
撮影(する) さつえい	filming, photography (film)	摄影	촬영(하다)
	会場では撮影できません。 かいじょう		
持ち込む も こ	take/bring in	带进	갖고 들어오다, 반입하다
	会場に飲み物を持ち込まないでください。 かいじょう もの		
録音(する) ろくおん	recording (record)	录音	녹음(하다)
	自分たちの会話を録音して聞いてみました。		
時期 じ き	time, season	时期	시기
半年 はんとし	half a year	半年	반년
はさむ	put ～ between	隔, 加上, 夹	사이에 두다, 끼다
	連休をはさんで1週間の休暇を取った。 れんきゅう きゅうか と		
お世話になりました せ わ	Thank you for all you have done for me.	承蒙关照, 非常感谢	신세를 졌습니다, 폐를 끼쳤습니다
ようやく	at long last, finally	好不容易, 终于	겨우, 간신히, 이럭저럭
	長い時間がかかったが、ようやくレポートが書けた。		
～通り(希望通り) どお きぼうどお	as ～ (as hoped)	如～一样(如所希望 的那样)	～대로(희망대로)
	兄は希望通り、大学院に進んだ。 だいがくいん すす		
近いうちに ちか	anytime soon, before long	过几天	가까운 시일내에
	近いうちに、ぜひ遊びに来てください。 あそ		

第24課　うちに

うちに 1

冷める さ	get cold	(变)凉	식다
	ピザが冷めてしまいました。		
売り切れる う き	be sold out	卖光, 售完	다 팔리다, 매진되다
	5日のチケットは売り切れました。		
祖父母 そ ふ ぼ	grandparents	祖父母, 外祖父母	조부모
～代(20代) だい だい	～ties (twenties)	～多岁(二十多岁)	～대(20대)
試す ため	test	试, 尝试	시험해 보다
	どこまでできるか、自分の力を試してみたい。 ちから		

とける	melt	化	녹다
	アイスクリームがとけてしまった。		
いよいよ	finally	终于	드디어
	いよいよあしたから大学生です。		
～届(休暇届) とどけ きゅうかとどけ	notice, notification (written request for leave)	申请, 登记, 假条	신고서(휴가 신고서)
発言(する) はつげん	statement (say, make remarks)	发言	발언(하다)
	森さんは会議でよく発言します。		

うちに 2

考え事をする かんが ごと	think about	思考问题, 想事儿	생각을 하다
	いろいろ考え事をしていて、眠れなくなった。		
夜が明ける よ あ	dawn, get light	天亮	날이 새다
	このごろ夜が明けるのは6時ごろです。		
まとまる	take shape	归纳, 概括	정리되다
	考えがなかなかまとまらない。		
実験(する) じっけん	experiment	实验	실험(하다)
繰り返す く かえ	repeat, do over again	反复	반복하다
	日本語のテープを何回も繰り返して聞いた。		
重ねる かさ	pile up	不断, 积累	되풀이, 반복하다
	結果より努力を重ねることのほうが大切だ。		
まね(する)	mimicry (mimic, imitate)	模仿	흉내(내다)
	アンさんはよく友だちのまねをします。		
アンコールワット	Ankor Wat	吴哥窟	캄보디아 북서부의 유적(석조 사원)
カンボジア	Cambodia	柬埔寨	캄보디아
遺産 いさん	heritage	遗产	유산
機会 きかい	chance, opportunity	机会	기회
現地 げんち	actual place, on-site	现场, 当地	현지
懐中電灯 かいちゅうでんとう	torch, flashlight	手电筒	회중전등
足元 あしもと	one's foot	脚底下	발밑
照らす て	illuminate, shine on	照, 照亮	비추다
	足元をライトで照らしてください。		
転ぶ ころ	fall over, tumble	摔倒	넘어지다, 구르다
	何度も転んだが、スキーは楽しかった。		

門（もん）	gate	门	문
通りぬける（とお）	go/pass through	穿过	빠져 나가다
	公園を通りぬけていくと、近いですよ。		
城壁（じょうへき）	castle wall, rampart	城墙	성벽
腰を下ろす（こし　お）	take a seat, sit down	坐下	앉다
	疲れて石の階段に腰を下ろした。		
ガイド	guide	导游	가이드, 안내인
あちこち	here and there	到处	여기저기, 이곳저곳
薄明かり（うすあ）	dim light, twilight	微亮, 曙光	희미한 빛, 여명
広がる（ひろ）	spread out	展现, 扩展开来	(눈앞에) 펼쳐지다, 전개되다
	目の前に青い海が広がっていた。		
やがて	before long, after a while	不久	이윽고, 얼마 안있어
	店に入って休んでいると、やがて雨がやんだ。		
オレンジ色（いろ）	orange (color)	橙黄色, 橘色	주황색, 오랜지 색
輝く（かがや）	shine, sparkle	闪烁, 放光	빛나다, 반짝이다
	星が輝いている。		
声が上がる（こえ　あ）	be shouted	高声喊叫	환성이 일다
じっと	fixedly, steadily	凝神, 一直	꼼짝않고
	彼は何か考えながらじっと外を眺めていた。		
昇る（のぼ）	rise, go up	升, 升起	(해, 달이) 뜨다
	太陽は、あの山の向こうから昇ります。		
あっという間（ま）	in an instant	转眼之间, 瞬间	순식간, 눈깜짝할 사이
	あっという間に時間がたった。		
丸い（まる）	round, circular	圆	둥글다
	丸い大きな月が出ていますよ。		
現す（あらわ）	appear	出现	나타내다, 드러내다
	この辺りにはときどき野生の動物が姿を現す。		
光景（こうけい）	scene, sight	情景, 光景	광경
展開（する）（てんかい）	expansion, spread (spread out)	展现, 伸展	전개(하다, 되다)
	森から雪山へと展開していく景色を楽しんだ。		
できごと	event, happening	事情	사건, 일

第25課　ように言う

ように言う

セミナー	seminar	讲座，研讨会	세미나
報告書（ほうこくしょ）	written report	报告(书)	보고서
提出（する）（ていしゅつ）	submission (submit, hand in)	交出，提出	제출(하다)
	金曜日までにレポートを提出してください。		
講師（こうし）	instructor, lecturer	讲师，教师	강사
貴重品（きちょうひん）	article of value, valuable goods	贵重物品	귀중품
手元（てもと）	at hand	手边，手头	주변
車内（しゃない）	inside a car, on board a train	车内	차내
使用（する）（しよう）	use	使用	사용(하다)
	ここでは携帯電話の使用は禁止です。（けいたい）（きんし）		
乗客（じょうきゃく）	passenger	乘客	승객
無理をする（むり）	push oneself too hard, attempt too much	过度劳累，勉强	무리(를) 하다
	あまり無理をしないでください。		
コーチ	coach	教练	코치, 지도자
リスト	list	目录，一览表	명단, 목록
マイク	mike, microphone	麦克风	마이크

ように頼む

エッセー	essay	小品文，随笔	수필, 엣세이
載せる（の）	publish/carry (an article)	登载，刊登	글등을 싣다, 게재하다
	アンケート調査の結果を新聞に載せる。（ちょうさ　けっか）		
適当（な）（てきとう）	appropriate	合适	적당(한)
	（　）に適当な言葉を入れてください。（ことば）		
ペルー	Peru	秘鲁	페루(남미 나라명)
修理（する）（しゅうり）	repair	修理	수리(하다)
	車を修理してもらわないといけない。		
電器店（でんきてん）	electrical appliance shop	电器商店	전기기구점
あと〜（あと5分）（ふん）	〜 more (five minutes more)	还有〜(还有5分钟)	이제부터(이제부터 5분)
	あと10分待ってください。		
〜部（ぶ）	〜 copy (counter)	〜份	〜부
参考書（さんこうしょ）	reference book	参考书	참고서

53

プレゼンテーション	presentation	介绍,发表	설명회
新入生（しんにゅうせい）	new student, freshman	新生	신입생
歓迎（する）（かんげい）	welcome	欢迎	환영(하다)
	新入生を歓迎するために、パーティーを開きます。		

第26課　敬語

作曲家（さっきょくか）	composer	作曲家	작곡가
シンガーソングライター	singer-songwriter	自己作词作曲演唱的歌手	작사 작곡겸 가수
うかがう	ask (humble)	问,请教	여쭙다
	ちょっと、うかがいたいんですが。		
クラシックギター	classical guitar	古典吉他	(고전)기타

尊敬語ーおVになる・特別な形ー

バンコク	Bangkok	曼谷	방콕
滞在（する）（たいざい）	stay	逗留	체재(하다)
	向こうに3日間滞在する予定です。		
お休みになる（やす）	sleep (respectful)	睡觉(敬语)	주무시다
	ゆうべは、よくお休みになりましたか。		
勤め先（つと さき）	place of work	工作单位,工作地点	근무처
放送局（ほうそうきょく）	broadcasting station	广播电台	방송국
フェスティバル	festival	庆祝活动	페스티벌, 축제
～祭り（雪祭り）（まつ ゆきまつ）	～ festival (Snow Festival)	～节(冰雪节)	～축제(눈축제)
かける	sit down	坐下	앉다
	いすにかけて、お待ちください。		
不在（ふざい）	absence	不在	부재
社（しゃ）	company, office (humble)	公司	회사
者（もの）	person (humble)	人, ～的(人)	사람, 사원
	社の者を迎えに行かせますので…。		
秘書（ひしょ）	secretary	秘书	비서
ウェーター	waiter	男服务员	웨이터
～方（先生方）（がた せんせいがた）	(indicates a plural) (teachers)	各位(各位老师)	～분들(「～達」의 존경어)(선생님들)
友人（ゆうじん）	friend	朋友	친구

先ほど (さき)	a little while ago	刚才	조금 전
	先ほど、お宅(たく)からお電話がありました。		

尊敬語ー〜(ら)れる形ー

民間企業 (みんかんきぎょう)	private company	民间企业	민간기업
長年 (ながねん)	for years, for a long time	多年, 长期	오랜 세월, 여러 해
携わる (たずさ)	be involved in	从事	종사, 관계하다
	森(もり)さんは長年(ながねん)、放送関係(ほうそうかんけい)の仕事に携わってきた。		
協力(する) (きょうりょく)	cooperation (cooperate, work together)	互相配合, 共同努力	협력(하다)
	みんなで協力して、文化祭(ぶんかさい)を成功(せいこう)させよう。		
活字離れ (かつじばな)	not being interested in reading	书刊的阅读量减少	활자로 된 책등을 싫어하는 사회현상

ていねい語・謙譲語

うかがう	visit someone (humble)	拜访	찾아뵙다
	あした、お宅(たく)にうかがってもいいですか。		
まいる	come, go (humble)	来(「来る」的谦让语)	오다(「来る」의 겸양어)
	アンです。カナダからまいりました。		
おる	be, exist (humble)	在(「いる」的谦让语)	있다(「いる」의 겸양어)
	弟は、今、日本におりませんが。		
いたす	do (humble)	做(「する」的谦让语)	하다(「する」의 겸양어)
	コピーはわたしがいたします。		
訪問(する) (ほうもん)	visit	拜访	방문(하다)
	友だちと2人で加藤(かとう)さんのお宅(たく)を訪問した。		
お目にかかる (め)	meet, see (humble)	拜会	만나뵙다
	山口(やまぐち)さんにお目にかかりたいんですが…。		
拝見する (はいけん)	see, look (humble)	拜读	보다(「見る」의 겸양어)
	ちょっと拝見してもよろしいですか。		
出版(する) (しゅっぱん)	publication (publish)	出版	출판(하다)
	水野教授(みずの きょうじゅ)が新しい本を出版したそうです。		
〜集 (写真集) (しゅう しゃしんしゅう)	〜 collection (photograph collection)	〜集(影集)	〜집(사진집)
申し訳ございません (もう わけ)	I am very sorry.	十分抱歉	면목(이) 없습니다. 죄송합니다
心配をかける (しんぱい)	cause anxiety, give someone trouble	让〜担心	걱정을 끼치다
	母に心配をかけたくないと思っています。		

おかげ様で さま	glad to say, thankful to say	托福	덕분(덕택)에
	おかげ様で、合格することができました。 ごうかく		
ただいま	now	现在, 马上	지금
	ただいま満席ですので、少しお待ちください。 まんせき		
入試 にゅうし	entrance exam	入学考试	입시
〜御中 おんちゅう	Messrs 〜 (used after the name of a company, organization, etc., on envelopes)	公启	〜귀중
	NA社御中		
前略 ぜんりゃく	(set phrase often used at the beginning of a letter)	前略(书信用语,省略起首问候之意)	전략(편지나 공문등 일정 형식을 생략함을 말함)
貴校 きこう	your school (respectful)	贵校	귀교
要項 ようこう	guidelines	要点	요강
受け入れ う い	acceptance	接受, 接纳	인수
	留学生の受け入れ りゅうがくせい		
条件 じょうけん	condition, terms	条件	조건
直接 ちょくせつ	directly, face to face	直接	직접
	電話でなく、直接会って話が聞きたい。 はなし		
オープンキャンパス	open campus	对外开放的校园	대학(수업이나 캠퍼스) 공개
併せて あわ	in addition, and	并, 同时	더불어, 아울러
	ご活躍と、併せてご健康をお祈りします。 かつやく けんこう いの		
お願い申し上げます ねが もう あ	I'd be very grateful for your support.	拜托	잘 부탁드립니다
	どうぞ、よろしくお願い申し上げます。		

第27課　わけだ

わけだ

コンセント	plug outlet, power point	插座, 万能插口	콘센트(전기 배선)
抜ける ぬ	pull out, drop out	拔掉, 缺少	빠지다
	この本、途中のページが抜けています。 とちゅう		
冷房 れいぼう	air conditioning	冷气	냉방
育つ そだ	grow	成长, 生长	자라다, 성장하다
	この木はずいぶん大きく育ちましたね。		
どうりで	no wonder	怪不得	어쩐지, 과연, 그 때문에, 그도 그럴테지
	「さっき、そうじしたよ」「どうりで、きれいだと思った」		

脳 のう	brain	大脑	뇌
睡眠 すいみん	sleep	睡眠	수면
密接(な) みっせつ	close	密切	밀접(한)
	健康と睡眠は密接な関係にある。 けんこう すいみん かんけい		
覚める さ	wake up	醒过来	깨다
	夢から覚めたら、電車の中だった。 ゆめ		
取る(疲れを取る) と つか と	get over (one's fatigue)	消除(消除疲劳)	없애다, 덜다(피로를~)
	疲れを取るために、お風呂に入ります。 ふろ		
たんぱく質 しつ	protein	蛋白质	단백질
活発(な) かっぱつ	active, energetic	活泼, 活跃	활발(한)
	話し合いでみんなが活発に意見を出した。 あ		
疲労回復 ひろうかいふく	recovering from one's fatigue	恢复疲劳	피로회복

▍わけじゃない（では）

残業(する) ざんぎょう	overtime (do overtime)	加班	잔업(하다)
	忙しくて、ゆうべも9時まで残業しました。 いそが		
～気味(疲れ気味) ぎみ つか ぎみ	a touch of ～ (a bit tired)	有点~(有点累)	~기미, 기색(피곤한 기색)
必ずしも かなら	(not) necessarily	不一定, 未必~	반드시 ~(부정)
	ニュースが必ずしも事実を伝えているとは言えない。 じじつ つた		
宇宙飛行士 うちゅうひこうし	astronaut	宇航员	우주 비행사
別に べつ	(not) particularly	并(不)	별로
	「カラオケは嫌いですか」「いえ、別に…」 きら		

▍わけにはいかない

欠席(する) けっせき	absence (be absent)	缺席	결석(하다)
	ルンさんはクラスを欠席したことがない。		
引き受ける ひ う	accept, take on	接受, 承担	(책임지고 떠) 맡다
	翻訳の仕事を引き受けようと思う。 ほんやく		
今さら いま	(too late) now	现在才~	지금에 와서, 이제 와서
	今さら「申し訳なかった」と言われても、もう遅い。 もう わけ おそ		
お中元 ちゅうげん	summer gift	中元节酬赠礼品	추석
お歳暮 せいぼ	year-end gift	年终酬赠礼品	세모

贈る（おく）	give, present	贈送	선사하다, (선물로) 보내다
	「母の日」に毎年母に花束を贈る。		
取りやめる（と）	cancel, call off	取消, 中止	중지하다, 그만두다
	風邪をひいたので、旅行を取りやめた。		
多数（たすう）	great number, majority	多数	다수
好意（こうい）	good will, favor	好意	호의, 호감
甘える（あま）	depend on	承蒙（好意）	(호의에) 힘입다
	ご好意に甘えて大切な本をお借りした。		
あこがれる	yearn, long for	憧憬, 向往	동경하다
	子どものころ、スポーツ選手にあこがれていた。		
現実（げんじつ）	actuality, fact	现实	현실
生きる（い）	live	活, 生活	살다
	最近は、100歳まで生きる人も珍しくない。		
～式（フィルム式）（しき）	～ system (film type)	~式（胶卷式）	~식（필림식）
画質（がしつ）	picture quality	图像清晰度	~화질
急速（な）（きゅうそく）	rapid	迅速, 快速	급속(한)
	この辺は急速に開発が進んで、大きな町になった。		
代わりに（か）	instead of	代, 代替	대신(에)
	わたしの代わりに田中さんが会議に出席します。		
画素（がそ）	pixel	像素	화소
ぎっしり	closely, tightly	满满的	꽉
	この通りには、小さな店がぎっしり並んでいる。		
光（ひかり）	light	光, 光亮	빛
明るさ（あか）	brightness	亮度	밝음
信号（しんごう）	signal	信号	신호

第1課　～て・なくて・ないで／ずに

ウォームアップ

1．足りなくて　2．見ないで　3．読まずに

～て・なくて

II.

1）仕事が忙しくて　2）環境がよくて　3）急用ができて　4）あまり甘すぎなくて　5）複雑で　6）試験に合格できて　例：よかったです　7）とても緊張して　例：うまく話せませんでした

III.

1．1）①富士山がきれいに見えて　②晴れて　③雨が降らなくて
　　2）①荷物が届いて　②電話がかかってきて　③定期券が見つからなくて

2．例：言葉がわからなくて

～て・ないで／ずに

II.

1．2）例：マニュアルを見て

2．1）確認して　2）遠慮しないで（遠慮せずに）　3）入れないで（入れずに）／入れて　入れて／入れないで（入れずに）　4）かぶって／かぶらないで（かぶらずに）　5）着替えないで（着替えずに）／着替えて　6）つけないで（つけずに）　7）忘れないで（忘れずに）　8）出かけないで（出かけずに）　9）使わないで（使わずに）

III.

1．1）①宿題をして　例：しないで（せずに）帰ります　②お茶を飲んで　例：飲まないで（飲まずに）帰ります　③本屋に寄って　例：寄らないで（寄らずに）帰ります

2）①ガイドブックを見て　②インターネットで調べて　③友だちの都合を聞いて

2．例：お風呂に入らないで（入らずに）

IV.

つけて　つけないで（つけずに）

N₁じゃなくて、N₂（ではなくて）

II.

1）①自由席　自由席じゃなくて、指定席です　②広島まで　広島（まで）じゃなくて、岡山までです　③19日の8時　（19日の）8時じゃなくて、9時です

III.

男　女　女　男

第2課　名詞修飾

ウォームアップ

1．b　b　　2．b

II.

1．1）駅の人には、わたしが話す日本語が通じません。　2）できれば日本語が生かせる仕事がしたいと思っています。　3）パン屋の近くを通ると、パンを焼くいいにおいがします。　4）あした友だちを空港まで送る約束をしました。　5）チャンさんは、あの背が／の高い人をよく知っています。　6）今度、会社の先輩の田中さんを紹介します。　7）ルンさんは、ファンさんに教えてもらったイタリア料理の店が好きで、よく行きます。　8）田中さんは、仕事で京都へ行く途中で奈良に寄りました。　9）田中さんは、仕事で京都へ行った帰りに奈良のお寺を見るそうです。

2．1）AB貿易からけさ商品を送ったというファクスが入りました。　2）ファンさんからあした3時から会議だという連絡がありました。　3）リーさんたちに来週の金曜日に会おうというメールを送りました。

III.

1．1）①トイレ そこの階段を下りた ②公衆電話 あの信号を渡って少し行った ③薬局 まっすぐ行って横断歩道を渡った
2）①スミスさんから聞いた ②先週、テレビで紹介していた ③この雑誌に出ている

2．1）例：先週みんなで撮った写真ができましたよ。
2）例：わたしは田中さんが言った文の意味がわかりませんでした。 3）例：こちらはカナダから来たアンさんです。 4）例：きのう友だちから来週国へ帰るというメールが来ました。 5）例：チャンさんは弟さんから来た手紙を読んで、びっくりしました。 6）例：クラスでいっしょに勉強している友だちに京都で買ったおみやげをあげました。

IV.

1．一人暮らしがさびしい 女性
サボテンを育てている 人
サボテンを選ぶ 一番の理由
枯らしてしまう 人
かわいいからといって、水をやりすぎてだめにしてしまう 人

2．最近1年間にスポーツをした 人
しなかった 人
最も多くの 人
最も多くの人が行った スポーツ
スポーツを行う 理由
「健康・体力作り」の 人

第3課 「は」と「格助詞」

ウォームアップ

a．魚がえさを食べました。 b．わたしが魚を食べました。 c．魚がえさを食べました。／わたしが魚を食べました。

「格助詞」

II.

1）に が 2）が へ／に 3）が で を 4）が に を 5）で を 6）に と 7）に を 8）が 9）が 10）から まで

助詞 「は」

II.

1．1）ファンさんは、6時に会社の前で田中さんと会います。 会社の前では、ファンさんが6時に田中さんと会います。 田中さんとは、ファンさんが6時に会社の前で会います。
2）28日の午後1時半からは、北山ホテルでT大学の説明会があります。 北山ホテルでは、28日の午後1時半からT大学の説明会があります。 T大学の説明会は、28日の午後1時半から北山ホテルであります。

III.

1）は は 2）とは には／とは 3）は は 4）は までは（に）は 5）（に）は は

「は」と「格助詞」の使い方

II.

1．1）が は 2）へ／に（へ／に）は 3）は 4）で が は は 5）が で は が は は は（に）は で が

2．で が は 例：5時からです は 例：ケーキを買っていきましょうか。

3．例：12月17日、日曜日に、文化ホールで、クリスマスコンサートを行います。時間は、午後6時30分からです。入場料は、1,500円です。

「は」と「格助詞」―使い方のヒント―

◆ヒント1◆

II.

1．1）が　が　2）は　3）が　に　に

◆ヒント2◆

II.

1．1）が　は　2）が　3）は
　　4）は　が　が　が　が　は　が

III.

　1）A．わたし　B．よしこさん
　2）A．チャンさんじゃなくて、ほかの人
　　　B．チャンさん

◆ヒント3◆

II.

1．1）は　が　2）は　が

2．1）例：が大きい　2）例：スピーチが　3）例：漢字が　4）例：料理を作るのが好きだ　5）例：景色がいい所がたくさんある　6）例：今年の冬雪が多かった

III.

　は　が　が　が　が　が　が　（に）は　が

第4課　ようになる

ウォームアップ

a．○　b．○　c．○　d．○　e．×

II.

1．1）言葉の数が増えて、勉強がおもしろくなりました。　2）漢字を書くのが楽になりました。
　3）ニュースが少し聞けるようになりました。
　4）電話がだいたい通じるようになりました。
　5）日常会話はほとんど困らなくなりました。
　6）試験で大きなミスをしなくなりました。
　7）助詞を間違えなくなりました。

2．1）集まるようになりました　2）使わなくなりました　3）するようになっ　持つようになりました　4）かけなくなりました　5）できるようになる

III.

1．①公園に近い　よく散歩するようになりました　②職場まで30分な　早く起きなくてもよくなりました　③駅前にデパートがある　買い物に不自由しなくなりました

IV.

　例：はい、大切です。
　　見つめ合うことで、自分や相手を意識するようになり、他人の心も理解するようになるからです。

第5課　～んです

復習

1．例：頭が痛い　2．例：帰りたい　3．例：申し込みたい　4．例：作った　5．例：買った

～んです

ウォームアップ

1．b　2．a

II.

1．1）b　2）a　3）a　4）a

2．1）例：なりましたね　2）例：日本に住んでいたんですよ　3）例：会いたいんですが　4）例：ルンと申します　去年の4月に来ました　5）例：アルバイトに行くんです　6）例：いたんです　いたんです　7）例：ありました　です／でした

～んじゃないでしょうか

II.

1．1）時間がかかって大変なんじゃないでしょうか。
　2）この説明はわかりにくいんじゃないでしょうか。
　3）早めに連絡したほうがいいんじゃないでしょうか。　4）もっと調査する必要があるんじゃないで

しょうか。　5）この方法ではうまくいかないんじゃないでしょうか。

III.
1．1）①技術課だけでは無理な　②ほかの課にも希望を聞いたほうがいい　③アンケートの必要はない
2）①若い人のファッション　例：高校生のスカートは短すぎる　②日本のテレビ番組　例：外国人はみんなおもしろくないと思っている
2．1）例：やっているんじゃないでしょうか
2）例：帰ったんじゃないでしょうか　3）例：やむんじゃないでしょうか　4）例：来るんじゃない

第6課　～てもらう・てくれる・てあげる

復習

1．に　さしあげ　に　あげました　に　やりました
2．に　いただき　が　に　くださいました　に　もらいました　が　に　くれました　に　もらいました　が　に　くれました

～てもらう・てくれる

ウォームアップ

教えたんです　→　教えてくれたんです

II.
1）奨学金の推薦状を書いてくださいました
奨学金の推薦状を書いていただきました
2）チャンさんとスミスさんが引っ越しを手伝ってくれ／チャンさんとスミスさんに引っ越しを手伝ってもらっ
チャンさんとスミスさんに引っ越しを手伝ってもらう
3）スピーチ大会でスミスさんが写真を撮ってくれ／スピーチ大会でスミスさんに写真を撮ってもらっ
スピーチ大会でスミスさんに写真を撮ってもらい
4）弟にCDを貸してくれました

CDを貸してもらいました
5）妹を招待してくださいました
加藤さんに招待していただきました

III.
1．1）例：かいてもらいました　2）例：が書いてくださいました／に書いていただきました　3）例：が持ってきてくれる　例：が作ってきてくれるそうだよ　4）例：作ってくれないの
2．1）例：ハイキングのとき、集合時間に遅れてしまいましたが、みんなはわたしを20分も待っていてくれました。
2）例：いっしょに行ってくれて、助かりました。
3）例：この間、焼き物の工場へ見学に行って、いろいろな食器や置物を見せてもらった。係の人がゆっくり説明してくれたので、とてもよくわかった。

IV.
会話文　例
「何かを借りたいとき」
リー：アンさん、きのうの授業のノート、見せてくれる？
アン：うん、いいよ。
「美容院、歯医者の予約を変えたいとき」
〈電話で〉
受付：○×歯科です。
チャン：きょうの5時に予約しているチャンと言いますが、ちょっと都合が悪くなったので、あしたに変えていただきたいんですが…。
受付：はい、わかりました。時間は、5時でよろしいですか。
チャン：はい、いいです。　お願いします。

V.
電柱にはり紙がしてあったこと

だれかが定期券を拾ってくれたこと
　　だれかが定期券を駅に届けてくれたこと

～てあげる

II.
　1）例：教えてもらえません　例：送ってあげた
　2）例：いただけません　例：撮ってあげた

III.
　守ってやった　　　＝　人が「利益を与える」
　　　　　　　　　　　　犬が「利益を受ける」
　手伝いをしてくれた　＝　犬が「利益を与える」
　　　　　　　　　　　　人が「利益を受ける」
　慰めたり、優しい気持ちにしてくれる
　　　　　　　　　　＝　犬が「利益を与える」
　　　　　　　　　　　　人が「利益を受ける」

第7課　自動詞・他動詞

ウォームアップ
　a

II.
　1）冷やす　3）変わる　5）焼く　6）決める　7）たまる　8）壊す　9）汚す　10）煮る　11）なくす　12）割れる　13）動かす　14）片付く　15）続ける　17）落ちる　18）見つける　19）入れる　20）かかる　21）鳴る　22）3時にする　23）できる

III.
1．1）①テーブルが汚れている　汚した　②お金が落ちている　落とした　③自転車が壊れている　壊した
　　2）①窓が開いています　開けた　②ビデオテープが入っています　入れた　③かぎがかかっています　かけた
　　3）①レポートの資料は集まりましたか　集めたい　集まらない　②部屋は片付きましたか　片付けたい　片付かない　③風邪は治りましたか　治したい　治らない

2．1）見つかり　見つけ　2）変え　変わら
　　3）し　し　なり

IV.
1．a．わたしが汚した。　b．本が汚れた。（わたしは悪くない。）
2．a．わたしがお茶を入れた。　b．お茶が入った。（わたしがお茶を入れたが、そのことをほかの人に知らせない。）

V.
　鳴る　鳴らさない　出る　続く　始まる　を始める　終わる　を売る　が止まる　が

第8課　～ている

～ている・てある

ウォームアップ
a．すいかが冷たいことを言う。　b．わたしがすいかを冷やしたと言いたい。

II.
　1）かけてあります　2）来ています　3）残っています　4）進んでいます　5）切れています　6）できています　7）置いてあります　8）冷やしてあります
　9）例：書いてあります

III.
1．1）はってある　2）止まっている　切れている　3）言ってあります　4）残っている　残してある　5）間違っています　6）出ています　7）捨ててある　例：捨てた　8）例：入っている　9）例：書いてある

2．1）晴れています　2）曇っていました　3）鳴っています／ました　4）吹いていました　5）積もっています／ました

～ている

II.
1. 1）疲れている　2）覚えている　3）起きています　4）来ている　思っていた　5）並んでいる　6）似ています　例：着ている　7）例：持っています　8）例：見ていない　9）例：行っています　10）例：勉強しています

2. 1）いらいらしています　2）緊張していました　3）がっかりしています　4）ほっとしています　5）しょんぼりしています

第9課　とき

ウォームアップ

a．（日本へ来る前に）国で買った。　b．（日本へ来る途中）飛行機の中で買った。　c．（日本に着いた後で）日本で買った。

～るとき・たとき

II.
1）乗る　2）寝坊した　3）来る　4）出た　5）行く　6）出席した　7）帰る　8）ひいた　例：薬を飲んで早く寝ます　9）例：レストランでお金を払う　10）例：友だちに相談します

III.
1. 1）①今度加藤さんの家へ行く　②みんなで集まる　③都合が悪くなった
2）①「ただいま」外出から帰ってきた　②「申し訳ありませんでした」人に迷惑をかけた　③「お先に失礼します」ほかの人より先に帰る
3）①車で来る　帰りに買い物に行く　②スポーツバッグを持ってくる　仕事の後、ジムに寄る　③ドリンク剤を飲む　疲れた

～ているとき

II.
1）作っているとき　2）見ているとき　3）悩んでいるとき　4）高校のとき　5）あるとき　6）勉強しているとき　7）聞いているとき　8）がっかりしているとき　9）来るとき　10）行くとき　11）さびしいとき　例：国の家族に電話します　12）しているとき　例：宅配便の人が来ました　13）話しているとき

III.
1）例：ごはんを食べている
2）例：勉強したけどテストの点が悪かった
例：勉強してテストでいい点を取った

第10課　～てくる・ていく

復習

1. 持っていく　2. 走ってくる　3. はいてきた
4. 歩いてき　5. 乗っていき

～てくる・ていく　1

ウォームアップ

b

II.
1. 1）①言葉の意味を調べてきましたか　調べてきませんでした　例：あしたは、忘れないで調べてきてください　②テキストを持ってきましたか　持ってきませんでした　例：テキストは、毎日持ってきてください　③レポートを書いてきましたか　書いてきませんでした　例：今週中に必ず書いて、持ってきてください
2）①本屋　「週刊経済」を買ってきて　②郵便局　手紙を出してきて　③ビデオショップ　このビデオを返してきて

2. 1）入れていき　2）忘れてきました　取ってきま

す 3）ゆっくりしていっ 4）例：買ってきた

III.

1）戻ってくる 2）かかってきます 3）帰ってきました 4）送ってきた 5）出てきません

■ ～てくる・ていく 2

ウォームアップ
減ってきた 減っていく

II.

1．1）きた/きました 2）き いこ 3）いく

2．1）力がついてきました 2）なってきました 3）込んできた 4）晴れてきました 見えてきました

3．1）築いてき 2）わかってきました 慣れてき 3）少なくなってきた 守っていく

III.

きて きて きた いく

第11課 こ・そ・あ

復習

1．1）それ これ 2）ここ あそこ 3）その これ それ その これ 4）ここ そこ

2．1）こちら そちら 2）そちら こちら 3）ここ ここ そこ 4）この／これ この／これ それ

■ こ・そ・あ 1

ウォームアップ
b

II.

1．1）その人 2）そこ それ 3）そこ そ 4）それ 5）そ 6）そのとき その人 その学校／そこ

2．1）それ 2）それ 3）あそこ その 4）この 5）この その

III.

1．1）b 2）a

2．自立 お金 3つのくせをつけること

■ こ・そ・あ 2

II.

1）その あそこ 2）そこ その人 あの 3）それ あれ 4）あれ あの 5）あの それ その

III.

この そこ あの

第12課 普通形＋のは

ウォームアップ
a．質問と答えが同じ形 b．質問と答えが違う形だが、意味は a．と同じ

II.

1．1）a．来週からイタリアへ出張するの 田中さんです b．田中さんが来週から出張するの イタリアです c．田中さんがイタリアへ出張するの 来週からです

2）a．例：チャンさんが図書館の前で写真を撮ったのは、いつですか 例：先週です

b．例：チャンさんが先週写真を撮ったのは、どこですか 例：図書館の前です

3）a．例：イタリア料理が得意なのは、だれですか 例：まゆみさんです b．例：まゆみさんが得意なのは、どんな料理ですか 例：イタリア料理です

2．1）この辺で一番品数が多いの 2）初めて雪を見たの 3）日本へ来たの

III.

1．1）①会議に出席するの だれ 例：ファンさんです ②川上さんが休暇を取るの 何日から 例：10日からです ③M社のトーマスさんに会うの

空港のどこ　例：到着ロビーです
2）①この学科に入ったの　例：経済の勉強をしたかったからです　②日本のアニメに関心を持ったの　例：国で見た日本のアニメが、おもしろかったからです

2．例：いつです　例：3年前、信州へスキーに行ったときです

第13課　たら

たら1

ウォームアップ

b

II.

1．1）読み終わったら　2）退職したら　3）降ったら　4）遅れそうだったら　5）たまったら　6）来なかったら　7）済んだら　例：帰っ　8）沸いたら　例：お茶を入れましょう　9）変わったら　例：野菜を入れて　10）都合がよかったら　例：遊びに来てください　11）満席だったら　12）進んだら　13）当たったら　例：自分の会社を作りたいです

2．1）例：国で働い　2）例：毎日12時間寝ていると思います

III.

1．1）①会議室、空いた　空いたら　②全員、そろった　そろったら　③M社の井上さんから連絡、あった　あったら

2）①何かあったら　②会議が長引きそうだったら　③会えなかったら

たら2

II.

1．1）a　2）a　3）a　4）a　5）a　6）a　7）b　8）b

2．1）例：おもしろかったです　2）例：思っていたよりおいしかったです　3）例：パソコン　やってみ　例：簡単でした　4）例：国から荷物が来　5）例：だれもいませんでした　6）例：森田先生を見かけました　7）例：昔の写真が出てきました　8）例：アパートの隣の人が教え　9）例：相談し　例：いろいろアドバイスをしてくれました　10）例：きのう、美術館の前を通っ　写真展をやっ

第14課　と

ウォームアップ

1．b　　2．b

II.

1）地下鉄だと　2）やかましいと　静かだと　3）わからないと　4）アクセスすると　5）暮らしてみないと　6）例：ロビーで新聞を読みます　7）例：しゃべりたくなくなります　8）聞くと　例：国の家族に会い　9）例：急が　10）例：漢字は毎日練習し　なかなか覚えられ

III.

1．1）b　2）a　3）a　4）a　5）b　a

2．①電話がかからない　0を押さないとかかりません　②コピー機が動かない　紙のサイズを選ばないと動きません　③ドアが開かない　カードを入れないと開きません

3．①渡辺クリニック　渡辺クリニック　例：まっすぐ行っ　例：橋を渡ると　②コンビニ　コンビニ　例：1つ目の角を右に曲がっ　例：突き当たりを右に曲がると左側に　③郵便局　郵便局　例：広い通りに出　例：左に曲がると

4．①自転車を借りると、半日で湖が1周できます　②3,000円ぐらい払うと、カヌーに乗れます　③展望台に登ると、湖が一望できます。

5．見つけると　つけて　して　見ると

第15課　ば

ウォームアップ

a

II.

1．1）行けば　2）続ければ　3）晴れていれば　4）出れば　5）折りたためば　6）安ければ　7）取っておけば　8）あれば　例：無料で直し　9）頼めば　例：やってもらえます　10）手伝ってくれれば　手伝ってくれなければ

2．1）申し込めば　例：早めに申し込まなければ、いい席が取れません　2）よければ　例：成績がよくなければ、奨学金がもらえません　3）来てくれれば　例：車で来てくれなければ、運べません

III.

1．1）①いい仕事が見つかれば　②専門学校に受かれば　③仕事の契約が延長できれば
2）①1泊2日　休みが取れれば　②来週の土曜日　都合がつけば　③帰ってくるのが8時　アルバイトが代わってもらえれば

2．1）払えば　2）返事をすれば

3．避難すれば　行動すれば

第16課　なら

ウォームアップ

c

II.

1．1）例：テーブルの上にありますよ　2）スーパーへ行くなら　例：ついでに牛乳を買ってきて　3）できていないなら　例：わたしも手伝いましょうか　4）例：なら、できますよ　5）例：は空いていません　例：なら、使えますが…　6）例：また後で来ます

2．1）①段ボールが必要　例：スーパーへ行くともらえますよ　②荷物を運ぶ　例：車を貸しましょうか　③家具を売る　例：リサイクルショップがいいですよ　④手が足りない　例：手伝いましょうか
2）①例：タイ　きれいな景色が見たい　例：北の方へ行ってみたらどう？　②例：タイ　歴史に興味がある　例：チェンマイがいいよ。③例：タイ　海が好き　例：やっぱりプーケットがいいんじゃない？
3）①マンションでペットが飼いたい　例：○×マンション　ペットが飼えるそうだよ。②スペイン語の翻訳ができる人をさがしている　例：ロペスさん　すぐやってくれると思うよ。③外国人の友だちをどこかに案内したい　例：日本が初めての人　京都なんかいいんじゃない？

III.

1）じゃまなら　面倒なら　2）例：食べるなら　例：味の濃い

第17課　ので・のに

ウォームアップ

b

II.

1．1）したので　したのに　2）店なので　店なのに　3）行ったのに　行ったので　例：9時の電車に間に合いました　4）都合が悪いので　5）作ったのに　例：食べ

2．1）入れたはずな　例：財布がありません　2）仕上げないといけない　例：きょうは早く帰ります　3）まじめな　例：授業に遅れてきます　4）混雑する　例：ずっと家にいるつもりです　5）例：ファンさんの誕生パーティーを開いたのに　例：ファンさんが来られなくなってしまいました

III.

1．1）例：入管へ行かなければならない　2）例：3年も日本にいる　3）例：楽しみにしていた

4）例：あした、テストがある

2．1）例：この地方は、水がきれいで／きれいだし、おいしい米が取れるので、酒造りが盛んです。　2）例：せきが出て／出るし、熱があるのに、会社に行かなければならない。　3）例：なべ料理は、栄養のバランスがよくて／いいし、準備に手間がかからないので、人気がある。

IV.

ので　ので　のに　のに

第18課　～(さ)せる(使役)

ウォームアップ

b　　c

～(さ)せる(使役) 1

II.

1．1）手伝わせる　2）来させる　3）報告させる
4）調べさせる　5）持たせる　6）確かめさせる

2．1）部長が部下を転勤させる　2）課長がファンさんを金沢に出張させる　3）姉が弟を買い物に行かせる　4）先生が生徒を静かにさせる　5）医者が患者にしばらく運動をやめさせる　6）チャンさんが弟に後片づけをやらせる　7）両親が子どもに外国語を身につけさせる　8）課長が田中さんに書類の書き直しをさせる　9）親が子どもに歩道を歩かせる　10）母が妹に牛乳を買ってこさせる

III.

①語学を身につけさせたい　例：将来きっと役に立つと思う　②何か楽器を習わせたい　例：音楽が好きな子どもになってほしい　③水泳をさせたい　例：水泳はじょうぶな体を作る

IV.

「行かせます」＝ 課長が「行くこと」を指示する
「行ってくれませんか」＝ 課長が「行くこと」を頼んでいる

～(さ)せる(使役) 2

II.

1）学生が先生を困らせる　2）息子が親を安心させる　3）チャンさんが弟を泣かせる　4）弟が母を悲しませる

III.

①ときどき危ない所で遊んで、母を怒らせました　②いつもおもしろいことを言って、クラスの友だちを笑わせました　③よくいたずらをして、先生を困らせました

～(さ)せる(使役) 3

II.

1．1）父親が息子に好きな道を選ばせる　2）課長が部下に2週間の休暇を取らせる　3）先生が気分の悪い学生を保健室で休ませる

2．1）弟にインターネットをやらせた　2）ファンさんに今度の企画を担当させた　3）田中さんに2、3日考えさせた

III.

1．1）①ルンさんに借りたCD　聞かせて　②きのう買ったゲーム　やらせて　③スピーチの原稿　読ませて

2）①国から両親が来ている　例：あした休ませていただけませんか　例：ええ、わかりました
②3時まで勉強したい　例：101号室を使わせていただきたいんですが…　例：いいですよ。
③プリントを忘れた　例：コピーさせてください　例：いえ、隣の人に見せてもらってください

2．例：休暇を取らせていただきたい

IV.

1）休業させ　2）休ませ

V.

を　進ませよ　　を　心配させた　　を　安心させ

第19課　ように・ために

ウォームアップ

a

II.

1．1）ために　2）ように　3）ために　4）ように　5）ように　6）ために

2．1）ひかない　2）調べられる　3）乗り遅れない　4）減らす　5）生かす　6）枯れないように　7）安心するように　例：メールを送ります　8）増やすために　例：語彙のノートを作っています　9）なくさないように　例：引き出しに入れてあります　10）節約のために　例：自分でお弁当を作ります

III.

1．1）①新しい資料も配れる　②時間に間に合う　③全員がそろったら、すぐ始められる
2）①気分転換のために　例：ときどき主人とドライブに出かけています　②疲れをためないように　例：夜はいつも早く寝ています　③ストレスを解消するために　例：週末はカラオケで歌っています

2．知らせるために　幸せにするために

IV.

1）例：お母さんの病気が早く治る　2）例：宝くじが当たり

第20課　ようだ・みたいだ

ウォームアップ

b

II.

1．1）ショックだった　たいしたけがじゃなかった
2）ほっとしたようです／みたいです　会社のようです／会社みたいです　3）心配なようです／心配みたいです　気が進まないようです／みたいです
4）継がせたいようです／みたいです　あるようです／みたいです　5）進んだような／みたいな
6）治らないようです／みたいです　インフルエンザのようです／インフルエンザみたいです

2．1）例：何か心配なことがあるようです／みたいです　2）例：この先で事故があったようです／みたいです　3）例：ううん、知らないけど、田中さんの友だちみたい　4）例：どこかで落としたみたい

III.

1．1）①一人暮らしはさびしい　②授業についていけるかどうか不安な　③だいぶ学生生活に慣れてきた
2）①やる気が出てきたみたいです　例：今度、留学試験を受ける　②いらいらしています　例：試験の結果がまだ来ていない　③何か悩んでいるようです　例：試験の結果が悪かった

2．1）評判がいいよう／みたい　2）太って見えるみたい

3．なっていないようだ

IV.

1）なったらしい　2）あったらしい　3）いるらしい　4）出たらしい

第21課　～(ら)れる(受身)

ウォームアップ

1．b　　2．b

～(ら)れる(受身) 1

II．

1．1）(わたしが)両親に期待されている　2）美加さんが隣にすわった人に話しかけられた　3）ルンさんが日本人に道を聞かれた　4）(わたしが)蚊に足を刺された　5）(わたしが)新しい自転車を傷つけられた　6）(わたしが)よくみんなに名前を間違えられる　7）ファンさんがスピーチコンテストで1位に選ばれた

2．1）(わたしが)兄に写真屋に写真を取りに行かされた［わたしが行く］　2）(わたしが)姉によく泣かされた［わたしが泣く］　3）両親がときどき弟に心配させられる［両親が心配する］　4）ファンさんが課長に報告書を急いで書かされた［ファンさんが書く］

3．1）弟にメールを見られ　2）車を止められる　3）雨に降られて　4）セールスの人にしつこく商品をすすめられて　5）家族に反対されて　6）断られ　7）ぐちを聞かされる　例：いやな　8）友だちに頼まれ　例：ノートを貸し　9）病院で2時間も待たされ　例：疲れてしまった

III．

1．厳しい練習をさせられ　みんなに励まされ

2．1）①スミスさんに家に呼ばれている　②田中さんに翻訳を頼まれている　③佐藤さんたちにドライブに誘われている

2）①笑われ　例：リーさんに　例：授業中に居眠りしちゃった　②しかられ　例：保証人に　例：学校をよく休むから　③文句を言われ　例：隣の人に　例：夜中に騒いでいたから

3．1）スピーチのときみんなに見られて、あがってしまいました

2）(わたしは)事務室の前で校長先生に名前を呼ばれて、びっくりしました

3）通りがかりの人に道を聞かれて、弟は駅まで連れていってあげた

4）わたしは子どものころ牛乳が大嫌いだったが、母に毎朝、飲まされた

5）わたしは川上さんに書類の整理を頼まれましたが、断りました

IV．

a．ファンさんは恥ずかしがっている。　b．ファンさんは喜んでいる。

～(ら)れる(受身) 2

II．

1．1）中国から多くの野菜が輸入されている　2）最近、新しい技術が開発された　3）高速道路で乗用車がトラックに追突された　4）ディズニー映画が世界中の人々に知られている　5）外国の小説が日本語に翻訳されている　6）日本は安全な国だと言われる　7）今後も少子化が進むと予想されている

2．1）が　省略される　2）が　認められ　選ばれ　3）が　話されている　呼ばれている　4）に利用されている　5）が　切られ　焼かれ　6）が　発明されて

III．

1．①中国から漢字が伝えられた　例：はい、知っていました　②日本のデジカメが世界に輸出されている　例：はい、もちろん知っていますよ　③たくさんのごみが富士山に捨てられている　例：いえ、ぜんぜん知りませんでした。本当ですか。

2．書かれた　書き直さ　なっ　使われ　翻訳され
読む

第22課　～ても

ウォームアップ

a．正しい　b．正しい

～ても 1

II.

1）例：反対されても、あきらめません　2）例：ドイツ語ができなくても　3）例：来なくても
4）例：安くても　例：買わない　5）例：冬でも暖かく　6）例：地図がなくても　7）例：違っても
8）例：帰国しても

III.

1．1）①日本を離れても　②就職しても　③仕事が忙しくても
2）①日当たりがよければ　狭くても　②ペットが飼えれば　不便な所でも　③家賃が安ければ　通勤時間がかかっても
2．1）失敗したら　失敗しても　2）日本人でも　受けても　3）こぼれたら　こぼれても　汚れても

～ても 2

II.

1．1）例：をさがしても、かぎが見つかりません
2）例：に聞いても、森さんが会社をやめた理由はわかりません　3）例：聞いても、テープの内容が理解できません　4）例：待っても、チャンさんは来ませんでした　5）例：ひどい風邪でも、きょうは会社に行かないといけません
2．1）例：に頼んでも　2）例：食べても　3）例：をやっても　例：うまくいきません

III.

①何度訪ねていっても　例：留守なんです　②いつ電話しても　例：出ないんです　③だれに聞いても　例：知らないって言うんです

IV.

1）例：雨でも、中止になりません　2）例：いくら薬を飲んでも、治らない　3）例：何回見ても、また見たくなる　4）例：説明書を読んでも、わからない
5）例：いくらさがしても、ぜったい見つからないよ

第23課　ことになる・ことにする

ウォームアップ

b

II.

1．1）①大学院に進むことにしました　②国で仕事をさがすことにしました　③もうしばらく英語の教師を続けることにしました
2）①音楽　ファンさんが選んでくれることになりました　②会場　当日みんなでセッティングすることになりました　③プログラム　わたしが作ることになりました
2．例：受けない

III.

1．1）①人に会うことになっている　②荷物が届くことになっている　③5時にM社に行くことになっている
2）①携帯電話は使えない　②食べ物は持ち込めない　③録音できない
2．ことになっている　ことになっ　ことにした

第24課　うちに

ウォームアップ

b

うちに 1

II.

1) 売り切れないうちに　2) 開いているうちに
3) 元気なうちに　4) 20代のうちに　5) ひどくならないうちに　例：家に帰って、薬を飲んで寝たほうがいいですよ　6) とけないうちに　例：食べてしまいましょう　7) いるうちに　例：北海道に行ってみたいです　8) 忘れないうちに　例：メモしておきます

III.

①旅行の日程を決めました　今の　例：決めておいたほうがいいですよ　②航空券を取りました　席がなくならない　例：取っておかないと、後で困ります　③ホテルを予約しました　いっぱいにならない　例：予約しておいてください

うちに 2

II.

1) しているうちに　2) 書き直しているうちに
3) 繰り返しているうちに　4) 重ねているうちに　例：できる　5) まねしているうちに　例：上手に言える　6) 仕事をしているうちに　例：その人のよさがわかってきた　7) 聞いているうちに　例：国へ帰りたくなってきた　8) 見ているうちに　例：行ってみたくなった　9) 例：料理の話をしているうちに
10) 例：本を読んでいるうちに　例：眠くなってきました

III.

①大学の授業　例：毎日受けているうちに、理解できるようになってくると思いますよ　②日本の生活　例：生活しているうちに、少しずつ慣れてきますから…　③アルバイト　例：続けているうちに、だんだん楽しくなってきますよ

IV.

暗いうちに　待っているうちに　見ているうちに

第25課　ように言う

ウオームアップ

b

ように言う

II.

1) 車掌は　車内で携帯電話を使用しないように言った
車掌に車内で携帯電話を使用しないように言われた

2) 父は　体に気をつけるように言った
父に体に気をつけるように言われた

3) 母は　遅くなりそうだったら必ず電話するように言った
母に遅くなりそうだったら必ず電話するように言われた

4) 医者は　あまり無理をしないように言った
医者にあまり無理をしないように言われた

5) 先生は　遅刻しないように言った
先生に遅刻しないように言われ

6) コーチは　もっと速く走るように言った
コーチにもっと速く走るように言われた

III.

1. 1) ①8時半に来る　②遅れない　③きょう中にリストを作っておく
2) ①これを返してきて　これを返してくる
②これをコピーしてきて　これをコピーしてくる
③教室が何時まで使えるか聞いてきて　教室が何時まで使えるか聞いてくる

2. 1) 例：授業が終わったら、事務所に来るように
2) 例：体に気をつけて、よく勉強するように言わ

れました

ように頼む

II.

1）エアコンの修理に来てくれるように頼んだ
2）ファンさんにあと10部コピーしてくれるように頼んだ　3）リーさんに文法の参考書を貸してくれるように頼んだ　4）田中さんはファンさんに金曜日のプレゼンテーションを代わってくれるように頼んだ
5）美加さんはお母さんに駅まで迎えに来てくれるように頼んだ

III.

①プログラム　例：チャンさんとルンさんに考えてくれるように頼んであります　②歓迎のスピーチ　例：アンさんにやってくれるように頼みました
③学校紹介のビデオ　例：ファンさんに準備してくれるように頼んでおきました

第26課　敬語

ウォームアップ
①インタビュアー　②坂本さん　③坂本さん　④インタビュアー　⑤坂本さん　⑥坂本さん　⑦坂本さん

尊敬語―おVになる・特別な形―

II.

1．1）①ごらんになりました　②いらっしゃいます　③参加なさいます　④いらっしゃいます　⑤召し上がります　⑥なさいます　⑦運転なさいます　⑧いらっしゃった　⑨ご存じです　⑩お読みになりました　⑪お聞きになりました　⑫お会いになりました　⑬お待ちになります

2．1）①遊びにいらっしゃってください　②ゆっくりなさってください　③ごらんになってください
2）①おかけください　②よろしくお伝えください　③お寄りください　④お渡しください　⑤ご出席ください　⑥ご注意ください

III.

1．1）①会場をご存じですか　ご存じだ　②日本語がおわかりになりますか　おわかりになる　③日本料理を召し上がりますか　召し上がる　2）①先ほど、お出かけになりました　例：きょう、こちらに戻っていらっしゃいますか　②もうお帰りになりました　例：あしたはいらっしゃいますか
③今、会議に出ていらっしゃいます　例：きょうは何時ごろまで学校にいらっしゃいますか

2．1）ごらんになりました　2）皆さんごいっしょお待ち　3）お元気そうです　招待してくださっておっしゃっていました　いらっしゃいますお入り

尊敬語―～(ら)れる―

II.

1）買われた　2）出張されます　3）始められた
4）帰られた　5）行かれる　6）される　聞かれました　7）勤められた　移られます　8）携わってこられました

III.

1）例：引っ越された　例：落ち着かれました
2）例：転勤された　例：ご存じです　3）例：過ごされます　例：国に帰ろう　4）例：いらっしゃる　例：1年になります　例：勉強なさいました
例：YWCAで勉強しました　例：お聞き　5）例：読まれます　例：4冊ぐらい読みます　例：書かれる
例：いえ、あまり多くないです　例：思われます
例：そうですね。確かにそう言われていますけど、本が好きな人も多いんじゃないでしょうか

ていねい語・謙譲語

II.

1. 1）申します　2）まいりました　3）住んでおります　4）おります　5）合格いたしました　6）思っております　7）見ません　8）働きたい

2. 1）お待たせし　2）拝見しました　3）お返しし　4）教えていただき　5）うかがっ　6）おかけし　7）おかけしました　例：卒業することができました

III.

1）①論文のことでご相談したい　②講演会のビデオをお借りしたい　③ちょっとうかがいたいことがある／ちょっとお聞きしたいことがある

2）①駅までお送りします　②お荷物、お持ちします　③後は、わたしがいたします

IV.

1）a　a　2）b　b

V.

1）竹田さんでいらっしゃいます　申します

2）お電話した　例：お目にかかりたい　例：お待ちはずしております　戻ってまいります　3）方　例：お目にかかっ　例：うかがえ　思っております　お知らせ

第27課　わけだ

ウォームアップ

a

わけだ

II.

1. 1）例：会社で新しいプロジェクトが始まった　2）例：日本語が上手なわけです　3）例：部屋が片付いているわけだ　4）例：そうだね。きょう北山ホールで大きい会議があるって、ニュースで言っていたけど…　例：込んでいるわけですね

2. 疲労回復するわけです。

わけじゃない（では）

II.

1）例：インスタント食品というわけじゃありません　2）例：受験できるわけじゃありません　3）例：暇なわけじゃない　4）例：つまらないわけじゃありません

III.

1. 1）例：全部安いわけじゃありません　2）例：嫌いなわけじゃないんです　例：今はおなかがいっぱいな　3）例：忙しいわけじゃない　例：来週期末テストがあるから、勉強しようと思っているの

2. ①いつも料理を作る　いつもって　例：なるべく作るようにしています　②毎週ジムに行く　毎週って　例：できるだけ行くようにしています　③必ず予習する　必ずって　例：たいていします

わけにはいかない

II.

1. 1）例：飼うわけにはいき　2）例：きょう休むわけにはいかない　3）例：断るわけにはいきません　4）例：あした試験がある　5）例：贈らないわけにはいかない

2. ①旅行、取りやめたら　例：いっしょに行く友だちがすごく行きたがっている　例：取りやめるわけにはいかない　②アルバイト、代わってもらったら　例：ほかのアルバイトの人もそれぞれ予定がある　例：代わってもらうわけにはいかない　③約束、断ったら　例：わたしが頼んで会っても

らうのだ　例：断るわけにはいかない

III.

1）わけじゃない／わけではない　2）わけにはいかない　3）わけではない　4）わけじゃない／わけではない　わけにはいかない　5）わけだ